Air Mo Chuairt

Ealasaid Chaimbeul

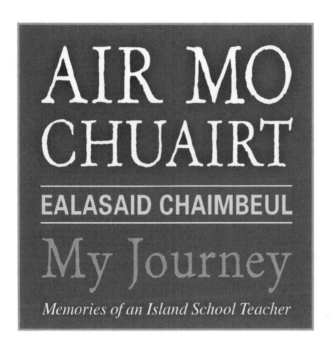

AIR MO CHUAIRT

EALASAID CHAIMBEUL

My Journey

Memories of an Island School Teacher

Foreword & English Translation by Mary Flora Galbraith

Chaidh an leabhar seo fhoillseachadh an toiseach an 1982
sa Ghàidhlig a mhàin le Acair Earranta
An dàrna foillseachadh 1987

A chiad fhoillseachadh dà-chànanach ann an 2016 le Acair Earranta
An Tosgan
Rathad Shìophoirt
Steòrnabhagh
Eilean Leòdhais HS1 2SD

An dàrna fhoillseachadh dà-chànanach ann an 2017 le Acair Earranta

www.acairbooks.com
info@acairbooks.com

An dealbhachadh agus an còmhdach Joan MacRae-Smith as leth Acair.

Clò-bhuailte le Hobbs, Hampshire, Sasainn

Gheibhear clàr catalogaidh airson an leabhair seo bho Leabharlann Bhreatainn.

Chuidich Comhairle nan Leabhraichean am foillsichear le cosgaisean an leabhair seo.

Tha Acair a' faighinn taic bho Bhòrd na Gàidhlig.

LAGE/ISBN 978-0-86152-554-6

Mar chuimhneachan taingeil
air mo mhàthair 's air m' athair
's air mo pheathraichean 's mo bhràithrean,
agus ga luthaigeadh,
leis a h-uile beannachd,
dhaibhsan a dh'earbadh asam.

Ealasaid Chaimbeul ri teagasg ann an sgoil Bhatarsaigh

Clàr-Innse

TÙS M'ÒIGE

Air latha bòidheach Cèitein agus am fitheach a' cur a-mach a theanga, thàinig mi chun an t-saoghail ann am baile beag àlainn aig ceann a tuath Bharraigh. Gun teagamh, chan e nì annasach a bha sin. Bha mo leithid-sa a' tighinn chun an t-saoghail mun àm sin – sa bhliadhna 1913 – gu math nas bitheanta na tha iad an-diugh. Bha ochdnar no còrr de theaghlach anns a h-uile taigh anns a' bhaile bheag againn fhìn, ged nach eil mòran dhiubh an làthair an-diugh.

'S e a' chiad chuimhne a th' agam a bhith nam shuidhe aig ceann an taighe agus mo pheathraichean 's mo bhràithrean a' gàireachdaich gu cridheil orm. Bha iad air innse dhomh gun robh athair againne cuideachd mar a bha aig clann bheag eile a' bhaile. 'S e naidheachd iongantach dha-rìribh a bha sin dhòmhsa, oir cha robh cuimhn' agamsa air fhaicinn a-riamh mu choinneamh mo dhà shùil. Thuig mi gun robh e air falbh sa Chogadh ged nach robh fhios agamsa ro mhath gu dè a bh'ann an Cogadh no càite idir an robh e.

'S math mo bheachd air an latha a chunnaic mi m' athair an toiseach. Nochd e thar gualainn a' chnuic – duine grinn, sgiobalta agus bonaid cruinn ma cheann agus deise an Nèibhidh air. Cha b' ann gu ceòl a chaidh sin dhòmhsa. Leig mi na gluig 's na ràin. Bha mi a' tulgadh na creathaile anns an robh mo bhràthair a b' òige a-muigh aig ceann an taighe fhad 's a bha mo mhàthair a' bleoghan a' chruidh shìos mun bhàthaich. Thog an coigreach a thàinig thar a' chnuic an leanabh às a chreathail, agus a' gabhail grèim teann cruaidh air mo làimh-sa, chàirich e air sìos far an robh mo mhàthair. Bha mise gu bhith an ìmpis a dhol à cochall mo chridhe air eagal 's gum falbhadh e leatha dhan 'Chogadh'.

'S e duine sunndach cuideachail a bha nam athair. Bha e caran cho moiteil gun robh beagan Beurla aige. Cha robh oidhche san t-seachdain, ach e bhith aig taigh, nach biodh òigridh a' bhaile a' cruinneachadh dhachaigh a dh'èisteachd ri naidheachdan an Nèibhidh agus a thogail an fhuinn nuair a bhiodh esan a' toirt sùrd air seinn nan duanagan inntinneach a bha iad a' cleachdadh aig àm a' Chogaidh. Chluinneadh tu air astar *It's a Long Way to Tipperary.* 'S e bun a bh' ann gun do dh'fhàs òganaich a' bhaile cho eòlach air na naidheachdan agus gun rachadh aca fhèin air am beàrn a lìonadh nan tigeadh tuisleadh sam bith an cainnt an sgeulaiche, agus cò nach biodh toilichte ann an cuideachd cho sunndach?

Cha robh sgoil no sgrìobhadh aig mo mhàthair chaomh, nas motha na bha aig mnathan eile a' bhaile. Anns a' ghnè beatha a bh' aca cha robh mòran feuma air sgoil ann. Bha gach tè dhiubh cho trang a-muigh 's a bha i a-staigh. Bhiodh iad ri feamanadh, ri ruamhar agus ri cur an t-sìl agus a' bhuntàta. 'S e feannagan bhuntàta a bhiodh aca sa bhaile bheag againne, agus 's ann le pleadhan a bhiodh mnathan a' bhaile a' cur slisean a' bhuntàta. Nuair a dhèante an toll, b' fhìor thaitneach leam fhìn nam chaileig, a bhith a' faighinn cothrom slis a chur san toll. Dh'fheumadh 'sùil' a bhith air an t-slis air neo chan fhàsadh bàrr san toll sin idir.

Aig an taigh, bha mo mhàthair, agus a h-uile màthair eile sa bhaile, trang trang. Bhiodh iad a' fuine dhà no trì de bhreacagan arain san latha, oir cha robh aran mar a tha sinn a' cleachdadh an-diugh ga fhaotainn sna ceàrnachan againne aig an àm sin. 'S e aran flùir a b' fheàrr a chòrdadh rinn, ach bha breacagan de dh'aran flùir is Ìnnseanach agus breacagan de dh'aran coirce gam fuine cuideachd. Bu ghasta le caileig an uair sin grèim fhaighinn air pàirt dhen taois agus bonnach beag a dhèanamh air a' chlàr-fhuine agus a chàradh air a' ghreideil.

'S e buntàta agus iasg a bu trice bhiodh againn aig àm dìnnearach. Tha cuimhne agam dìreach air èiginn, air slabhraidh an t-simileir agus bùlais na poite. Thàinig an sin an stòbh dhan fhasan. 'S e feadhainn dhubha a bh' ann, agus a h-uile cothrom a gheibheadh tu bhiodh tu a' cur *black-lead* air feuch an tigeadh soillse às a bheireadh bàrr-urraim air a h-uile stòbh eile sa bhaile. Dh'aindeoin stòbh, cha robh a' mhòine bhàn na sùgradh; agus cha robh an caoran dubh a bha cha mhòr cho math ris a' ghual ach tearc anns na puill-mhòna againne. Air aon Didòmhnaich anns a' bhliadhna òr-bhuidhe ud air an do laigh am *Politician* air cladaichean Eilean Grinn na h-Òige, nochd sgoth agus buidheann aighearach air bòrd innte, a-staigh am bàgh. Thàinig cuid dhen chòmhlan dhan taigh againn. Bha mo mhàthair chaomh a' strì ri grìosadh air a' choire a ghoil. Bha i a' faighinn tàir a' brodachadh na mòna bàine. Dh'èirich fear dhe na fiùrain ag ràdh, "Leigeadh sibhse mise thuige", agus a' toirt botal mòr às a phoc, dhòrt e steall eireachdail air dhath an òir air uachdar na mòna bàine. Abradh sibhse gun tug ise leum aiste, agus 's e a bha 'n t-òganach ag ràdh, "Tha gu leòr fhathast anns an t-sloc às an tàinig am fear ud."

Bha mo mhàthair cuideachd ri snìomh. An toiseach bhiodh i a' cìreadh na clòimhe le a meòirean agus a' rèiteach aiste gach gas fraoich no stob drise a bhiodh air a feadh. Bha i an uair sin a' toirt làmh air a' chàrd, a' càrdadh na clòimhe agus a' càradh nan rolagan grinne ann am basgaid bhig ri taobh. Bha a' chuibheall ga cur gu feum an uair sin, agus shuidheamaid mar fheadhainn a bhiodh air càrnachadh, a' cumail sùil air an dol mun cuairt agus ag èisteachd ris a' chrònan òrain. Bha an fhearsaid uabhasach inntinneach a bhith ga h-amharc a' sìor chur toinneamh anns an t-snàth. B' fhìor thoil leinn cothrom fhaighinn air an t-snàth a thachrais na buill. Bhiodh bean an taighe – feasgar mar bu trice, a' fighe stocainnean agus badan aodaich eile dhen a h-uile seòrsa a bha sinn a' cur feum orra.

An dèidh an eadraidh moch agus anmoch, bha am bainne nach robh a' dol gu feum an teaghlaich ga chur an tàmh ann am miasan crèadha gus an tigeadh uachdar air. Bha an t-slige chreachain glè iomchaidh airson an uachdair a thogail mun dòrtadh e sa chroga mhòr, a bha ruadh air an taobh a-muigh ach air dhath an uachdair fhèin air an taobh a-staigh. Abradh sibhse, nuair a thigeadh latha a' mhaistridh mun cuairt, gum biodh othail an sin. 'S e crannachan dhen t-seann fhasan a bh' againne. Bha e caran coltach ri barailte, ach gur e cearcaill iarainn a bha a' co-dhlùthadh nam maidean ri chèile. Bhitheamaid an ìmpis a dhol às ar cnàmhan feuch cò gheibheadh greis dhen loinid. Cha robh aig gach aon againn ach bloigheachas dhen rann "Thig, a chuinneig, thig", a bhiodh mo mhàthair a' cleachdadh aig àm a' mhaistridh, ach a dh'aindeoin sin 's na dhà dhèidh, bha faothachadh làidir ann. Bha deoch dhen bhlàthaich glè bhlasta nuair a bhiodh am maistreadh seachad, agus bha sinn an sin a' gabhail a' chnuic – seadh, an nèamh beag far an robh clann a' bhaile againn fhìn a' cur seachad na cuid mhòir dhen ùine. Eadhon nuair a bhiodh tu nad chadal, bhiodh e a' ruith tro d' inntinn na cleasan tlachdmhor a bha thu a' dol a dh'fheuchainn an latharna-mhàireach. Nach b' olc an airidh nach leigte le cloinn iad fhèin a chluich aig an aois sin gus am biodh iad làn-bhuidheach – fhad 's a tha an sannt orra.

A-nis, bha clann air leth measail air a bhith ag èisteachd ri sgeulachdan nuair

11

a bha mise òg. Co-dhiù bha iad fìor no breugach, cha robh sin a' cur cùram oirnn. Thogadh mo mhàthair san Eilean Fhùideach, far an robh a h-athair na chìobair. Bha seachdnar a theaghlach ann, ach cha robh aon teaghlach eile san eilean ach iad fhèin. Bhithinn-sa a' toirt taing dhan Àgh nach e mise bh' ann oir cha dèanainn-sa a' chùis bha mi am beachd, gun am bannal daonnan nam chois. 'S math mo bheachd air ise bhith ag innse dhomh mun tinneas a bhuail mo sheanair a thug am bàs dha – tinneas nach robh leigheas ann dha san latha sin: *diabetes*. Bha cuman uisge agus cupa an-còmhnaidh ri taobh a leapa. Dh'fhàg e an saoghal seo feadh na h-oidhche. Cho luath 's a thàinig glasadh an latha, chàirich mo sheanmhair agus Màiri piuthar mo mhàthar, orra leis an sgothaidh agus an dà ràmh gu ruige Brudhairnis a dh'iarraidh dhaoine agus a dh'ullachadh airson an tòrraidh. Dh'fhàgadh mo mhàthair – 's i an dàrna neach bu shine – an cois an taighe 's a' chòrr dhen teaghlach. Dh'earbadh rithe doras iochdar an taighe, far an robh an giùlan, a chumail dùinte. Ged nach robh i ach dà bhliadhna dheug a dh'aois, cha robh an còrr àraich air. Mu dheireadh, thòisich an ciaradh air tighinn, agus bhuail an cianalas am buidheann beag a bha air fhàgail san eilean. Rinn iad air a' chladach agus bha iad an sin còmhla ris na trìlleachain an cois nan tuinne, gus an d' fhuair iad faothachadh nuair a chuala iad fuaim nan ràmh a' tilleadh air ais.

Nuair a chaochail mo sheanair, cha robh e ceadaichte dham sheanmhair agus a teaghlach fuireach san t-seann dachaigh, ach càite an toireadh iad an aghaidh – banntrach bhochd le seachdnar a theaghlach 's gun dachaigh eile aice? Chaidh an sin fir a chur dhan eilean gus lasair a chur ris an taigh, ach bha iad iochdmhor, coibhneil. Thuirt iad, "Coileanaidh sinne ar dleastanas mar a dh'iarradh oirnn, ach cuiridh sibhse às an teine san dearg mhionaid a ghabhas e." Sin dìreach mar a rinn iad. Glè ghoirid an dèidh sin, thàinig daoine coibhneil à Brudhairnis a dhèanamh cobhair orra, agus chàireadh iad an taigh beag ann am Brudhairnis. Fhuair mise faothachadh uabhasach nuair a ràinig an naidheachd Brudhairnis agus a thuig mi gun robh cuideachd gu leòr sa bhaile!

'S e "Taigh na Caillich" a theireadh iad ri taigh mo sheanmhar. Nuair a dh'fhàs an teaghlach suas, thogadh taigh snasail ùr cloiche a tha fhathast an làthair. Chuir mi iomadh latha toilichte seachad mu na sreathan sin.

Bhiodh feadhainn air leth grinn a' tighinn air astar mòr air chois air chèilidh a thaigh mo sheanmhar. Bhiodh aodaichean rìomhach orra, agus adaichean air leth snasail. Cò a' chaileag nach gabhadh an cothrom ach idir fhaotainn, air feuchainn ri faicinn ciamar a thigeadh iad dhut fhèin?

'S e taigh-cèilidh dha-rìribh a bh' ann an Taigh na Caillich, far am biodh fir a' bhaile a' cruinneachadh a h-uile feasgar a chluich chairtean, a dh'innse sgeulachdan agus a rèiteach dad cudromach sam bith a thaobh chroitean no sgothan. Glè thric, bhithinn-sa nam ghurraban mun teine agus sùil gheur an-àird agus cluas fosgailte air eagal 's gun caillinn aon diog a bha dol. 'S e *Catch the Ten* an cluiche chairtean a bha iad daonnan a' cleachdadh, agus chluinnte am bualadh bhas 's am faram chas agus an spreadhadh ghàireachdaich nuair a bhiodh *raul* ann. Sin a theireadh iad ri cluiche far am buannaicheadh an dàrna buidheann a h-uile h-aon dhe na làmhan chairtean. Bha e na adhbhar toileachaidh dha-rìribh dhan chloinn fir fhaicinn a ràinig aois, agus air an robh coltas a' chùraim feadh an latha, cho fìor thoilichte nan staid air an oidhche gun dad eile ach an *raul* a-mhàin a' caochladh an cruth.

Sgoil a' Mhorghain

Chaidh mi dhan sgoil – Sgoil a' Mhorghain – nuair a bha mi còig bliadhna. 'S beag an t-iongnadh ged nach rachadh dìochuimhn' agamsa air an dearbh latha. Nuair a fhuair sinn a-mach às an sgoil thuirt balach beag coibhneil rium fhìn, 's e a' breith air làimh orm, "Fàgaidh mi fhìn a-staigh thu." Mar nach do dh'iarr am Freastal, cò a bha shuas air a' chnoc os cionn an taighe againn ach ban-eucorach chòir choibhneil a bha nar nàbachd. Cha robh fa-near dhìse ach spòrs is gàireachdaich. Mhothaich i dhuinn a' tighinn, agus ma mhothaich bha ceannach agamsa air a' chùis. A-riamh bhon latha sin, bha i a' sìor tharraing asam mun bhalach, ach 's e a' chuid bu duilghe dhen chùis gun gabhadh i dhachaigh gus a bhith a-staigh romham, agus bheireadh i duiseal air an aon iorram sin a h-uile latha mu choinneamh m' athar 's mo mhàthar – "An tàinig e dhachaigh leat an-diugh?" Bha ceannach agamsa air coibhneas a' bhalaich, agus air fealla-dhà mo bhanacharaid – ach cha robh fa-near dhi ach spòrs agus chan e an t-olcas.

A-nis, bha fiughair mhòr ormsa a' càradh orm dhan sgoil a' chiad latha. Bha fadachd air a bhith orm gus am fàsainn mòr, los gum faighinn dhan sgoil, ùine mhòr roimhe seo. Mo thruaighe bhochd, mun do ruith an t-seachdain a-mach, thuit mo ghudan 's mo ghadan orm. Ar leam gun robh gach neach eile cho math san sgoil. Cha robh a' bhana-sgoilear againne a bha mion-eòlach air Gàidhlig Bharraigh, a' cleachdadh rinne ach a' Bheurla chruaidh

Shasannach a' chuid mhòr dhen ùine. Cha robh agamsa dhith sin ach dà fhacal – *"Yes"* agus *"No"* – agus bha mi ann an ceò. Chan fhòghnadh a' Bheurla fhèin, ach bha fuaim neònach aig a' chainnt mar gun tigeadh i à Lunnainn no Aimeireaga. Nuair a bu shine a dh'fhàs mi, thuig mi gum b' i a' Ghàidhlig cainnt nan truaghan bochda agus nam biodh bloigheachas idir agad dhen Bheurla, gum feumadh tu a cur an cèill cho luath 's a b' urrainn dhut los gum biodh tu cho math ri càch.

Cha robh dad san sgoil a thogadh do chridhe ach *ball-frame* air an robh buill anns gach seòrsa dath. Cha robh seudam sìorraidh ann leis an cluicheadh tu, agus bhiodh tu air bhiodan gus am faigheadh tu chun a' *bhall-frame*, agus chluinneadh tu fuaim aig duine mu seach air *"One, two, three, four,"* agus bhòidicheadh tu gur goirid a thill a h-uile h-aon dhiubh à Lunnainn, air fuaim an guth.

Bha mi fhìn a-nis air fàs searbh a bhith gun sgoil 's gun labhairt. Chuala mi tè ag èigheach dhan tidsear aon latha, *"Please telling lies."* Trì latha às dèidh sin, chuir mi suas mo làmh agus dh'èigh mi fhìn na dearbh bhriathran, ged nach robh fhios agam bho thalamh gu dè bu chiall dhaibh. 'S fheàrr a bhith a dhìth a' chinn na a bhith a dhìth an fhasain!

Aig an àm ud, bha an cosnadh agus an t-airgead fìor ghann am Barraigh, ach bha a' mhòr-chuid air an aon rèir. Bha feadhainn shònraichte ann aig an robh bàtaichean-iasgaich. 'S e an sgadan air am biodh iad an tòir le lìn nam mogal. 'S i aon tè uaine dham b' ainm an *Cheerful* a bhiodh a' tighinn a-staigh dhan Bhàgh a Tuath rim chiad chuimhne, ach thàinig an sin an *Stella*. Bhitheamaid air bhàrr nan cnoc, agus sinn cho leòmach a' cumail sùil air cho luath 's cho brèagha 's a ghluaiseadh iad, agus a' beachdachadh gu h-àraidh air uisge na stiùrach aca. Ann am Brudhairnis bha *An Reul* agus an *Ealasaid*. Chluinneadh tu mnathan a' bhaile ag èigheach dha chèile gu pròiseil feadh an latha, "Nach robh dà fhichead crann aig *An Reul* an-diugh," agus bheireadh an naidheachd sin togail mhòr dhan bhaile gu lèir. Ged nach robh bàta-iasgaich againne, 's coma dè cho math 's a chòrd e rium nuair a dh'innis cuideigin dhomh gun robh tè uaireigin aig mo sheanair air an robh an *Try Again*. Bu bhuidhe leat a bhith air an aon rèir ri muinntir eile nam bàtaichean-sgadain, ged a bhiodh an càirdeas cho fada air falbh eadhon rid sheanair fhèin.

A-nis, thall tarsainn a' phuirt bhig goirid dhan taigh againn fhìn, bha dachaigh fìor ghoirid do dh'iomall an làin far an robh pìobaire a thug a leithid de spèis dhan phìob 's gum biodh e ga cluiche ceathramh math dhen latha agus earrann mhath dhen oidhche. Nuair a bha mi glè òg, b' àbhaist dhomh fhìn 's dhan bhuidheann ghrinn a bhiodh còmhla rium a bhith tadhal ann. Mar a bha taighean eile a' bhaile, bha an stòbh fhathast gun tighinn dhan fhasan. Glè thric bhiodh òigridh a' bhaile an sin a' dannsa cruinn cothrom còmhla an teis-meadhan an ùrlair. Mar bu mhotha a bhiodh an sùrd air an òigridh, 's ann bu lugha a bha dh'àite air fhàgail aig a' phìobaire. Bha an duine bochd ga shìor phlùcadh suas chun an teine. Mu dheireadh thall, ruigeadh e air an luaithre agus bha a chas, a bha a' cumail faram ris a' cheòl, a' cur na smùid a b' àille dha na speuran. Bha eucoraich ghillean ann a phlùcadh suas e mar aon-obair feuch dè cho tiugh 's a bhiodh an smùid. 'S math mo chuimhne air a' phort a b' fhaide a ruigeadh a chridhe, agus nuair a theannadh e air bha e air saoghal eile, 's cha robh smùid na luaithre a' cur cùram sam bith air. An latharna-mhàireach, bhiodh sinne a-muigh air a' chnoc air an dearbh iorram air an robh am pìobaire fhèin, agus sinn gu trang a' canntaireachd port na pìoba. Seo car mar a bha an toiseach aige:

Horra bharra Sheotharraich
Horra bharra Shiutharraich
Horra bharra Sheotharraich
Sheotharra bha Shiutharraich

Mar nach do dh'iarr an Sealbh, chaidh am pìobaire bochd air imrich agus theirig an dannsa 's an ceòl sa bhaile againne.

An ceann beagan ùine, cò thill a Bharraigh ach "Seòras" agus bean Ghallta aige. Thog e taigh grinn bòidheach air Cnoc a' Chìobair, dìreach os cionn Loch na h-Òib, faisg air Sgoil a' Mhorghain. A-nis, cha robh nì annasach sam bith co-cheangailte ri Seòras ach gu fìor 's esan a thog na glainneachan aig clann a' bhaile bhig againne. Dè bh' aige a' tighinn dhachaigh ach *gramophone* agus adhairc mhòr shnasail air. Bha sinne a' smaointinn gur ann bhon ath shaoghal a bha an guth a' tighinn. Bhiodh Seòras a' falbh leis oidhche mu seach air feadh taighean a' bhaile, agus bhiodh an treud againne a' falbh na chois an-còmhnaidh. An fheadhainn againn nach toilleadh am broinn an taighe, bhiodh iad nan tiùrraichean mun doras. 'S e Gàidhlig glè neònach a bh' aig a' *ghramophone* – Gàidhlig thìr-mòir, nach robh a' tighinn ro mhath ri ar càil oir bha eadar-dhealachadh sònraichte eadar i 's an tè a bha sinne a' cleachdadh.

Bha an t-aon òran a' dol air sa h-uile taigh:

Hi-hòro-bho, hi-hòro-bho,
Cuiridh mi luinneag an òrdugh dhuibh,
Hi-hòro-bho, hi-hòro-bho
Air pòsadh piuthar Iain Bhàin.

Bha sinne cho sona 's a bha an latha cho fada, a' leumadaich a-muigh 's a-staigh an co-fhreagairt ris a' cheòl. Bha feadhainn de mhnathan a' bhaile gu dìomhair a' dèanamh a-mach nach e nì dòigheil a bh' ann a bhith a' cluinntinn guth duine 's gun e fhèin an làthair. Airson ar cuid-ne dheth, 's e sinne bha coma co-dhiù am b' e duine saoghalta bh' ann no nach e, fhad 's a gheibheamaid a dh'eachraiseadh air feadh an ùrlair gus an teirigeadh an ceòl. Chuir mi làithean sòlasach m' òige seachad a' cluiche còmhla ri caileagan a' bhaile againn fhìn, a' ruith 's a' ruaig, a' gearradh shìnteag, ri cluiche an ròpa, greis air dreallaig agus greis ri dèile-bhogadain. Bhiodh an cat agus an luch againn – esan ga sìor shealg a-mach 's a-staigh eadar gach dithis sa chuairteig. Bhiodh na gillean bu shine ri cluiche na speil. Dh'amaisinn an dearbh mhionaid-sa fhèin air far am biodh a' chluiche – "Glaic na Speil". Mar chluiche bhall-coise, bha dà òganach seasamh air astar mu choinneamh a chèile, a' dèanamh toll sa chnoc agus a' càradh àrcan an tacsa bioran maide san toll. Le slait, bha fear mu seach ag amas air a' bhioran agus bha an t-àrcan a' toirt leum às agus a' falbh air astar; ach cha robh e ceadaichte do chaileagan a bhith timcheall fhad 's a bha an cleas a' dol.

Bhitheamaid ri dallan-dà – 's e dallan-doill a' bhodaich a theireamaid ris – ach saoilidh mi gur e falach-fead an cleas a b' inntinniche bh' againn. Ar leam gun cluinn mi a-rithist air feasgar ciùin samhraidh an guth aig a' chiad fhear a ruigeadh a' choilleag ag èigheach àird a chlaiginn: "Iidh Ailidh O!"

Bha sinn glè thric ag iasgach. B' e sin an t-iasgach – iasgach phartan gun shlat, gun dubhan ach pìos sreinge agus sgonn mhath biadhaidh air a ceann: earrann mhath de rionnach saillte a fhuaireadh air a thoirt gu falchaidh às a' bharailte san taigh bheag aig ceann an taighe. Nuair a gheibhte deannan phartan, dh'fhalbhamaid an sin a dhèanamh fang, a' toirt a chreidsinn oirnn fhìn gur ann a bh' againn caoraich. Bhitheamaid cuideachd gan comharrachadh, agus chluinnte "Beum" is "Toll" is "Bàrr-taisgeil" aig fear 's aig tè mu seach. Bu lugha oirnn na rud sam bith an glaodh bho na taighean: "Tha an t-àm agaibh a bhith a' tighinn dhachaigh."

Glè thric fhad 's a bhitheamaid a' cluiche, thigeadh an glaodh às gach ceàrnaidh: "Feumaidh tu a dhol dhan tobar" air neo "Tha agad ri dhol dhan bhùth." Uair agus uair am meadhan mo shòlais, chluinninn: "Bi falbh agus atharraich a' bhò, a nighean." Bha a' bhò air teadhair agus cipean aig ceann an taoid fodha san talamh, agus cha b' ann dhan Àgh a bhathar ga beannachadh nuair a dh'fheumte falbh sgrìob mhath leatha agus a' chluich fhàgail.

Aig àm dinnearach, bhitheamaid a' faighinn a-mach às an sgoil chun a' chnuic. Dinnear cha robh ann; agus an sgonn arain a fhuair thu sa mhadainn a' fàgail an taighe, mar bu trice bha e air ithe mu ruigeadh tu an sgoil idir. Bha sinn mar gum bitheamaid beò air a' ghaoith gus an tilleamaid dhachaigh, leis cho toilichte 's a bha sinn. Shuidheadh na caileagan nan cuairteagan air a' chnoc, agus thòisicheadh an iomairt le dhà no trì mholagan. Cha robh iomradh air brat-làir no fuachd no cnatan, ged a bha thu nad shuidhe air a' chnoc. Leis cho sunndach 's a bha sinn, cha chreid mi gun laigheadh galar oirnn. Fad na cluiche, bha srann aig tè mu seach air an rann:

Uaineis, tù-ais, trì-eis, cairteal,
Uaineis a' chairteil, tù-ais a' chairteil,
Trì-eis a' chairteil, cairteal beag,
Réis, dà réis sgròbaidh,
Réis sgriobadain, sradadh suas,
Agus ma-gleoc.

An-dràsta 's a-rithist nuair nach amaiseadh na molagan air cùl do bhoise, dh'èigheadh càch, "Chaill thu," agus bha an ath tè a' teannadh ri cluiche.

Air uairean eile, bhiodh na caileagan a' dannsa mun cuairt ann an cuairteig agus aon tè sa mheadhan, ach cha robh againn ach rannan Beurla: *In and out the dusky bluebells, Why is Mary weeping for?* agus *London Bridge.* Nuair a gheibheadh tu do thaghadh airson a dhol dhan mheadhan bhiodh tu air leth pròiseil.

An-dràsta 's a-rithist, dhèanadh na gillean car mu chnoc gus faighinn à sealladh a' mhaighstir-sgoile. Bha dithis dhiubh an uair sin a' dol a shabaid, agus buidheann stuigidh aig gach fear gus an toireadh iad a-mach sùilean dubha a chèile. Mar bu trice gheibheadh am maighstir-sgoile a-mach mun chùis, agus an uair sin chluinneamaid an òraid àbhaisteach:

Aon ubhal ghrod sa bharailte,
'S nì ise masladh air gach aon tè eile.

17

A dh'aindeoin cion na Beurla, dh'fheumte bhith a' dol dhan sgoil. Uidh air n-uidh, dh'ionnsaich sinn na litrichean – an "absaidh", 's e theireadh sinn riutha an uair sin – ach cha robh mòran tlachd againn sna duilleagan buidhe air an robh iad sgrìobhte. An ceann ùine a dh'aindeoin chùisean, fhuair sinn a-mach mun cuairt a' bhùird agus chàireadh leabhar nar làimh. Cha robh aon dealbh ann no aon fhacal Gàidhlig a thogadh do chridhe. 'S ann ga ionnsachadh air ar teangaidh a bha sinn. Beag air bheag ge-tà, thàinig tuigse thugainn air na facail, agus mu dheireadh thall bha an gnothach againn. Chan fhaodadh tu an leabhar fhaighinn nad làimh ach a' ghreiseag bheag a bha thu mun bhòrd. Cha robh aon leabhar san treastaidh far an robh thu nad shuidhe no idir aig na dachaighean, agus nam faiceadh tu bodach a' leughadh pàipear-naidheachd, bha thu gu sìorraidh tuilleadh am beachd gun robh esan sònraichte fhèin foghlamaichte.

Air na feasgair fhada, bhitheamaid a' dèanamh air an Tràigh Mhòir còmhla rim athair a thogail nan srùban. Leis na bha a' togail an t-srùbain aig an àm sin, feumaidh gun robh iad a' dèanamh seòrsa de roinn air an Tràigh Mhòir – a' cur iomair mu choinneamh gach baile. An fheadhainn a thigeadh air astar, bha iad a' feitheamh an dàrna muir-tràigh. Bha na pocannan shrùban an sin gan càradh am broinn nan cairtean no le iris air na h-eich. Seo a' bheòshlaint a bu treasa a bha aig muinntir Bharraigh an uair sin, còmhla ri iasgach an sgadain. Nach iomadh athair teaghlaich a thuiteadh a chridhe am bonn a chasan an uair a thigeadh an teileagram bho fhear a' mhargaidh 's gun innte ach dà fhacal – "*Cockles condemned*." Co-dhiù bha an srùban dona 's gu nach robh, cha robh dòigh agad air a dhearbhadh a dh'aindeoin sgaoileadh do chridhe.

Nuair a dh'fhosgail a' chiad sgoil an Eòlaigearraidh – nuair a bha mise glè òg – aig amannan bhiodh mionaidean air fhàgail ro cheithir uairean gus a' Bheurla a chur an cèill, agus cha b' e a h-uile fear aig an robh a' mhisneachd san latha sin a ghuth a thogail an-àird sa chànan mhì-nàdarrach sin. Latha dhe na làithean, dh'fhaighnich am maighstir-sgoile, "Cò dh'innseas dhomh an-diugh facal Beurla sam bith a' tòiseachadh leis an litir *c*?" Thug iad dhà deannan cuibheasach, ach an sin theirig an còmhradh.

"Bheir mi dà sgillinn do dh'aon sam bith agaibh a thèid aige air facal eile," ars' am maighstir-sgoile. Cò nach gabhadh iad ach idir an cothrom a bhith ann airson an t-airgead a chosnadh, ach bha e a' dubh-fhairtleachadh orra aon fhear eile fhaighinn – gus an tug aon ghaisgeach dubh-leum às an treastaidh, a' seasamh 's a dhà làimh suas 's e ag èigheach 's an aileag air, "*Cockles condemned!*" Nach i an naidheachd mhì-àghmhor ud a chaidh domhainn na chridhe – ach choisinn e an t-ionmhas.

Bhiodh clann a' bhaile agus gach baile eile a' falbh a' chuid mhòr dhen bhliadhna air an casan rùisgte. Gun teagamh, chan ann dhan deòin ach air sgàth cion a' chaochlaidh a bha an gnothach mar seo, agus bha sinn uile làn-leagte ris. Nuair a gheibhte na brògan ùra tàirgneach bhiodh uaill gun chiall oirnn, agus an dàrna neach a' co-fheuchainn ris an ath fhear feuch cò b' fhaide a chumadh "ùr" iad. 'S iomadh oidhche a bhiodh iad aig caileig air bòrd ri taobh a leapa – air an glanadh gu cùbhraidh – air eagal 's gum falbhadh na sìthichean leotha feadh na h-oidhche. A' chiad phriobadh a thigeadh air do shùil sa mhadainn, bha thu a' toirt sùil feuch an robh na brògan fhathast air sgeul. A dh'aindeoin cruas an t-saoghail, bha an còmhlan grinn a bha daonnan cuide rinn 's an cridhe a' mireag riutha, gun iomradh air dragh no tùrsa ach fealla-dhà is cur-seachad neo-choireach dhaibh fhèin.

Aig an àm sin 's e ùrlar dubh a bh' anns a' chuid mhòr de thaighean a' bhaile. Gun teagamh, bhitheamaid a' cur brat air – brat grinn de ghainmhich ghil na tràghad. Bha sèiseag fhiodha fon uinneig air am biodh tu a' cur a-mach do chridhe aig deireadh gach seachdain ga sgrìobadh gu sgoinneil feuch dè cho geal 's a rachadh agad air a fàgail. Bha cathair no dhà agus fuirm am follais san t-seòmar cuideachd, ach 's e an dreasair rìomhadh arnais sònraichte gach taighe. Sin far am faicte gach soitheach a b' àille na chèile air a shuidheachadh, agus soillse às gach fear dhiubh a thoireadh do fhradharc bhuat.

Glè thric air feasgar samhraidh, ghabhainn fhìn agus buidheann grinn a' bhaile cuairt a-mach cho fada ri Beul an Fheadain. Air an làimh chlì bha Cnoc na Fèille, far am b' àbhaist an Fhèill a bhith ga cleachdadh uaireigin. 'S coltach gun robh gach seud bu bhòidhche na chèile gan reic air latha na Fèille. Bhitheamaid uile an-còmhnaidh a' caoidh nach robh sinne agus cothrom nan cas againn an uair sin. A rèir na sgeòil a chuala sinn, 's ann air Cnoc na Fèille a chuir Niall Sgrob, a bha iomraichte am Barraigh a chionn 's gum biodh e a' falbh air an t-Sluagh, fàilte airson a' chiad uair air Dòmhnall Mac Eachainn. Aon fheasgar 's coltach gun robh Dòmhnall mar bu dual, an dèidh e fhèin a leigeil sìos air aghaidh na Creige Mòire ann am Miughalaigh an tòir air eunlaith agus uighean. Mar nach do dh'iarr an Sealbh, bhrist an sùgan san dol sìos agus bha am fleasgach air oir an aghaidh na creige, 's gun dòigh aige air dìreadh suas agus an t-sìorraidheachd fodha. Nuair a thug e

dùil thairis, shaoil leis gur ann am breislich a bha e a chionn 's gum faca e bad
de cheò dorcha glas os a chionn agus dh'fhairich e mar gum bite ga thogail.
Ach nuair a thàinig e thuige fhèin bha e na sheasamh dìreach air a' bhlianaig
ghuirm shìos fo thaigh athar.

'S e a thuirt Niall Sgrob ris latha na Fèille: "Tha thu 'n sin, a Dhòmhnaill,
a laochain."

Fhreagair Dòmhnall: "Gabhadh sibhse mo leisgeul – chan eil mi gur
n-aithneachadh."

"Tha mi a' creidsinn," arsa Niall, "ach bha feum agadsa, an oidhche bha
thu an càs na h-èiginn ann an Creig Mhòir Mhiughalaigh, gun robh mise
's mo chuideachd a' dol seachad air ar rathad gu Tiriodh nuair a mhothaich
sinn dhut."

Aig an àm, cha robh sinne a' toirt mòran gèill dhan t-seanchas. Cha b'
ann air a bha ar n-aire. Air ar tilleadh bho Bheul an Fheadain, bheireamaid
greis aig drochaid Loch an Dùin a' leigeil an loingeis – feadhainn shealastair.
Chàireamaid an sin oirnn seachad air Loch an Dùin gus an ruigeamaid am
muileann. Aig an ìre seo, cha robh am muileann a' dol, ach bha e fhathast
shuas le mhullach air agus an roth mhòr agus na clachan-bràthaid gu math
follaiseach, ged a bha am muillear air taobh eile a thoirt air, oir stad am bleith
an sin anns a' bhliadhna 1910. Bheireamaid an sin greis a' falbh, tè às dèidh
tè, a' coiseachd air mullach a' bhalla a tha ri drochaid a' Bhàigh. Bha e caran
cunnartach, agus cha b' annasach ged a dh'èigh a' chailleach a bha a' dol
seachad, "Leig thusa leat a nighinn bhàin, gus am faic mise do mhàthair."

Dh'fheumamaid a bhith a' dol dhan sgoil; cha robh tighinn às againn. Ach
bha mi air a dhol gu seòmar ùr innte agus bha an "Sgoilear Beag" gar teagasg,
agus cha mhòr an aghaidh do thoil bheireadh esan ort ùidh a ghabhail na
sheanchas. Chan e Gàidhlig Bharraigh a bha aigesan idir ach tè neònach eile,
agus thug sinn tacan mun dèanamaid bun no bàrr dhith. Duine grinn tana
a bhiodh mar bu trice air a chòmhdach ann an deise ghrinn dhorcha-ghlas,
agus ghlèidh e a-riamh an coltas toilichte air a shnuadh. Tacan an dèidh dha
a thighinn, nach ann a thòisich e air a dhol air chèilidh dhan taigh againn a
dh'èisteachd naidheachdan an Nèibhidh. Nuair a chluinneadh òganaich eile
a' bhaile gun robh e a-staigh, bha iad a' dèanamh às. Bha meas gun tomhas air
luchd-teagaisg san latha sin. Aon oidhche, chunnaic mi an Sgoilear Beag agus
m' athair a' sràidimeachd, fear an dèidh fir, an ceannaibh an stocainnean agus
sùrd aca air seinn *It's a Wee Deoch an Dorais*. Chan eil fhios dè an t-iongnadh a

ghabh mise a bhith a' faicinn an dithis sin, aig an robh a leithid de dh'ùghdarras agus de riaghladh nam bheatha-sa, air a dhol car dhiubh fhèin mar seo. 'S ann a-rithist a thuig mi gum feumadh gun robh "*wee deoch an dorais*" a' dol mun tàinig iad idir a-staigh.

'S e an Sgoilear Beag a dh'innis dhuinn an toiseach mu Bhodach na Nollaig a bhiodh a' tadhal air cloinn air tìr-mòr, a' fàgail aca san stocainn a h-uile seudam sìorraidh a thogadh cridhe chloinne. Cò nach iarradh a bhith air "tìr-mòr" an uair sin, ge bith càit an robh e. A rèir na naidheachd cha robh Bodach na Nollaig math gu marachd, agus co-dhiù 's coltach gun robh an t-astar ro fhada, agus leis an sin dh'fheumadh sinne a bhith riaraichte gu leòr a bhith a' cluinntinn ma dheidhinn. An ath Nollaig, feumaidh gun d' fhuair e eathar freagarrach agus gun tàinig e air tìr am Barraigh, a chionn 's dh'fhàg e agamsa coineanach a bha àlainn agus e loma-làn shuiteis. Bha am Bodach bochd cho lom de mhaoin an t-saoghail aig an àm sin 's a bha an còrr againn.

Bhiodh fear nam fiaclan a' tadhal bho àm gu àm san sgoil. Cha robh e a' cur fios gun robh e tighinn. 'S dòcha gun robh fios aige ro mhath nach biodh roimhe san sgoil ach an gad air an robh an t-iasg nan dèanadh e sin. Nuair a nochdadh e, bha an cridhe air chrith sa chom aig a h-uile h-aon againne. Bha bràthair òg agam anns an robh deud dùbailte. Chuala mi fear nam fiaclan ag ràdh gun sguabadh e às iad. Gu falchaidh, rinn mi air an doras agus thug mi na buinn dhi dhachaigh gus innse dham mhàthair. Dh'fhàg ise an taigh gu cabhagach, agus thuirt i ri fear nam fiaclan nach fhaodadh e làmh a chur sa ghille. A-riamh tuilleadh bha sinn a' faighinn fios gun robh e am beachd tighinn dhan sgoil, agus 's iomadh balach is caileag a bhiodh cha mhòr air an glùinean a' guidhe air am pàrantan gun am pàipear a lìonadh a bheireadh cead do dh'fhear nam fiaclan a dhleastanas a choileanadh. Uair a gheibheadh iad leotha e, agus dà uair nach fhaigheadh.

Feadhainn a Chaidh a Chanada

'S ann dìreach mun àm seo a thòisich iomradh air falbh a Chanada am measg an t-sluaigh. Bha othail mhòr air daoine gu falbh, oir cha robh teachd-an-tìr ach mu làimh aig an dearbh àm sin. Beòshlaint cha robh air thuar a bhith ann, a dh'aindeoin deòin-bhàidh na feadhainn sin a bha aig aois cosnaidh. Bha daoine sònraichte a' tighinn a bhrosnachadh an t-sluaigh gu gluasad air falbh gu Tìr an Dòchais thall thairis, far nach biodh dìth no deireas air duine beò aon uair 's gun ruigeadh iad. Bha taighean àlainn gu bhith a' feitheamh orra agus an àite nan sgrobagan chroitean a bh' aca am Barraigh, bha tuathanas gu bhith deiseil glan mu choinneamh gach athair teaghlaich. Bha mòran dhen chloinn a bha còmhla riumsa san sgoil a' dèanamh deiseil gu falbh a Chanada. 'S coma gu dè am farmad a bh' agamsa riutha sin agus gun mi a' tuigsinn air an t-saoghal carson nach robh m' athair-sa a' dèanamh air falbh mar a bha càch. Bha bràthair m' athar a' falbh le theaghlach beag lag, agus bha mi san èisteachd nuair a bha m' athair ag earbsa ris: "Air a rèir 's mar a bhios tusa a' faighinn air aghaidh, leigidh tu fios thugamsa a bheil an gnothach cho òr-bhuidhe 's a tha iad a' cumail a-mach, agus ma bhios, bidh sinne sinn fhìn a' togail oirnn."

Latha dubh-bhrònach a bha san latha sin nuair a ghluais ar càirdean 's ar luchd-eòlais suas a Bhàgh a' Chaisteil, a' fàgail an cead dheireannaich aig gach aon agus leann-dubh air feadh gach ceàrn dhen eilean. 'S e am bàrd à Eilean Bhatarsaigh, Dòmhnall Iain Mhòir, a b' fheàrr a thug an dealbh sin seachad anns an òran *Cumha Barrach*, a rinn e ann an 1923. Tuigidh sinn ann cho fìor ghoirt 's a bha an sgaradh.

Cumha Barrach

Tha naidheachdan sna pàipearan
An-dràst' gam chur fo ghruaim,
Ag innse mu na nàbaidhean
A dh'fhalbh air imrich cuain
Do chrìochan ciana choigrichean -
'S nach cluinn iad osnaich stuagh
Ach gaoirich coill nan àrd-mheangan
Ga toirt gu làr le tuagh.

An latha dh'fhalbh ar càirdean uainn
'S a dh'fhàg iad sinn fo ghruaim,
Gun d' chuireadh anns a' Mhàrloch iad,
An t-eathar làidir luath;
Nuair tharraing i cuid chàbhlaichean,
'S a h-àmhainnean fo ghual,
Bu bhochd bhith faicinn pàrantan
Le sruth gu làr on gruaidh.

S e feasgar Latha Sàbaid bh' ann,
'S bha bàtaichean mun cuairt
Toirt beannachd nam beann àrda dhaibh
Mun tarr'ngeadh iad gu cuan;
Bu duilich leam 's bu chràiteach e
Bhith faicinn phàistean truagh'
'S ag èisteachd osnaich mhàthraichean
'S an cridh' ga fhàsgadh cruaidh.

Cha b' annasach san tràth sin e
Ged bhiodh iad làn de ghruaim,
Bha mulad air an sàrachadh,
A' milleadh blàth an gruaidh,
A' falbh on eilean àlainn sin
San deach an àrach suas,
'S gach groban bheann a b' àirde dheth
À sealladh tràth Diluain.

On dh'fhalbh iad uile 's dh'fhàg iad sinn,
'S tha 'n t-àite seo air thuar,
An fheadhainn a th' air am fàgail dhiubh,
Gun toir am bàs iad uainn;
Rinn Mac a' Chreachair fàidheachd dhuinn
Tha 'g ràdh gun tig an uair
Nach fhaicear air an làthair ach
Geòidh ghlas' an àit' an t-sluaigh.

Tha 'n t-athair measail ainmeil leibh
Dhan ainm MacGhilleMhaoil,
A chumas ann an òrdan sibh
'S nach leig a chrò mu sgaoil;
Tha chombaistean air dòigh aige
Le bòidean Òrdugh Naoimh,
A' ruith a' chùrsa dhòigheil leibh
A bheir gu Glòir sibh saor.

23

O, mìle beannachd uams' thuige,
Ged 's fhada bhuam e 'n-dràst'
Far bheil a' choille ghruamach ud
Na gathain uaigneach àrd';
Nan tilleadh e air chuairt thugainn,
Mo dhùrachd buan gach là
Gur e bhiodh a' toirt fuasgladh dhomh
Nuair thigeadh uair mo bhàis.

Tha mulad mòr air pàirt aca
On dh'fhàg iad Tìr nam Beann,
A' caoidh an àite dh'àraich iad
'S nan càirdean a th' ac' ann;
Ach guidheam soraidh slàn bhith leoth'
Measg chraobhan àrda thall -
Gun tachair sinn air Calbharaidh
San àit' air nach tig ceann.

Tha mise 'n seo nam aonaran -
'S e fàth mo leòin san àm -
Gun dùil agam ri còmhradh ribh
Cho fad 's as beò mi ann;
Ach thig an latha sòlasach
San dèan sinn còmhdhail thall;
Bidh càirdean is luchd-eòlais ann,
'S thèid bròn a thoirt gu ceann.

Bha fiughair mhòr oirnn a' feitheamh na ciad litreach bho bhràthair m' athar, agus thàinig i mu dheireadh thall. Bha e a' toirt iomradh air a h-uile sìon a bha a-riamh ann, ach aon diog cha tug e air sinne a bhith togail oirnn a-null. Thigeadh litir às dèidh litreach, ach a-riamh cha tàinig an cuireadh a bha ar cridhe a-mach thuige. Cha b' fhada seo gus an tàinig fios gu m' athair bho oifis an Canada, a' leigeil ris gun robh a bhràthair air tuiteam an droch shlàinte agus gum b' fheàrr dha gabhail roimhe air ais a Bharraigh. Feumaidh gur iad a bha iochdmhor an Canada. Cha robh iad idir ag iarraidh nan truaghan bochda air am buaileadh galair. Bha cuid mhòr dhiubh a' dol às leis a' bhristeadh-cridhe. Uidh air n-uidh, thill a' mhòr-chuid dhiubh an taobh às an tàinig iad.

'S ann an uair sin a chuala sinn mun Choille Ghruamaich, agus mun Tìr a Chaill an Dòchas. An àite stiùireadh chun nan dachaighean rìomhach a chaidh a ghealltainn dhaibh an uair a chaidh iad air tìr, 's ann a chaidh am pronnadh cruinn cothrom còmhla a-staigh do sgoil nan Ìnnseanach, feadhainn a bha glè chinnteach nas iochdmhoire na na h-uaislean a thàlaidh sluagh ar n-eilein àlainn bhon càirdean is bhon dachaighean leis na dubhla-bhreugan. Cha robh iomradh a-nis air na tuathanais ach chàireadh gu leòr dhiubh a-mach gu raointean Alberta, agus an sin cha robh ann dhaibh ach "Iain, a mhic, thoir thu fhèin às." Bha iad a' cur uibhireach gu h-àraidh air an fhuachd, agus air an oidhche bha eagal am bàis orra ag èisteachd nan ainmhidhean air nach robh eòlas no cleachdadh aca ag iorghail 's a' sgreadail.

Co-dhiù, chuireadh Canada an dàrna taobh, agus bha an saoghal sòlasach a' dol air aghaidh a cheart cho toilichte 's a bha e a-riamh. An deireadh a' Chèitein agus anns an Ògmhios, cha do dh'iarr caileagan a' bhaile againn an còrr ach a dhol a bhuain nan dìtheanan eireachdail a bha na bu ghaolaiche leinn na na leugan. Air Loch an Rubha, gu dè a bha a' fàs ach an duilleag bhàite – 's e "gucagan" a theireadh sinne riutha. Sin an tè a bu luachmhoire leinne na an t-òr fhèin. Bhitheamaid a-mach air an loch gu ar meadhan, 's na cailleachan a bhiodh a' dol seachad air an rathad mhòr ag èigheach nan creach mus rachadh ar bàthadh.

Feumaidh gun robh na Lochlannaich air leth measail air a' Bhogaich, mar a theireadh iad ris a' bhaile bheag againne. Bha dà dhùn faisg oirnn air an togail a-muigh air eilean beag astar nach robh ro fhada bhon chladach agus mar a rinn an Sealbh, bha aon fhear aig muir-tràigh dìreach air an dearbh shràid chlach a dh'fhàg na ceatharnaich sgairteil sin fhèin. Cha robh sinn a' tuigsinn air an t-saoghal ciamar idir a chaidh aca air meudachd nan clachan sin a ghluasad dhan ionad ud. Aig an àm, bha sinn car coma co-dhiù. Chan e bha fa-near dhuinn. San fhoghar gu h-àraidh bhitheamaid a' dèanamh calg-dhìreach air an dùn aig muir-tràigh. Nuair a bha sinn mu letheach slighe a-null, sheasamaid tacan a' turraman air a' chloich-rabhaidh – an tè sin a bhiodh a' cur muinntir an dùin nam mothachadh sna linntean a dh'aom, gun robh an nàmhaid gu bhith mun cinn. Aig àm an fhoghair, b' àillidh leat a bhith ag amharc nan smeuran mòra dubha a bha a' fàs san dùn. Ged a bha sgrìobadh nan dris ann, cha robh e a' cur ciùrradh oirnn. Nan rachadh againn air feadhainn dhiubh a chur seachad air ar beòil, thoireamaid dhachaigh iad gus silidh a dhèanamh. Abradh sibhse gur ann an sin a bha an fharpais feuch cò bu mhotha a chruinnicheadh de smeuran.

Cleachdaidhean an Àite

Nuair a bha mise sa bhun-sgoil, bhiodh tòrraidhean am Barraigh mar sa h-uile h-àite eile. Bhiodh bròn cianail air feadh a' bhaile aig àm bàis. Aig an àm sin, bhiodh mòran a' dol do thaigh na h-airc fad na h-oidhche. 'S ann latha an tòrraidh a bha an cianalas buileach gar bualadh. 'S ann dhen cois a bha na daoine a' falbh leis a' ghiùlan. An dèidh na h-ìobairt san eaglais, bha na daoine a-rithist a' falbh dhen cois – uairean ceithir no còig a mhìltean. Nuair a ghluaiseadh an giùlan taobh a-mach na cachaileith, bha a' phìob a' dol suas. Cha chuala mi dad a-riamh cho tiamhaidh ris a' chiad ghlaodh bhon phìob aig tòrradh, agus 's e am port cianail ud *Cha tig Mór mo bhean dhachaigh* as fheàrr a tha cuimhn' agam air. Bhiodh na boireannaich, 's na beannagan mun cinn agus a' chlann air làimh aca, aig deireadh an tòrraidh. Cha choisicheadh iadsan air astar ro fhada. Bha tuilleadh 's a' chòir aca ri chur air aghaidh aig na taighean. Nuair a bhiodh iad a' fàgail an tòrraidh, bha iad a' dol an dàrna taobh dhen rathad agus a' dol air an glùinean a ghabhail an ùrnaigh, agus na deòir a' sileadh gu frasach gu làr mar gum biodh iad a' fàgail na soraidh mu dheireadh aig a' mharbh.

Cha laigh bròn air uallach, agus cha b' fhada a bhiodh am bàs nar cuimhne. Bha e a' sgaoileadh air falbh bhuainn mar an dealt air madainn Chèitein.

An àm an t-samhraidh bhiodh latha mòr aig na boireannaich – latha nighe nam plaideachan. Bha sinn a' falbh còmhla rim mhàthair chun na h-aibhne, a' toirt leinn a' bhallain agus a' togail teine beag gus an t-uisge a theasachadh. Nuair a bhiodh e blàth gu leòr, bha am ballan ga lìonadh, na plangaidean gan càradh ann, agus an sin gheibheamaid gu ar miann – a bhocadaich le ar casan air an uachdar. 'S coma dè cho math 's a chòrdadh seo rinn. Fhad 's a bha sinne sa bhallan, bhiodh mo mhàthair a' nighe bhadan eile san t-sruthan agus slacan aice. Air dhan nigheadaireachd a bhith seachad, bha na plaideachan 's na badan eile gan cur air thodhar fad latha no dhà. Bha fleasgaich glè shunndach sa bhaile againn. Air uairean, nochdadh badan sònraichte dhen aodach sa mhadainn crochte air adhaircean nam mart. Siud an gnothach a rachadh gu ceòl do mhuinntir a' bhaile, ach bha teaghlaichean ann a bha a' faotainn an dùbhlain san dòigh seo, agus rachadh a' chùis an sin gu aimhreit. Chuala mi aon athair teaghlaich a thàinig a dh'fhaighinn faothachaidh le bhith ag innse dham athair mun dol a bh' ann. 'S e thuirt e agus faobhar air, "A bhalaich, tha trì nithean sa bheadradh – na nàraich mi, na sàraich mi 's na goirtich mi," agus bha amharas math aige cò bha ris an olc.

Uair no dhà, bhiodh dithis de mhnathan a' bhaile a' dol thar a chèile. 'S ann mun chloinn mar bu trice. Chitheadh tu gach tè 's a làmhan an tacsa a cruachain 's iad a' trod. An-dràsta 's a-rithist, bhuaileadh tè mu seach a basan ri chèile. Bhiodh sinne an sgairte falaich a' dol nar lùban, 's an dòchas gun cumadh iad orra greis mhath. An latharna-mhàireach, cha bhiodh cuimhn' air an trod agus bhiodh an dithis cho còrdte ri dà cheann eich.

An àm a' gheamhraidh, bhitheamaid a' dol air chèilidh. Aig an àm sin bha daoine cho càirdeil, an-còmhnaidh a' cur fàilte 's furan oirnn. 'S e ath-theine a theireamaid ris an fhàd mhòna is lasag às, ga chumail nar làimh le stob iarainn, a bha sinn a' cleachdadh a bhith ga thoirt leinn gus an t-slighe a shoilleireachadh dhuinn. Cho toilichte 's a bhitheamaid san taigh-chèilidh ag èisteachd ris na naidheachdan agus ris na h-òrain a bha Calum Ruadh agus Dòmhnall Phàdraig – bràthair m' athar – air a dhèanamh às ùr. Chan eil iad sin gun sgeul – tha iad rim faotainn anns an leabhar *Deoch-Slàinte nan Gillean*. Air an rathad dhachaigh, bhitheamaid a' tadhal ann an taigh beag tughaidh ri taobh an rathaid anns an robh seann chailleach bheag bhochd, Seonag, a' fuireach leatha fhèin. 'S e bha gar tàladh gu sònraichte an sin gum biodh i a' gabhail ceò mar a theireamaid, agus cha do dh'iarr sinn a cheòl no a dh'aighear ach a bhith a' gabhail sheallaidh dhith, a' lìonadh 's a' lasadh 's a' toirt às a' phìob bhig chrèadha aice.

Chaidh buidheann a' bhaile againn aon uair air astar chun an aon taigh tughaidh anns an robh an teine am meadhan an ùrlair. Bha toll gu h-àrd sna sgrathan – an luidhear – far am faigheadh an toit a-mach. Air an rathad dhachaigh bha sinn ag aontachadh nach bu chaomh leinn a bhith an dachaigh mar sin far am biodh an toit gad dhalladh.

Seachdainean ron àm, bha sinn ag ullachadh airson Oidhche Shamhna. A h-uile bad aodaich a b' annasaiche na chèile air an rachadh againn air ar làmh a chur, bha sinn gan cur seachad, a' feitheamh air an oidhche ghlòrmhor ud. Cha robh neach a' ceannach aodannan – cò leis? – ach bha sinn fhìn a' toirt làmh air an dèanamh air pàipearan agus luideagan. Nuair a thigeadh an oidhche mhòr, bha a' chlann a' cruinneachadh a dh'aon taigh a ghabhail na "fuaraig". 'S ann

air min-choirce agus uachdar a bha an fhuarag air a dèanamh, agus falaicht'
air a feadh bhiodh fàinne, meuran, grìogagan agus rìomhaidhean grinne eile.
'S ann an sin a bhiodh an othail feuch cò a gheibheadh na falachain. Nuair a
chluinnte an glaodh "Fhuair mise an fhàinne," theireadh bean an taighe, "Mo
bheannachd ort – 's tusa phòsas an toiseach." Bha sinn an sin a' dol air feadh
nan taighean a bhòcadaich feuch cò dh'aithnicheadh sinn. Bha a' chùis math
gu leòr fhad 's a bha a' chlann air an dol seo, ach thòisich an seo òganaich a'
bhaile iad fhèin air aodannain agus gùintean annasach a chur orra; agus feadh
nan taighean gun rachadh iad, a' slaodadh nan cailleachan 's nam bodach a
dhannsa agus air uairean cha tigeadh seo ri càil luchd an taighe. Ach bha an
dol a' cumail an cridhe fad mhìosan ris an fheadhainn sin nach biodh dìth
fàth gàire orra.

Air oidhche Challainn, bha na gillean a' dol gu gach taigh sa bhaile a'
gabhail nan duan. Aig gach doras mus faighte a-steach, chluinnte srann air

    Mise nochd a' dol air Challainn,
    Gille beag nan casan rùisgte ...

    Oidhche Chullainn Challainn fhuar -
    Thàinig mi le m' uan ga reic ...

agus tòrr eile. Glè thric dh'èigheadh bean an taighe, "Gabhaibh tuilleadh,"
agus nuair a bheireadh na balaich dùil thairis dh'fheumte tionndadh ris
na rannan Beurla a bha iad ag ionnsachadh san sgoil. Bha fear dhiubh ag
èigheach, "*Wasn't that a dainty dish to set before the king?*" agus e a' faighneachd
dhen fhear a bha ri thaobh, "Gu dè bhon t-saoghal a tha sin a' ciallachadh?"
Aig an ìre seo nuair a theannadh a' Bheurla, bha an doras ga fhosgladh agus na
gnothaichean milis gan riarachadh.

Chuala mi gun do thachair do sheòladair Barrach a dhol air tìr an Sealann
Nuadh aig àm na Bliadhn' Ùire. Rinn e air dachaigh nàbaidh a bha air thaigheadas
fad cus bhliadhnachan san dùthaich sin. Mu naoi uairean a dh'oidhche, chualas
an duan a b' àille ann an Gàidhlig àghmhor a' bhaile aige fhèin taobh a-muigh
an dorais. Cha robh e mar iongnadh ged a sgrìobh fear an taighe gu càirdean ag
innse mun oidhche sin 's a' leigeil riutha gur siud an oidhche a bu thoilichte a
chuir e seachad bhon a dh'fhàg e eilean a bhreith is àraich.

A-nis, dh'fhàg mi an taigh caran ùine nuair a chaochail Dòmhnall, bràthair

m' athar. Dh'earb a' bhanntrach aige ri m' athair, nan leigeadh e a-null mi
còmhla rithe fhèin agus ris a' chailin ghasta a thog iad, gun dèanadh e car
de chur-seachad ris a' mhulad. Ged a bha mi a' fàgail an taighe, bha mi air
mo dhòigh a chionn 's gun robh bùth bheag aca; agus aig an àm sin, ma
bha leithid siud agad, bha thu air do chunntais air leth beairteach. Bha baile
Bhrudhairnis an uair sin am mullach a shòlais, loma-làn sluaigh – beag is mòr,
sean is òg. Daoine inntinneach, coibhneil, toilichte nan staid. Bha Ruairidh
Iain Bhàin ann agus cuimhne neo-àbhaisteach aige. Cha teirigeadh òrain dha,
gu h-àraidh òrain mun Phrionnsa Theàrlach. Bha an *"Co-operate"* air fosgladh,
agus sùrd aig gach neach air òran Chaluim Ruaidh:

Thogainn fonn air Co-oper-ò,
Hùth-ill o air Co-oper-è
Tapadh leat, a Mhòr Nèill Eòin,
Shuidh air bòrd a' Cho-operate.

Tha na cailleachan air an dòigh,
'G innse stòraidhean dha chéil' -
"Chuala sinn aig duine còir
Gum bi òl sa Cho-operate."

'S ann am Brudhairnis a fhuair mi a' chiad leabhar. Leis cho tric 's a
bheirinn sùil air, thairgeadh dhomh fhìn mu dheireadh e. Bha dealbh no dhà
ann, ach cha robh dathan taitneach idir orra. Bha dealbh a' chiad Rìgh Seumas
air Alba ann, 's gu dearbh cha toireadh a shnuadh às do thoinneamh thu, ach
's iad na naidheachdan a bha a' toirt mo shuim asam. Seadh, feadhainn mu
Bhanrìgh Màiri is Kate Barlass, ach gu sònraichte an tè sin mu Rìgh Raibeart
's an damhan-allaidh nuair a bha e air fhògradh ann an Eilean Reachlainn.
Bha mi a-nis an grèim saoghal an leughaidh – rud nach robh san fhasan – ach
dh'fhan dealbh thaitneach a-riamh nam inntinn air Brudhairnis.

Air dhomh tilleadh dhachaigh, 's ann a thàinig a' bhean-taighe aig a'
mhaighstir-sgoile feuch an leigte mi a-null còmhla ris an t-searbhant fhad
's a bhiodh i fhèin air falbh bhon taigh. Chan eil fios gu dè cho pròiseil 's
a bhiodh neach a gheibheadh a dh'fhuireach dhan taigh-sgoile. Bha àirneis
air leth rìomhach ann, agus soithichean airgid. Bhitheamaid air an oidhche
a' dol air chèilidh gu Buaile nam Bodach a chluich chairtean an taigh Anna

Aonghais. Bha bean an taighe a' bruich poit mhòr bhuntàta agus cudaigean, agus bha aig gach aon ri suidhe aig a' bhòrd mun càireadh iad orra dhachaigh. Siud am baile cuideachd anns an robh an greusaiche – Dodaidh – a' fuireach. Air uairean bhiodh a dhùbhlan aigesan feadhainn dhe na brògan a chur air ghleus, dh'aindeoin oidhirp le minidh, iall agus ceap-iarainn.

Aig an àm seo, bhiodh gach cruinneachdh anns an sgoil. Cha robh àite eile ann gus an do thogadh an talla anns a' bhliadhna 1929. 'S ann an uair a bhiodh pòsadh gu bhith ann a bhiodh muinntir an àite nan sòlas. An dèidh na suirighe, nuair a dhèanadh a' chàraid aonta a dhol an coinneamh a chèile, bha an sin an còrdadh ann. An oidhche sin, bha am fear a bh' air tòir na mnatha a' toirt leis fleasgach no dhà agus balgam dhen stuth chruaidh gu taigh athar na tè air an robh e an geall. Bha fear dhen triùir ag innse fàth an turais, agus bha athair na cailin ag innse gun robh e deònach a toirt seachad. 'S ann ainneamh nach biodh an aonta ann, oir bhathar gan cur fuireachail ro-làimh gun robh iad an dùil a thighinn. Beagan ùine an dèidh sin, bha an rèiteach ann. 'S e ion-bhanais a bha sin. Bha mi an taigh nàbaidh oidhche rèiteach "Mhol". Thàinig esan agus buidheann fhleasgach às an taobh an iar, agus e a' tadhal air an càirdean gus falbh còmhla riutha. Shaoil mise gun robh na fiùrain air leth maiseach len deiseachan gorma agus len coilearan cruaidhe. Bha an stuthaigeadh feumail mun àm sin. An latharna-mhàireach, bha aileag air gach aon a' falbh bho thaigh gu taigh gus naidheachdan an rèitich fhaotainn. Bhiodh na boireannaich a' faighneachd, "Cò rinn am moladh oirrese?" agus an sin "Cò mhol esan?" 'S ann air oidhche Shathairne a bha an rèiteach ann agus Didòmhnaich bhiodh a' chiad èigh aca. Cha rachadh a' chàraid dhan eaglais san èigheadh iad idir ach do dh'eaglais eile. Bhiodh tu cho leòmach nuair a bha thu beag nam biodh tu càirdeach dhan fheadhainn a bha a' pòsadh. An dèidh na treas èighe, bhiodh a' bhanais ann an ath Dhimàirt. 'S ann a' falbh bho thaigh gu taigh a bhiodh am fear a bha a' toirt seachad a' chuiridh, agus nuair a thàinig mi gu ìre dannsa bhithinn fhìn 's am buidheann a chaidh àrach leam aig an uinneig ga fheitheamh agus ar cridhe nar beul air eagal 's nach fhaigheamaid faighneachd. Cha robh dìobairteach an taigh Mhic Dhè agus cha robhar a' fàgail taigh gun chuireadh. Latha no dhà ron bhanais, bha mo mhàthair a' cur oirre bad aodaich – seadh, an t-ìochdar drògaid a b' fheàrr a bh' aice, an t-aparan deàrrsach dubh agus a' bheannag ma ceann – agus fhad 's a bha mise beag, mi fhìn air làimh aice, a' falbh leis a' chirc. 'S e cearc an tiodhlac a bha cuideachd na bainnse a' faighinn an uair a bha mise òg.

Bhiodh othail mhòr air mnathan a' bhaile a' spìonadh 's a' bruich nan cearcan. 'S ann feasgar a bhiodh am pòsadh ann, agus 's ann dhen cois a bha iad a' falbh dhan eaglais. Nuair a nochdadh am pòsadh am mullach Bhrudhairnis 's a chitheamaid na gùintean sìoda geala, bha sinn a' dol dhinn fhìn leis an toileachadh. Bhiodh flaga aig gach taigh agus gach fear aig an robh gunna air na cnuic a' leigeil urchair, agus a' chlann aig peilear am beatha ag èigheach, "*Hoo-rah*". Nuair a bha am pòsadh seachad san eaglais, bha iad a' coiseachd gu Sgoil a' Mhorghain, ach a-nis bha pìobaire sunndach air an ceann 's e a' cluich:

Dé chuireadh mulad ort, oidhche do bhainnse?
Pìobaire romhad 's do roghainn a' falbh leat.

Thòisicheadh a' bhanais le 'ruidhle na bainnse'. Cha bhiodh air an ùrlar ach cuideachd na bainnse fhèin. Bha iad an sin a' suidhe sìos aig na bùird. Bhiodh am pears'-eaglais a' labhairt, agus fear amaiseach no dhà eile. Bha an dannsa agus na h-òrain an uair sin a' teannadh. 'S e 'fear a' phige' a theirte ris an fhear a bha a' riaghladh na dibhe, agus bha meas sònraichte airsan agus air na boireannaich a bhiodh 'mu na bùird'. 'S e an t-òran a b' fheàrr a chòrdadh rium fear nach cluinn mi iomradh air a-nis:

A ghruagach a chùil shnìomhanaich,
Bean òg as miannach leam,
Do phearsa dhìreach chumadail
A chuir mi ort an geall,
Ged is maiseach cliùiteach thu,
'S ro mhodhail aig gach àm;
Tha blàth mar dhriùchd na h-iarmailt ort
Nuair dheàrrsas grian air fonn.

'S ann air leth binn a bha an guth aicese a bha an-còmhnaidh ga sheinn. Aig Mòd an Òbain chuala mi a h-oghachan à Taigh an Uillt a' seinn 's a' cosnadh duais.

Nuair a thigeadh uairean beaga na maidne, bha ruidhle na bainnse ga dhèanamh a-rithist, ach an turas seo bha cuideigin a' tighinn a 'ghoid' bean na bainnse agus bha an 'currac', an ceanna-bharr, ga chàradh air tè 'ile agus an ruidhle a' cumail air aghaidh. An sin thigeadh neach eile a 'ghoid' fear na bainnse, ach bha fear eile a' gabhail àite san ruidhle. Ged a dh'fhalbhadh cuideachd na bainnse, bha càch a' cumail a' dol gus an toireadh iad thairis. Fad ùine mhòir bhiodh a' bhanais a' cumail bruidhne agus gàireachdaich am measg cuideachd a' bhaile. Bhiodh sinne nar cloinn fad sheachdainean a' falbh às dèidh a chèile air an rathad mhòr agus luideag am bàrr bata againn, a' dèanamh pòsaidh.

'S ann a sheòladh a bhiodh òganaich a thàinig gu ìre cosnaidh a' dol. Am feasgar a bha iad a' fàgail, bha màthair an teaghlaich a' marbhadh cearc no coileach agus ga bhruich gu bhith aig an fhleasgach air an turas-cuain. Bha e air aithris gun do mhaoidh a mhàthair air òganach a thrèig a mhisneachd e an latha a bha e ri falbh, "Feumaidh tu falbh bhon a mharbhadh an coileach." Chan eil dùil agam gur fìor an naidheachd, oir bha feadhainn am Barraigh an uair sin a bha cho beò nan inntinn 's nach cuireadh neach seachad orra bhith ga dhèanamh suas; ach tha fios agam le cinnt gur e a bh' ann an coileach aig an àm luach mòr.

'S ann mu thrì uairean sa mhadainn a bha am bàta a' fàgail Bharraigh, agus leis an sin dh'fheumadh òganaich a' bhaile againn a bhith a' gluasad on dachaighean eadar meadhan-oidhche agus uair sa mhadainn. Mus fhàgadh e, bha e a' dol air feadh nan taighean a' fàgail beannachd aig gach teaghlach. Bhiodh tùrsa sa bhaile an oidhche sin, a chionn 's nach robh neach cinnteach am faicte e tuilleadh. Aig an àm, bha mòran sheòladairean a' dol an call – a' tuiteam san toll. Bhiodh poca sèoladair agus na badan aodaich a chaidh aige air a chruinneachadh aig gach fear an àm fàgail an taighe. Bha deannan math de dh'fhir a' bhaile a' falbh còmhla ris a' giùlain, fear mu seach le greis dhen phoca air a ghualainn fhad 's a bhathar a' coiseachd nan sia mìle gu Bàgh a' Chaisteil.

Ged a bha am mulad an cois an dealachaidh, bha an toileachadh air feadh a' bhaile nuair a thigeadh an teileagram ag innse gun robh fear dhe na seòid a' tilleadh dhachaigh, a' cur air chùl gach seudam sìorraidh. Bhiodh an sgioblachadh 's an glanadh a' dol, chan ann a-mhàin san taigh aig an fhear ris an robh dùil, ach anns a h-uile taigh eile sa bhaile, air choinneamh an òganaich. An oidhche a gheibheadh e dhachaigh, an ceann leth-uair bha e a' falbh air feadh taighean a' bhaile a thoirt deoch-slàinte leis a' bhotal mhòr. Bha gach neach a' toirt crathadh làimhe air agus ag ràdh gu sunndach, "Do bheatha dhan dùthaich, 's tu cho beò bhon dhealaich sinn." Cha bhiodh sprochd air neach an oidhche sin.

A' dol air ais dhan sgoil: bha a-nis an Sgoilear Beag air soraidh fhàgail againn agus air a dhol air ais gu tìr-mòr. San dealachadh thug e mar chuimhneachan, ceusadh dhan a h-uile aon againn. Chan eil aon teagamh agam nach eil feadhainn dhiubh sin fhathast air sgeul. Bha sinn a-nis air gluasad dhan rùm mhòr far an robh am maighstir-sgoile, an Sgoilear Ruadh, a' teagasg. Gun teagamh, bho àm gu àm, bha e a' faotainn ainmean eile nach robh cho tlachdmhor. Bha e air leth dìcheallach, agus cha chreid mi gun do rinn e coire do neach a-riamh, ann an gnìomh no an labhairt. Bhitheamaid gu tric a' seinn, agus bha sinn am beachd gur ann mar a b' àirde a dh'èigheamaid a b' fheàrr a bha sinn gu seinn. Saoilidh mi gum faic mi fhathast aodann a' bhalaich a bha faisg orm – aodann ruiteach dearg, a chuinneanan gu spreadhadh, 's e an ìmpis a sgairt a bhristeadh ag èigheach àird a chlaiginn:

> Lìon a-mach gu bàrr a' chuach
> 'S cuir an t-slàinte seo mun cuairt —
> Slàinte Gàidheil an Taoibh Tuath
> Chaidh seachad suas an latha sin.

Dh'aindeoin dèidh air cluiche, bha obair na sgoile air buaidh fhaighinn orm agus bha mi an sàs a-nis aig an leughadh, aig a' chunntais, agus le peann is inc aig an sgrìobhadh grinn sna leabhrain uaine – 'A stitch in time saves nine' agus a leithid sin. 'S ann a bha gnothach na sgoile a' tighinn rim chàil gu sònraichte. Obair sgoile – cha robh an sin ach gnothach, aig an àm sin, a bh' air a chur a-mach do chloinn 'daoin'-uaisle'. Bhiodh fear no dhà dhen ghnè sin a' tighinn a Bharraigh aig an àm, lem bonaidean clò, gus a dhol a dh'iasgach air na lochan no a mharbhadh nan cearcan fraoich. Bhiodh fir a' bhaile a' cur an làmh nan ceap nuair a thachradh iad ris na 'daoin'-uaisle' sin.

Còmhla ris gach car eile, bha m' athair aig an àm trang a' dèanamh nan cliabh ghiomach no ri snìomh sìoman fraoich a chuireadh e air tughadh na bàthaich. 'S tric a sheasainn làmh ris, ag amharc cho luath 's a bha dol nam meòirean. 'S ann a thug e dhomh cead a dhol a tharraing na mòna o chùl na beinne leis an làir bhàin. Bha cliabh air gach taobh dhith anns am biodh a' mhòine a' dol. Bha mise nam shòlas. An toiseach, nuair a gheibheadh an làir bhàn a fradharc an taighe, bha i a' dèanamh a dìchill gu làn-bhrath a ghabhail orm. Bha mise gu stàiteil gu h-àrd air a druim, agus ise, an ceann gach tiorma, a' sradadh a deiridh dha na speuran. Dh'ionnsaich mi tràth grèim a chumail air an t-srèin agus air a muing, gus an do thuig i mu dheireadh gun robh an tagradh leam. 'S e tarraing na mòna obair cho taitneach 's a bhiodh òigridh ris aig an àm.

Bhiodh cead aig clann an sgoil fhàgail sna làithean sin aig ceithir bliadhna deug. Mar fheadhainn eile na dhreuchd, bha an Sgoilear Ruadh air uairean ga chur gu dùbhlan. Aon latha, bha ceatharnach ullamh glan gus an sgoil fhàgail an dearbh latha a bha e an aois. Air a' chnoc aig àm dìnnearach, bha e gu bòstail ag ràdh, "Chan eil mise tilleadh innte feasgar idir," ach cho do chreid neach gum biodh de mhisneachd aige. Bhuail an seo an clag, agus ghluais gach aon mar a b' àbhaist, taobh a-staigh a' ghàrraidh – ach mo charaid a sheas dìreach far an robh e air an drochaid fhiodha. Dh'èigh am maighstir-sgoile air greasadh air aghaidh, ach an àite sin 's ann a rinn am balach òraid, ag innse dhan t-saoghal gun robh esan an-diugh air nèamh beag dha fhèin – saor bho gach bann nach robh a' tighinn ri chàil. An sin sheas e aige, chuir e aon làmh an tacsa a chruachain, thog e an tè 'ile dha na speuran agus cho sunndach 's a chunnaic neach a-riamh, chuir e dhà no trì charan leis tarsainn Beinn na h-Òib. Ach cha do mhill sin e. Siud am fear a fhuair air aghaidh san t-saoghal, ged a ghearradh a chuairt car goirid. Chan fhaic mi an drochaid aon uair nach till sealladh a' *Highland Fling* glè bheò air ais thugam.

A-nis, nach ann a bha sinn air tighinn gu ìre ùidh mhòr a ghabhail ann an dannsa. 'S e am Freastal a bha leinn. Cò bh' air tilleadh air ais dhan bhaile ach caileag a bha an dèidh a bhith ùine còmhla ri càirdean an Èirisgeigh. Gu leig thusa fodha, ach na dh'ionnsaich i siud de dhannsa fhad 's a bha i thall. 'S ann a gheall i dhuinn gun ionnsaicheadh i am buidheann againn agus, na b' fheàrr na sin buileach, nach ann a thug a màthair cead dhuinn a dhol a thaigh aig ceann an taighe-còmhnaidh. 'S ann againn fhìn a bha an latha dheth. Bha sùrd againn air *Petronella, Quadrilles, Lancers, Jack-a-Tar Polka, Highland Fling* is dannsa chlaidheimh, gun cheòl a thàinig a-riamh ach port-à-beul. Feuch thusa riut, nach ann a chaidh againn orra cho sgoinneil agus mu dheireadh nach fhaiceamaid ann an uisge na stiùrach againn, an fheadhainn mhòr a bhiodh a' dol gu dannsaichean Sgoil a' Mhorghain.

Nuair a thigeadh na ceàird gu bun na h-aibhne, bha sinn air ar làn-dòigh. A bharrachd air an toil-inntinn a bha gliong nam peileachan air druim nam boireannach a' dol tron bhaile – agus an treud againne às an dèidh – a' toirt dhuinn, bha aighear gun chiall oirnn nuair a bheireadh an ceàrd mòr duiseal aig a' phìob-chiùil. Cha robh dìth àite air a' chnoc gus a dhol gu faramach mu na *Quadrilles, Lancers,* 's an còrr. 'S e beagan gaoisid a bhiodh e ag earbsa rinn fhaotainn dha airson a shaothrach.

Uibhist agus Beinn na Fadhla – 's ann a bha an sin ach dùthchannan cèine dhuinn aig an àm, astar mòr air falbh tarsainn a' Chaolais Bharraich. Bhiodh feadhainn uairean a' dol gu cùirt ann an Loch nam Madadh. Dh'èisteadh tu mar neach air am biodh seun ris na naidheachdan aca air an tilleadh. 'Bogsa nam mionnan' – rud eagalach a chuireadh an cridhe air chrith nad chom. Bhiodh aca ri fuireach air taobh thall na fadhlach gus an glasadh an latha, agus an uair sin gus am biodh an tràghadh ann – drochaid cha robh ann. 'S iad 'Alasdair nan *Rates*' (Ailig Dòmhnallach), Dòmhnall Fearghastan agus 'Bobaidh' aig an robh taigh-òsta Pholl a' Charra, na h-ainmean a dh'fhan san dealbh co-cheangailte ris na 'dùthchannan cèine' sin.

A-nis anns an sgoil, thòisich sinn air gnothach ùr ionnsachadh – dealbh-chluich a dheilbh Dòmhnall Mac na Ceàrdaich, bràthair an Sgoileir Ruaidh. 'S e *Ruaidhreachan* an t-ainm a bh' oirre. Bha faoileag, feannag, clacharan, bean-shìth, leanabh-sìth agus bodach-sìth innte. 'S e am maighstir-sgoile am Bodach-sìth, 's e a' cluich na fìdhle agus mise Faoileag Bhàn Loch Grèine. Chòrd an gnothach fìor mhath ris an fheadhainn mhòr a thàinig dhan sgoil ga choimhead an oidhche a shealladh an toiseach e air an *stage*. 'S ann an oidhche a chaidh sinn gu 'baile mòr' Bhàgh a' Chaisteil a chòrd an gnothach buileach rinn, a' falbh mar dhaoin'-uaisle ann an gig. Thuit na glainneachan agam gu doirbh nuair a thuirt cailleach sa bhaile againn fhìn rium, "Rud gun dòigh – cò a-riamh a chuala cainnt aig faoileag no aig feannag no clacharan?" Shaoil mi a-riamh gun robh i laghach chun an latha ud.

Car mun àm seo nochd mo mhàthair dhomh gun robh am maighstir-sgoile a' cur air shùilean dhaibh mo chur air aghaidh gu Àrd-sgoil Bhàgh a' Chaisteil. Bha e air an dearbh naidheachd a thoirt dhaibh mu gach aon eile san teaghlach roimhe seo, ach cha robh an cothrom ann. Bha an ùidh a-nis air fàs cho làidir ann an cuspairean sgoile agus gun robh mi làn-dèonach, ged nach robh sinn a' faighinn ach cochair de chuideachadh bhon t-siorramachd – beagan agus fichead punnd Sasannach sa bhliadhna.

Sgoil Bhàgh a' Chaisteil

Thog mi orm san fhoghar sa bhliadhna 1926 gu Àrd-sgoil Bhàgh a' Chaisteil. Cha robh carbadan am Barraigh aig an àm, agus leis an sin dh'fheumamaid fuireach shuas an sin fad na seachdaine. Bha dhà no trì againn san t-suidheachadh seo a bhiodh trang a' cunntais nan làithean gu Dihaoine, gus faighinn dhachaigh air ais gu tuath. Bha Barraigh an uair sin am mullach a shòlais a thaobh iasgach an sgadain. Bha am bàgh làn dhrioftairean bho thaobh an ear na dùthcha. 'S e "Tròbhasaich" no *"Loonies"* a theireadh muinntir an eilein ris na fir a thigeadh bho na ceàrnaidhean sin. Bha an t-àite cho fìor thrang – daoine nan leum an siud 's an seo, cutairean gu trang a' glanadh an sgadain, agus gach stèisean mun cuairt a' bhàigh a' goil le daoine. Prìs mhòr a bh' ann an còig notaichean air crann sgadain.

Air dhomh a bhith dà bhliadhna san sgoil sin, bha mo bhana-chompanach a' fàgail, agus mise chan fhanadh leam fhìn. Bha mi a' siubhal nam pàipear-naidheachd airson car cosnaidh. Mun deach an sgoil a-staigh cò a nochd dhachaigh ach an Sgoilear Ruadh ionann, ag ràdh, "Thèid i fhèin is dithis eile a dh'fhuireach dhan taigh againn fhìn thall air an Lèideig còmhla rim phiuthar." Bha an tagradh leis, ach b' i sin a' bhliadhna a b' fheàrr a chòrd rium san sgoil sin. Bha maighstir-sgoile ùr agus buidheann teagaisg na chois air a thighinn, agus siud gu fìor na fir aig an robh turas a dhol air ceann an gnothaich.

'S e fìor dhuin'-uasal a bha sa cheannard ùr, ach bhiodh èideadh annasach air agus chan urrainn nach robh e a' dèanamh a-mach gur e daoine air leth a bh' anns na Barraich. Aig an aois aig an robh sinn, bheireadh an rud a b' fhaoine gàire oirnn, agus nuair a nochd am peitean bèine 's ann a shaoil sinn gur ann a bha e a' dèanamh Oidhche Shamhna dheth; ach 's e an latha a chunnaic sinn a' falbh gu pòsadh e agus seacaid dhubh ghobhlach air – tè nach do dhearc ar sùil a-riamh air a leithid – a chaidh sinn buileach às ar beachd. An duine còir – tha fios gun tuirt e corra uair ris fhèin, "Àite caran coltach ris na h-eileanan fad' às sa Mhuir a Deas."

An dithis eile a thàinig còmhla ris, bha Gàidhlig aca. 'S e eileanaich a bh' annta le chèile agus cha robh iadsan car ach aig an taigh. 'S e am fear sin nach d' fhuair mòran saoghail dhiubh a thug sinn air sgrìob tron *Deserted Village* aig Goldsmith, agus 's e a chòrd rinn. 'S e fhèin a fhuair na leabhrain dhuinn agus phàigh sinn daor orra – trì sgillinn am fear! An latha a thàinig an t-*inspector*, cha robh neach an sin nach innseadh bhon iarla gus an uarla dè an naidheachd dha. Dìreach nuair a bha e mun doras, chuimhnich sinn nach robh fios againn cuin a bha an duine ciatach Goldsmith mun cuairt, ach ghabh sinn gu luath air tòir fiosrachaidh; agus 's coma ciamar a chòrd e ris an fhear-teagaisg nuair a chuala e sinn a' toirt freagairt air ceist air nach tug e fhèin dhuinn foillseachadh.

Seo a-nis an dearbh bhliadhna a dh'fhosgladh Talla a' Bhàigh a Tuath – 1929 – agus bha fiughair mhòr am measg na h-òigridh. Aig an àm bha seann mhaighdeann a' fuireach air an taobh an iar dhen eilean a bha air leth measail air dannsa, agus a bhiodh a' cleachdadh ghùintean dhen t-seann fhasan. Bha eòlas fìor mhath agam fhìn air an dithis a rinn suas an litir a' toirt cuiridh dhi a bhith an làthair san talla an oidhche iomraiteach sin a bha i a' fosgladh. Gus an latha a dh'fhàg i an saoghal, cha robh fios aig Catrìona bhochd nach tàinig an litir bho bhòrd uaine Lunnainn mar a bha i am beachd.

'S ann air feadh na seachdaine a bha an talla a' fosgladh agus, òg 's mar a bha sinn, chàirich mi fhìn 's mo bhan-chompanach an 'Lol', oirnn gu tuath. Bha sinn bog fliuch nuair a ràinig sinn an taigh, ach an dèidh grèim bìdh agus tiormachadh air na badan aodaich chàirich sinn oirnn gu sunndach chun na talla. Nuair a ràinig sinn taigh Uilleim Òig chuala sinn glaodh na pìoba, agus dhanns sinn ceum no dhà glè shunndach – dìreach air an rathad mhòr. Nuair a ràinig sinn an doras 's a sheall sinn a-staigh, cò a bha a' dèanamh ruidhle an teis-meadhan an ùrlair ach an Coddy agus mo ghalad, Catrìona, agus dithis eile còmhla riutha. Siud agaibh an fheadhainn a rachadh ris gu fonnmhor. Rinn sinn corra ghàire a' smaointinn air a' chuireadh aig Catrìona, ach theab an anail againn stad an uair a mhothaich sinn dhan dearbh dhithis a bha gar teagasg an Sgoil Bhàgh a' Chaisteil aig an dannsa. Cha mhòr nach tug sinn caman dhi, ach nach ann a rinn iad oirnn 's cha do leig iad bhàrr ùrlair sinn. Tràth sa mhadainn an latharna-mhàireach bha sinn air ar cois gus coiseachd sia mìle gu Sgoil Bhàgh a' Chaisteil. Rinn an dithis fhear a bha san dannsa fiamh-ghàire nuair a chunnaic iad an dithis thruaghan a bha a' dèanamh an dìchill an sùilean a chumail fosgailte fad an latha.

FÀGAIL BHARRAIGH

An dèidh làithean-saora an t-samhraidh bha dithis no triùir againn ri togail oirnn gu Sgoil a' Ghearasdain. Smaoinich – sinn a' falbh bho ar dachaighean, bho ar luchd-eòlais 's bho ar càirdean. Cleas an fhir a mharbhadh an coileach dha, cha mhòr nach do thrèig ar misneachd sinn. 'S e a bhith a' fàgail na dachaigh agus buidheann gasta a' bhaile againn fhìn bu duilghe. B' fheàrr leam an oidhche sin nach do rinneadh an taghadh seo a-riamh ormsa.

An Gearasdan
Co-dhiù, thog mi orm a dh'aindeoin chùisean. 'S e rathad Mhalaig a bha sinn a' gabhail agus cha robh an *Cygnet* no am *Plover* – na bàtaichean a bha a' dèanamh an turais an uair sin – ro thlachdmhor. Bha sinn ùine a' feitheamh ann an Loch Baghasdail, ach 's ann an uair a ràinig sinn Malaig a ghabh mi an t-annas bu mhotha. An dealbh a bh' agam nam inntinn dhen each iarainn, an trèan – cha robh i idir a' co-fhreagairt dhan tè a bh' air mo bheulaibh, agus bha eagal mo bhàis orm nuair a ghluais i, leis an astar a bh' oirre. Nuair a ràinig sinn na cailleachan còire dubha a bha gu coimhead às ar dèidh, cha robh a' chùis mòran na b' fheàrr. Ged a bha beagan Beurla againn, cha ghabhadh tu air na chunnaic thu a-riamh agus do bheul fhosgladh, mun dèanta fanaid ort. Feumaidh, fad ùine mhòir, gun do shaoil iad gun robh sinn balbh. Bha eagal oirnn gun dèanamaid aimlisg, cleas na tè Bharraich a chaidh gu a cosnadh ann am Pollokshields 's a thuirt ri a bana-mhaighstir nuair a dh'fhaighnich i an do ghlan i am bòrd, "*I scrub him last night.*" Gu sìorraidh, ach an t-eagal a bh' oirnn a' dol dhan sgoil. Bha maighstir-sgoile againn cho seang ri easgann, agus e mar an dealanach. Cha ruigeadh e a leas ach a shùil a thogail, 's rachamaid dha na tuill nam faodamaid. Bhiodh e a' cleachdadh

gùn dorcha dubh. Gun teagamh, cha robh *spats* air; ach ged a bhitheadh, cha bhiodh meigead air a bhith againn. Anns an sgoil bha sinn a' coimhead cho maol 's cho balbh 's gun robh car de cheann-sìos aig càch oirnn. An ceann an dà bhliadhna, fhuair sinn cead na *Highers* a shuidhe. 'S e latha sònraichte a bh' ann nuair a thàinig fear a' ghùin a-staigh is fiamh-ghàire air 's a thuirt e, "Latha pròiseil a th' ann an-diugh dhan sgoil seo. Mach às an fhichead a shuidh, cha do chaill ach aon tè. 'S ann a b' àbhaist do chloinn nan eilean a bhith nan cas-bhacail oirnn, ach am-bliadhna chan eil dad dhe sin follaiseach, agus 's e cailin òg aois shia bliadhna deug à Barraigh a thug bàrr-urraim air gach aon eile." Bha an tè sin sònraichte fhèin comasach.

Bhitheamaid air ar làn-dòigh nuair a gheibheamaid gu fear-teagaisg na Gàidhlig. Bha esan a' tuigsinn ar cor, agus bha sinn aig an taigh còmhla ris. Còmhla ri sgrìobhadh na Gàidhlig aig àm na *Highers*, bha againn ri bruidhinn an àm freagairt an *inspector* – "*D.J.*", mar a theireamaid. B' fheàrr a bhith a' sgrìobhadh fhèin na bhith ga labhairt mu choinneamh gach neach a bha còmhla riut. Fhuair mise dheth uabhasach math. Dh'fhaighnich e dhìom, "Thoir naidheachd dhomh air Rocabarra." Cha do fhreagair mi ach dhà no trì fhaclan – "Nuair a bhiodh na h-iasgairean a' dol a-mach dha na taibh" – agus stad e mi, agus mun canadh tu "A h-aon" bha e fhèin 's am maighstir-sgoile ann an saoghal dhaibh fhèin: "An cual' thu siud? 'S e a bha Màiri Nighean Alasdair Ruaidh ag ràdh:

Ri fuaim an taibh
Is uaigneach mo ghean —
Bha mis' uair nach b' e siud m' àbhaist."

Agus sin na dh'iarradh ormsa!

Far an robh sinn a' còmhnaidh bha sinn am measg ar chomhaoisean às a' cheàrn a bha co-cheangailte ri siorramachd Inbhir Nis, agus 's ann a bha sinn air fàs car Gallta nar dòigh. Bha *piano* ann agus *gramophone*, le clàir cho ceòlmhor 's a chuala sibh a-riamh. Nuair a bhiodh obair nan leabhraichean seachad, bhitheamaid a' dannsa – cur-seachad dhan tug mise spèis air leth. Sin far an do chuir mi eòlas airson a' chiad uair air Strauss. Bha mi a' dèanamh dheth nach cuala cluas a-riamh ceòl cho àlainn ris am *Blue Danube Waltz* agus ri ceòl nan *guitars* à Hawaii.

Bha tidsear-ciùil againn san sgoil. Sin an tè aig an robh a' mheur air ceòl agus a bha air leth comasach air do thàladh le h-òrain. Bheireadh i còisir dhinn gu Fèis Chiùil Inbhir Nis, agus cha robh uair nach coisinneadh a còisir a' chiad duais. Bha i sèimh socair, gun iarraidh aice a bhith air bharra-bas an àite sam bith.

Ged a bha sinn an dèidh na *Highers* fhaighinn seachad, chan fhaodamaid a dhol dhan Cholaiste a dh'aindeoin cion an airgid, gus am biodh na trì bliadhna suas sa Ghearasdan. Bha an t-airgead cho gann 's gur tric a choltaich mi mi fhìn ris an fhear sin a bha san sgeul a bha claidheamh crochte air snàthainn gaoisid os a cionn – deiseil glan gu a ghearradh dheth. Cha robh cinnt bho bhliadhna gu bliadhna an tilleadh tu air ais. A' bhliadhna mu dheireadh sa Ghearasdan, bha Mòd ionadail ann agus rinn sinn uile air. Ged a chaidh agam air cupa agus dhà dheug thar fhichead a thastain fhaotainn, bu daoire an toinneamh na an tuarastal. Bha càch a' dèanamh an dìol orm, gam atharrais, ach bha mi fhìn glè mhath air an dearbh dhol sin cuideachd.

Nuair a gheibheamaid na làithean-saora bha sinn sona. Bha a-nis gach aon dhen teaghlach air an taigh fhàgail 's a dhol gu cosnadh ach am bràthair a b' òige. Bha na bràithrean air a dhol gu muir, agus am fear sin dhiubh nach fhanadh an Sgoil an Òbain air leum às a' bhàta an Astràilia, far an d' fhuair e air aghaidh sònraichte math.

Bha maighstir Iain Dhonnchaidh air tighinn gu paraist a' Bhàigh a Tuath. Ged nach fhaca sinne a-riamh luadh am Barraigh, 's ann a thòisich esan air ath-nuadhachadh air na h-òrain luaidh am measg nam boireannach. Mu dheireadh thall 's ann a thòisich e air luadh a bhith aige san Talla. Mar a thuirt Calum Ruadh, am bàrd: "Bha na cailleachan air an dòigh / 'G innse stòraidhean dha chèile." Gun teagamh, chan e luadh dòigheil a bhiodh ann ach car de dh'atharrais; ach ged a b' e fhèin, siud a' chùis a chòrd ris na cailleachan. Shaoileadh tu gur ann a bha iad a' dol gu banais leis an ullachadh a bhiodh orra ro-làimh. An dèidh an luaidh, bhiodh dannsa san Talla agus dh'fhanadh na cailleachan ag amharc na h-òigridh san dol a bh' aca aig an àm. Nuair a thòisicheadh an luadh bha sinne car an ceò. 'S dòcha gun aontaicheadh sinn aig an àm ris an fhear a sgrìobh gun robh muinntir an luaidh caran coltach ri grunnan mhnathan-nighe à baile mòr sònraichte a bh' air a dhol dhiubh fhèin, ach bha an dol 's na h-òrain a' còrdadh air leth math ri Maighstir Iain agus ris na cailleachan. 'S i bean Shomhairle Bhig a bhiodh a' gabhail *Có sheinneas an fhìdeag airgid*, agus 's e an t-òran a bhiodh aig mo mhàthair *O, 's fhada bhuainn Anna*.

'S e àm air leth toilichte a bha sin. Bha gu leòr de dh'òigridh 's de shluagh mun cuairt fhathast, agus sunnd orra daonnan is fonn orra an-còmhnaidh agus iad fhèin làn-chomasach air deilbh a dhèanamh a bheireadh a-mach ceòl-gàire. Saoilidh mi gu robh na siantan na bu chòire aig an àm sin; agus nuair a gheibheamaid làithean-saora bha sinn trang aig an taigh. Sa Ghiblean bha latha mòr gearradh na mòna ann. Bha gach ceann teaghlaich a' faighinn sgioba de dh'fhir a' bhaile, agus iad a' falbh air astar a chùl na beinne gu na puill-mhòna. An latha roimhe seo bha bean an taighe 's a' chlann -nighean a' deasachadh biadh na mòna – a' dèanamh tòrr de bhreacagan agus a' ceannach càise is silidh. Bha an t-ìm 's an gruth agus na h-uighean aca aig an taigh.

Bha muinntir taobh an iar Bharraigh a' tighinn astar mòr leis na cairtean suas dhan Ghleann Dorcha. Bha na puill acasan mu leth-mhìle bhon fheadhainn againne, ach nach bu ghoirid an t-astar sin an uair sin gus a dhol air chèilidh air caileagan an taoibh an iar a thàinig le 'biadh na mòna'? 'S ann a bh' acasan an latha sin ach car de chuirm-cnuic. An toiseach, bha iad a' togail teine a ghoileadh an coire mòr iarainn. Bhathar a' bruich nan uighean, agus an uair sin a' sgaoileadh brat geal anairt air uachdar an fhraoich agus a' riarachadh nam pìosan arain – feadhainn le ìm is càise, feadhainn eile le silidh. Aig an fheadhainn bu chothromaiche, dè thigeadh am follais ach botal dhen Each Bhàn, agus cha bhiodh sin fada a' cur sùrd is sogan air na seòid; bha sunnd na b' fheàrr orra às a dhèidh gu dhol an sàs. 'S ann leis an tiorsgian a bhathar a' gearradh nam fàdan, agus b' àillidh leat a bhith ag amharc cho eireachdail 's a thogte iad air mullach a' phuill. 'S e seòrsa de chlachaireachd a bhiodh iad a' dèanamh leotha, ach bha beàrn ga fhàgail mu choinneamh fir eile sa bhalla mòna. 'S e gnìomhadh na mòna a theirte ris an togail seo. 'S ann nuair a rachadh m' athair leis an sgothaidh a ghearradh na mòna gu Eilein Fhuidheigh a bha sinn buileach air ar dòigh. Ged nach robh daoine a' còmhnaidh ann, bha e air leth gaolach leinn, agus am mac-meanmna aig an àm cho beò 's gun tuigeadh tu cho math cor Robinson Crusoe. Nuair a bhiodh a' mhòine tioram gu leòr, bhitheamaid a' dèanamh rùdhanan oirre agus ga fàgail an sin gus an tarraingte dhachaigh i far an robhar a' dèanamh na cruaich.

Aig àm an fhoghair, bhiodh daoine trang a' spealadh an fheòir an toiseach, ga thiormachadh 's ga chur na chocannan. Seo obair do nach robh a-riamh tlachd agam. Gheibhte glè thric mi falaichte fo bhonn na creige mòire, a' leughadh leabhair – obair clann dhaoin'-uaisle – agus cha bu bhuidhe dhòmhsa nuair a chluinninn, "Càit a bheil thu?" Latha na dais – bha sin taitneach gu leòr, agus do chàirdean agus do nàbaidhean trang còmhla ris an teaghlach a' cur a-staigh an fheòir. Chan iarradh a' chlann an còrr ach a bhith a' leumadaich am mullach na dais a phlùcadh sìos an fheòir.

An sin bha an t-arbhar ga làimhseachadh. 'S ann leis a' chorran a bhiodh iad a' buain an arbhair. Bhathar ga cheangal na sguaban, agus an sin na toitean gan togail, agus mu dheireadh a' dèanamh chruachan air san iodhlainn. B' fhìor thoil leinn a bhith a' sguidseadh – a' toirt an t-sìl bhàrr na sguaib agus an sin a' caitheadh – gun dad ach do dhà làimh.

Glaschu

Anns a' bhliadhna 1932 dh'fhàg mi soraidh aig a' Ghearasdan, agus chàirich mi orm gu baile mòr Ghlaschu gus a dhol dhan Cholaiste. Cha robh mi a-riamh air a bhith ann an Glaschu, ged a chuala mi cus ma dheidhinn. Ged a bha fiughair mhòr orm gu seallaidhean a' bhaile fhaicinn, 's e an t-eagal as miosa nan cogadh a bu mhotha bh' orm. Glaschu! Nach iomadh naidheachd a chuala mise aig na cailinean, a bha daonnan bliadhnachan na bu shine na mi fhìn, air a' bhaile iomraiteach sin. Aig an àm sin, 's ann le teileagram a bhiodh iad a' faighinn fios. Nach tric a chuireadh buidheann gasta a' bhaile againn fhìn seachad an ùine, tè mu seach air an rathad mhòr, ag atharrais na tè a bhiodh a' falbh leis an teileagram air mhìltean gu tuath. Bhiodh luasgan uabhasach air ais 's air aghaidh aig Mòrag le tè dhe làmhan, los gun tuigeadh an saoghal gu lèir gun robh ise a' falbh air cheann a gnothaich – gnothach air leth cudromach a rèir an dol a bh' aice.

Na creutairean nigheanan a gheibheadh car cosnaidh aig cailleachan Phollokshields – chan eil fhios dè cho taingeil 's a bhiodh iad. 'S e 'cailleach' a theirte ris a' bhana-mhaighstir ged nach biodh i ach còig bliadhna fichead. Eadar cion Beurla agus cion cleachdaidh air dòighean an-àbhaisteach an t-saoghail choimhich, cha bu chulaidh fharmaid iad.

Chuala mi mu aon tè dhiubh a fhuair car cosnaidh san dearbh cheàrn sin agus a bha a' dol seachad air bùth èisg aon latha. Thog a cridhe nuair a fhuair i sealladh air sgadan ùr – am *"Prime June"*, mar a theireadh i fhèin. Leis cho fìor dheònach 's a bha i gu muinntir an taighe a riarachadh, a-staigh a thug i agus cheannaich i leth-dusan dhiubh. Nach iomadh gàire a rinn mi fhìn 's i fhèin nuair a fhuair mi eòlas oirre, nuair a dhèanadh i an naidheachd dhomh.

"Chaidh mi dhachaigh, a ghalad, agus cha robh duine a-staigh. Chut is ghlan mi iad gu h-eireachdail. Chuir mi ann am min-choirce iad agus thòisich mi air am praidheadh airson na tì. Bheirinn fhìn mo ghealladh nach do bhlais iad air grèim a-riamh roimhe nam beatha cho blasta.

"Nuair a bha mi an teis-meadhain 'Greas ort' chuala mi cuideachd an taighe aig an doras. Dh'èigh a' chailleach agus trì chinn teine oirre, '*Oh! Mary, Mary! What-an-a-smell, What-an-a-smell!*' (seo mar a thog i fhèin e). '*Open the windows, open the windows!*' Thuirt mise, '*What-an-a-smell* – ach sgadan ùr *for your tea.*'

"*Ars' ise, 'Mary, Mary, eat it yourself, eat it yourself! Open the windows, Mary, open the windows!*'"

Arsa tè mo sgeòil an uair sin, "Nach mi a ghabh an fhearg, a ghalad, nuair a dh'ith mi fhìn na sia sgadain."

"Tud, tud a Mhàiri," arsa mise, a' dol nam lùban, "chan ann còmhla?"

"O, chan ann, chan ann," ars' ise, "ach a dhà mu seach gus an robh iad ullamh."

Bha tè 'ile ga cosnadh am Pollokshields a bha cho fìor thaingeil an car cosnaidh fhaighinn 's gun rachadh i cha mhòr air a glùinean gus a' bhana-mhaighstir a riarachadh. Aon fheasgar, thuirt bean an taighe rithe gun robh dùil aice ri feadhainn air leth urramach dhachaigh air chèilidh. Bha deasachadh air leth sònraichte aca, a' cur shoithichean eireachdail air treidhe agus a' bhana-mhaighstir ag earalachadh dhìse mar a dhèanadh i nuair a rachadh i a-staigh dhan t-seòmar leatha. Leth na truaighe, 's ann an tacan beag mus robh an t-àm aig mo chailin a dhol a-staigh a thill bean an taighe tiotadh a' cagraich, "*Put on the cosy, my dear.*" Chuir thusa, a ghràidh nan nighean, an làmh mu dheireadh san treidhe los fhaicinn nach do rinn thu dearmad air dad. Rug thu an uair sin air a' *chosy*, ghabh thu null gu sgàthan agus chàirich thu gu dòigheil mud cheann e!

Chan eil fios agam ciamar a ghabh bean an taighe agus an fheadhainn shònraichte sin a thàinig air chèilidh oirre a' chùis nuair a nochd i a-staigh leis an treidhe, ach tha fios agam, nuair a dh'innis i fhèin dhòmhsa an naidheachd, gun do chaill sinn ar lùth a' gàireachdainn, los mu dheireadh gun robh na deòir a' tuiteam gu frasach gu làr agus nach beag an t-iongnadh! Gu dè an t-eòlas a bh' agamsa no aicese an uair sin air *cosy* no dad a bha càirdeach do *chosy*.

A-nis, cha robh mise cho fìor mhaol a thaobh dòighean an t-saoghail choimhich 's a bha an fheadhainn sin bu shine na mi, a chionn 's gun robh mi bliadhnachan sa Ghearasdan; ach a dh'aindeoin sin 's na dhà dhèidh, bha giorag gu leòr orm a' dol a Ghlaschu. Bha mo bhràthair romham san stèisean, agus dh'fhalbh e leam sgrìob agus nach ann a thug e mi fon talamh air mo chiad turas air an *subway*. Fhad 's a bha mi am broinn na trèana cha robh mi buileach cinnteach nach tuiteadh na bha os ar cionn pronnaich air h-earraich a-nuas air ar cinn. Thàinig sinn a-mach aig Kinning Park, agus chaidh sinn gu taigh banacharaid chòir air sràid bhig – 's e Durham Street an t-ainm a bh' oirre. Thug mi latha no dhà mun cuairt mun do dh'fhosgail a' Cholaiste, agus thuig mi gur e an *subway* an dòigh a b' fhasa air an t-saoghal gus faighinn mun cuairt Ghlaschu. Dh'aindeoin cion earbsa san inneal-siubhail sin sa chiad dol-a-mach, nan tachradh aon dhe na h-eòlaich orm 's ann air an *subway* a' chòmhdhailicheamaid, agus mu dheireadh bha feadhainn dhiubh a' dèanamh a-mach gur ann a bha mi a' fuireach oirre!

'S dall gach aineolach. Chaidh mi dhan Cholaiste, far an robh cus de dh'oileanaich air nach robh aithne no eòlas agam, agus bha iad mòran na bu Ghallta nan dòigh na òigridh a' Ghearasdain. Cha do chòrd a' Cholaiste ro mhath rinn idir. Bha againn ri bhith fuireach ann agus bha smàig ro mhòr oirnn, agus bha gach aon fo chùram gum faighte coire dha. Còmhla ris a' chòrr bha againn ri fuaigheal a dhèanamh, chan ann a-mhàin le ar làimh ach le *machine*.

A-nis, nuair a bha mi nam chaileig, dè bh' aig piuthar mo mhàthar ann an ìochdar an taighe ach tè dhen dearbh fheadhainn sin. Cha deach mi a-riamh a-null a Bhrudhairnis nach cluinninn daonnan an aon duan. "Air na chunna tu a-riamh, na cuir do chorra-mheur air a' *mhacine*." Ulaidh gun tomhas a bha na leithid sin an uair sin. Bha a bhlàth 's a bhuil – cha do dhùraig mise a-riamh a dhol faisg a' mhìle air tè dhiubh.

Nach ann aig buidheann a' bhaile againn fhìn a bhiodh an fhàth gàire nam faiceadh iad mise dol an sàs sa *mhachine*. Cha robh dealbh-chluiche air an t-saoghal a bheireadh bàrr-urraim air an dol a bh' ann, agus tha eagal orm nach robh am fuaigheal ach mu làimh an dèidh mo shaothrach.

Uair sna dhà dheug, gheibheamaid a-mach aig deireadh seachdaine airson trì latha. Air an dol a bh' oirnn, shaoileadh tu gur ann a bha sinn a' faighinn a-mach às a' phrìosan. Sin nuair a bha mi air mo làn-dòigh an Glaschu, aig an taigh còmhla ri mo bhanacharaid, a' falbh an siud 's an seo air feadh a' bhaile, daonnan fon talamh. 'S ann nuair a rachainn dhan *cinema* a bha mi, cleas an fhir eile, air nèamh beag dhomh fhìn. Chitheadh tu mud choinneamh dealbhan dhe na naidheachdan a leugh thu – air an cur an cèill aig boireannaich is fir cho grinn 's air an do dhearc do shùil a-riamh. Bha spèis air leth agam do Norma Shearer, agus bha na làithean sin a' falbh mar an dealanach.

Aig àm an t-samhraidh bhiodh fiughair mhòr air òigridh ri latha nan *Games*. An latha sònraichte sin, bha thu a' falbh leis a' bhad aodaich a bu rìomhaiche a bh' agad – gun fhios cò thachradh riut! Ach 's e an dannsa oidhche nan *Games* sòlas sònraichte na h-òigridh an uair sin. Bhitheamaid cuideachd a' dol gu *Games* Uibhist, agus 's iomadh gàire a dh'fhàg sinn a' dol a-null 's a-nall.

Aon bhliadhna shònraichte nuair a bha mi na bu shine, bha dannsa nan *Games* air a bhacail dhuinn. 'S ann aig na Criosdaidhean a bh' air ar ceann a b' fheàrr a bha fios carson, ach 's duilich toirt air òigridh fhaicinn gur ann airson am math fhèin a tha an cothachadh. Sheasadh aige an oidhche sin air a' mhachair ann an Allghasdal – na carbadan a' dèanamh soillse – agus dhanns sinn gus an do shoilleirich an latha. Chan ann am Bòid uile tha an t-olc!

AIG MO CHOSNADH

Anns an Ògmhios 1934 dh'fhàg mi a' Cholaiste – oir, mar a theireadh muinntir a' bhaile againn fhìn, bha mi 'ullamh-ionnsaichte'. Dh'aindeoin deuchainn le cion iomadh nì fhad 's a bhathar ag ionnsachadh, 's e an deuchainn bu mhotha gu lèir nach robh obair ann dhomh an dèidh mo shaothrach. Bha an dearbh shuidheachadh againn an uair sin 's a th' ann a-nis fhèin – mòran a thug a-mach an dreuchd agus gun an obair ann da rèir.

Gleann Fhionghain

Mu shia seachdainean ron Nollaig fhuair mi fios bhon Mhoireasdanach à Inbhir Nis a dhol gu Sgoil Ghleann Fhionghain. 'S mise bha gu sunndach an latha sin. Cha robh de bhruaillean orm ach gun robh agam ri Barraigh fhàgail air oidhche Chiadain, agus talla ùr Bhaile na Creige ga fosgladh an ath Dhihaoine. Co-dhiù, chàirich mi orm an làrach nam bonn, agus ghabh mi rathad an Òbain. Às an sin, dh'fhalbh mi air an trèan gu Bail' a' Chaolais. Fhuair mi an t-aiseag an sin chun an taoibh thall, far an robh bus a' feitheamh gus luchd-siubhail a thoirt dhan Ghearasdan. An oidhche sin dh'fhan mi aig na mnathan còire aig am b' àbhaist dhomh a bhith a' còmhnaidh, agus a chuir flath is fàilte orm agus a rinn mi aig an taigh. Bha iad car cho toilichte gun do dheònaich mi a dhol air ais thuca, eadhon airson aon oidhche agus mi 'ullamh-ionnsaichte'. Sa mhadainn an latharna-mhàireach rinn mi air an t-slighe dhan ghleann eireachdail sin. B' olc an airidh an rathad-iarainn sin a dhùnadh, oir tha seallaidhean air leth tlachdmhor air gach taobh dhìot fad an t-siubhail. Rinn mi air an sgoil thaitnich sin, far an robh buidheann grinn de chloinn a' feitheamh ris an tidsear ùr. Chuir sinn eòlas air a chèile, agus dh'innis mi naidheachd thoilichte dhaibh: nach biodh iad a' tighinn dhan sgoil an latharna-mhàireach – gum biodh i dùinte a chionn 's gun robh Diùc Kent agus a' Bhana-phrionnsa Marina a' pòsadh. Chòrd mo chuairt dhan ghleann sin rium anabarrach math, agus mi a' fuireach ann an Taigh a' Ghlinne aig na peathraichean NicCeallaig. Aig an àm bha Gàidhlig aig an fheadhainn a b' aosta. Air mo rathad dhan sgoil aon mhadainn thachair bodach rium, agus san dol seachad thuirt mi ris, "Bheil sibh math gu màirnealachadh?" 'S e a fhreagair e, "Cò às an tug thu a' Ghàidhlig, a chaileag?"

Bhatarsaigh

An dèidh na Nollaig, bha a' bhana-sgoilear aca fhèin a' tilleadh gu clann a' Ghlinne, agus bha mise gu bhith a-rithist gun obair. Nuair a ràinig mi an taigh, nach ann a bha litir gam fheitheamh ag iarraidh orm a bhith a' togail orm gu Sgoil Eilean Bhatarsaigh nuair a bhiodh na làithean saora seachad. Chàirich mi orm dhan eilean bheag mhaiseach sin an dèidh na Bliadhn' Ùire ann an 1935. Bha mi a' teagasg na cloinne a b' òige, oir bha còrr agus dà fhichead san sgoil an uair sin. Aig an àm bha sluagh gu leòr san eilean, agus 's iad fhèin a bha spèiseil. Dh'aindeoin cion an uisge, bha na taighean aca air an cumail grinn eireachdail. Air Didòmhnaich, bheireadh e do dhùbhlan dhut feadhainn eile fhaicinn air an èideadh na bu shnasaile na iad sin, a dh'aindeoin iad a bhith a' còmhnaidh an eilean mara. Rinn muinntir an àite mo bheatha – oir ged a bha i air caochail, 's ann an sin a bha Màiri piuthar mo mhàthar, a bha na h-òige san Eilean Fhùideach air thaigheadas; agus cha do dh'fhàg ise droch chuimhneachan. Aig an àm bha dhà no trì dhe na h-eich mhòra à Bhatarsaigh gu treabhadh is cairtearachd. B' iad na sgothan sheòl a bha a' dèanamh an aiseig an uair sin. Bha tè shònraichte agamsa dhomh fhìn, agus i geal agus seòl dearg oirre – 'Sgoth an Dotair Ruaidh' a theireadh iad rithe, agus cha robh iomradh air a leithid de rud rid fharadh a phàigheadh. Bha e cho math. Cha robh agamsa an uair sin ach beagan is naoi notaichean sa mhìos de thuarastal.

Nuair a bha mi beagan sheachdainean thall, fhuair mi cuireadh gu banais Mhìcheil Nèill Ruaidh, aig an robh bùth san Uidh. Bha e a' pòsadh tè a mhuinntir Bhàgh a' Chaisteil agus 's ann thall an sin a bha a' bhanais. Siud a' bhanais air nach tèid dìochuimhn' agamsa. Chòrd cuid na bainnse dheth fìor mhath rium, ach theab ceannach a bhith agam air a' chùis. Air ar tilleadh à Bàgh a' Chaisteil, cha robh san sgoth ach triùir bhoireannach agus aon fhireannach air a dhubh-dhalladh leis an daoraich. Dh'èireadh esan an ceann gach tiorma a chur riofadh san t-seòl. Bha sinne ag èigheach nan creach

47

agus a' feuchainn ri phlùcadh fodhainn, agus sinn fhìn ag iomradh mar ar beatha. Thug sinn ceithir uairean an uaireadair eadar Cidhe na h-Àirde agus an laimrig a Bhatarsaigh an dèidh na bainnse, agus leum sinn aiste mun do bhuail i idir tìr. Turas an ànraidh – theabadh mo bhàthadh!

Air mo chiad chuairt a Bhatarsaigh, bha mi beagan is bliadhna thar fhichead nuair a ghabh mi an t-aiseag. Bha iad a-riamh coibhneil san eilean gu neach iarraidh air chèilidh. Cha robh mi ach beagan ùine thall nuair a chaidh mi fhìn is cailin eile cuairt air chèilidh a thaigh grinn. Bha cailin agus a màthair a' fuireach ann. Bha e air chùl fiosrachaidh ormsa gun robh a tàlainnean a' gèilleachdainn dhan t-sean-bhean, mar a tha buailteach tachairt. Fhad 's a bha an tè òg a' cur uisge sa choire eadar an dà dhoras, theann a màthair a-nall agus gu furachail thug i riobag asam a' faighneachd, "Eudail nan nighean, bheil thu ag ionndrainn Mhiughalaigh?' Leig an tè a bha còmhla rium glag gàire, agus ghreas an tè 'ile a-nuas, ag ràdh, "Mo nàire is mo leaghadh, nach eil fhios agaibh nach robh an tidsear a-riamh ann am Miughalaigh." Sin an uair a thuig mi an toiseach an fhìor spèis a bh' aig an fheadhainn a b' fheudar fhàgail, le cruas an t-saoghail, dhan eilean mhaiseach sin.

Nach iomadh naidheachd a chuala mise mu Mhiughalaigh aig an fheadhainn sin a dh'fhàg an cridhe ann. Chuala mi gun robh fear a' còmhnaidh ann ri linn Banrigh Bhioctòiria anns an robh àirde neo-àbhaisteach. 'S coltach gum b' esan am fleasgach a b' àirde aig an àm san Roinn Eòrpa gu lèir. Dha thaobh seo, thugadh e mu choinneamh na Banrigh. 'S e Pàdraig Mòr a b' ainm dha agus phòs e Anna Chaluim, anns nach robh ach àirde chuibheasach. Bha Pàdraig còrr is seachd troighean a dh'àirde. Thèid mi fhìn an urras nach robh an dearbh òganach aon uair a-riamh na bheatha na bu thoilichte na bha e nuair a fhuair e grèim aon turas eile air cladaichean Mhiughalaigh an dèidh a bhith air falbh air an turas-cuain shònraichte sin san t-saoghal choimheach, gus a dhol mu choinneamh Banrigh Bhioctòiria.

B' e teachd-an-tìr muinntir Eilean Mhiughalaigh còmhla ri caran mun taigh, a bhith ag iasgach. Cha robh aca sna sgothan ach na siùil agus na ràimh. A rèir na h-eachdraidh a chuala mi, aon latha sònraichte agus fèath nan eun ann, chàirich sgioba orra le ràimh is beagan siùil a chur nan lìon mar a b' àbhaist. Dh'fheumte feitheamh car tacain san dearbh bhad an dèidh dhaibh an càradh sa ghrunnd iasgaich mun togte na lìn.

Air an latha shònraichte seo, gu dè dhan do mhothaich iad air sgeireig bhig thall mun coinneamh ach do mhaighdinn-mhara a' sìor chìreadh a fuilt.

Daonnan 's e manadh bàthaidh a bh' ann nam faicte ise mun cuairt. Chuir e iongnadh air na fir i bhith mun cuairt air latha cho fìor shocair. An ceann tiorma chuala iad i ag èigheach dhan sgiobair, "Iain Mhic Ruairidh, Iain Mhic Ruairidh, am faic thu mise?"

Fhreagair esan, "O, chì, 's mi chì. Ach ged as camalagach eireachdail do chuailean, gu fìor cha mhòr mo spèis dhut."

Feumaidh nach do mhì-chòrd an seanchas rithe idir, a chionn 's gur anns an dearbh mhionaid dh'èigh i air ais dha, "Iain Mhic Ruairidh, Iain Mhic Ruairidh, tarraing, tarraing, tarraing do chuid lìon, agus bi a' dèanamh air an taigh."

Ged a bha fèath fhathast ann, ghabh e a comhairle. Tharraing iad na lìn agus chàirich iad orra a' dèanamh air an eilean. Bha cho glan dhaibh! Mu iomlaid na mionaid dh'atharraich na siantan, agus thàinig an-uair nach fhacas 's nach cualas chan eil fhios cò a' bhliadhna a leithid. Thug na gaisgich a-mach cala sàbhailte ach b' ann air èiginn.

A-nis, aig an àm seo nuair a chaidh mi a Bhatarsaigh an toiseach, bha mo chridhe a' mireag rium; agus nam b' urrainn dhomh dhen t-saoghal, rachainn a-null air an aiseag a h-uile Dihaoine dhachaigh. Bha caraid còir agam aig taighean a' Chaolais gu an robh mi a' leigeil fios e a bhith romham air feasgar Didòmhnaich. Air an fheasgar sin bha mi a' coiseachd sia mìle gu tuath; an sin bha mi a' dol tarsainn Beinn Thangabhail. Nuair a nochdainn thar a guailne bhiodh Seumas a' cur a-mach na geòla, agus mus ruiginn shìos bha e a-bhos romham.

Bha mi a' dol dhachaigh còmhla ris gu mo dheagh bhiadh agus gu cèilidh. Bha mi an sin a' càradh orm trì mìle suas gu Baile Bhatarsaigh, agus chan fhairichinn a bhith a' dèanamh an astair.

Bha na h-òrain luaidh air leth math aig mnathan an eilein, gu h-àraidh aig bean Eachainn Fhionnlaigh, Ealasaid Iain Dhonnchaidh agus bean Iagain Aonghais. 'S iomadh oidhche chridheil a chuir mi seachad nan cuideachd, agus thog mi an deagh chuid dhe na h-òrain.

Aig an àm bha e gu math deuchainneach a bhith a' call nan dannsaichean air an taobh thall, agus nuair a thàinig mo charaid an t-*inspector* 'D.J.' mar a theireamaid, a bha air leth measail air Gàidhlig, thuirt mi gun robh mi am beachd tàr às gu crìochan ùra.

Mun do dh'fhàg mi, tha beachd agam a bhith ag èisteachd an Rìgh – seadh, Diùc Windsor – air an rèidio a' fàgail a chead dheireannaich aig sluagh Bhreatainn; agus dh'fhàg e sinn fo mhì-ghean is fo bhròn.

Eòlaigearraidh is Bàgh a' Chaisteil

Fhuair mi a theagasg gu Sgoil Eòlaigearraidh nuair a dh'fhosgail i an dèidh làithean saora an t-samhraidh ann an 1937. Bha mi air mo dhòigh gun d' fhuair mi 'gu tìr' agus bho nach ruiginn air an dachaigh a h-uile h-oidhche – cha robh còmhdhail ann aig an àm – bha mi a' fuireach shìos an Eòlaigearraidh fhèin, far an robh mi glè thoilichte. Ach leth na dunaidh, cha robh mi an sin ach beagan sheachdainean nuair a chuireadh fios orm gu dhol a theagasg ann an Sgoil Bhàgh a' Chaisteil, far an robh mòran de chloinn bhig mu choinneamh aon tidseir. Bha an dithis againn gu bhith a' teagasg san aon rùm. Nis, bha car de dh'fhiamhachd agus de dh'eagal orm a bhith a' dol a theagasg còmhla ris a' bhana-sgoilear iomraitich sin, Anna NicIain nach maireann. Ach gu fìor fìrinneach 's mise nach ruigeadh a leas e. B' àlainn agus b' eireachdail an t-eòlas a chuir sinn air a chèile. Bha ise anabarrach inntinneach èibhinn. Bha i a' creidsinn gur ann mar bu thoilichte a bhiodh a' chlann nan staid, a b' fheàrr a thogadh iad sgoil. Bhiodh ise a' gabhail port-à-beul agus a' chlann 's an làmhan an-àird 's an casan a' gluasad gu luath, agus mise nan teis-meadhain agus sùrd againn air dannsa, agus cò ris nach còrdadh a' chuideachd? Bha Anna air leth math air innse sgeulachdan. Saoilidh mi gun cluinn mi fhathast i ag innse mu Nighean Bheag nan Dualagan Òir agus na Trì Mathanan. Cha robh strì aice a' toirt air aon dhen chloinn tighinn a-mach a dh'innse na naidheachd às a dèidh. 'S math mo bheachd air aon bhalach a' cur a-mach na h-aon naidheachd gu sgairteil gus an do ràinig e, "Thug i spàineag às a' chiad bhobhla mhòr brochain agus bha e ro theth, thug i spàineag às a' bhobhla mheadhanach is bha e ro fhuar, agus an sin thug i spàineag às a' bhobhla bheag bhìodach agus bha e ..." agus stad e – cha b' urrainn dha a dhol na b' fhaide. An ceann tacain fhuair e thar leis fhèin, na dearbh bhriathran a lìonadh am beàrn agus dh'èigh e gu sgairteil, "Agus bha e dìreach fìot dhi," mar a theireamaid mu na brògan ùra.

'S iomadh oidhche thoilichte a chuir mi seachad air chèilidh air Anna NicIain. Bhiodh mnathan a' Ghlinne a' tighinn glè thric cuideachd a ghabhail nan òran luaidh, agus bha mòran luchd-turais iad fhèin a' tadhal – cuid dhiubh air thòir òrain Ghàidhlig nan Eilean.

Bhrist an Dàrna Cogadh a-mach san fhoghar 1939. 'S ann san eaglais a dh'innseadh dhuinn an sgeul bhrònach sin; agus ged nach robh tuigsinn agamsa air goirteas cogaidh, bha feadhainn san làthair a fhuair an droch lèireadh sa chiad fhear, a shil na deòir gu frasach. Chaill mi mo mhàthair chaomh sa Mhàrt ann an 1940, agus glè ghoirid na dèidh, mo bhràthair a b' òige; agus thuig mi an uair sin dè bh' ann an lèireadh. Ach feumaidh an saoghal a dhol air aghaidh.

Chaidh mi air ais gu Sgoil Eòlaigearraidh beagan ùine an dèidh seo. Bha mòran dhen òigridh air an togail dhan chogadh. Dh'aindeoin iomagain am measg an t-sluaigh a thaobh na bha bhuapa, bha sinn trang san sgoil feasgar ri cèilidhean is dannsa. Siud far an robh cuideachd na cèilidh agus an fheadhainn a bheireadh gach cùl-taic dhut 's gach strì. Bha bean Bhriain againn agus bean Denny – clann Ruairidh Iain Bhàin à Brudhairnis a bha air leth math air na h-òrain 's nach ann dhaibh bu dual. Bha 'Nialltaidh' againn à Sgoireabhal a bheireadh gach car a chuir Tam O'Shanter dheth cha mhòr air do bheulaibh, le blas is faireachdainn – ann an Gàidhlig. Le priobadh cridheil na shùilean gu h-àraidh nuair a ruigte 'Siùsaidh', bheireadh e srann air *On the Road to Mandalay*. Bha faram chas is bualadh bhas an sin gad bhòdhradh aig meud an toileachaidh am measg na cuideachd. Bha an "Lala" againn, a chuireadh na h-eòin an crannaibh le a guth binn 's a h-òrain eireachdail. Bha Iagan Nèill Dhòmhnaill ann a dh'innseadh sgeulachd cho tric 's a dh'iarrainn – agus 's ann aige fhèin a bha an turas a dhol riutha – agus bha Ceit Anna ann. B' iad fhèin an fheadhainn a b' airidh air gach toileachadh.

Dìreach mun àm seo, fhuair bana-sgoilear àraid eile is mi fhìn cuireadh bhon mhaighstir-sgoile a dhol a-null gu Eilean Èirisgeigh airson dhà no trì làithean-saora. Bha am *Politician* air bualadh mu na cladaichean beagan ùine roimhe seo, agus nach ann innte fhèin a bha an luchd a thogadh gach bruaillean far inntinn sluaigh. Nuair a ràinig sinn, bha gean is fonn air gach aon a thachradh riut agus iad am beachd gun tàinig sinne cuideachd air thòir an "t-sòlais". Gu dearbh, dh'fhaodadh tu a ràdh gun robh Bliadhn' Ùr aca an-còmhnaidh, agus 's ann orra fhèin a bha a bhlàth.

Bha òl is ceòl is dannsa aca, is drama cha bhiodh gann orra mun Nollaig – air neo aig àm sam bith eile. Fhuair sinn cuireadh gu dhol air bòrd a' bhàta iomraitich sin bho cheannard luchd na *salvage*. Rinn sinn sin, agus anns an dealachadh thug e dhuinn sìneadas beag blasta mar chuimhneachan air ar turas. 'S i an naidheachd a b' inntinniche a chuala mi gun robh cuid dhe na fir air chleas nam feòragan – a' dèanamh tholl san talamh, a' cur seachad mu choinneamh na cruadhaig; ach gu mì-fhortanach, nach rachadh acasan air amas air an dearbh bhad san do chàireadh an stòras. 'S iomadh latha an dèidh sin a bhitheamaid a' cuimhneachadh air ar cuir a-null agus air na cèilidhean sunndach a rinn sinn feadh nan taighean.

Pòsadh, is Glaschu aig Àm a' Chogaidh

'S ann a thàinig e a-nis fa-near dhomh pòsadh, oir bha mi air a dhol suas am bliadhnachan. Bha mi cho fìor thoilichte an Eòlaigearraidh agus, ged a bha mi a' falbh a phòsadh, chaidh deur no dhà gu làr an oidhche a dh'fhàg cuideachd mo ghaoil soraidh agam aig cèilidh san sgoil san t-Samhain 1943. 'S e banais Ghallta a bh' againn ann an Glaschu, ach bha gach aon dhe na h-eòlaich air feadh a' bhaile an làthair. Fhuair sinn còrr agus ceud teileagram à Barraigh. Chàirich sinn oirnn a dh'fhuireach a Ghrianaig, far an robh cosnadh mo chèile. Glè ghoirid an dèidh seo, gu dè a bhuail mu chladaichean Eòlaigearraidh ach bàta luachmhor – an *Dexter*. 'S ann a shaoileadh tu gur ann a bha Sealbh ag amharc le coibhneas air na cladaichean sin a dh'aindeoin cogaidh. A rèir choltais, cha robh sùgh an eòrna ach gann innte, ach a dh'aindeoin sin 's na dhà dhèidh, bha gnothaichean feumail eile a' tighinn gu mìorbhaileach air tìr. Thòisich mi an sin air faighinn parsail air muin parsail – chan eil fhios agam cò bhuaithe – làn de dh'iomadh rud grinn a dh'fheumadh bean òg. Air uairean nì driod-fhortan feum do chuideigin, agus cha do chaill mise air a' bhualadh – ge bith cò an taobh bhon tàinig iad, bha mo chuid mhath agamsa de bhadan rìomhach na tubaist.

Aig an àm seo bha mi feadh an latha leam fhìn gun chuideachd gus an tilleadh mo chèile anmoch, agus cha do chòrd e a-riamh rium a bhith leam fhìn. An seo, nach ann a chunnaic mi pàipearan a' forfhais airson luchd-teagaisg ann an sgoiltean Ghlaschu. Gun dàil, chàirich mi orm gu Oifis an Fhoghlaim sa bhaile mhòr sin, agus an ath latha theann mi air teagasg am Bridgeton ann an Strathclyde P. School, Sràid Carstair. Chan ann dhen aidmheil agamsa a bha a' chlann sin no an luchd-teagaisg, ach gu fìor 's mise nach do dh'fhairich fuachd sam bith a thaobh na cuid sin. Eadhon an uair sin a bha an saoghal car beag – bha Gàidhlig aig dithis dhen luchd-teagaisg. Bha tè dhiubh às an Eilean Dubh, pòsta aig Leòdhasach, agus an tè 'ile à Duthaich MhicAoidh.

Fhad 's a bhitheamaid aig na leasain, chluinnte itealain nan Gearmailteach a' tighinn a dhèanamh spreadhadh feadh a' bhaile. Bha na *sirens* ag èigheach àird an claiginn, "Thoir do chasan leat dha na tuill fon talamh cleas nan coineanach." Bha sinn a' dèanamh air an staidhre leis a' chloinn fo mhì-ghean gus an teannamaid air seinn, agus bha sinn air an dol sin sna tuill gus an leigeadh na *sirens* fios dhuinn gun robh na Gearmailtich air tilleadh an taobh às an tàinig iad.

Air dà oidhche dhen t-seachdain, bha dithis no triùir againn a' dol dhan sgoil fad na h-oidhche air eagal 's gun leigeadh na Gearmailtich ball teine a-nuas oirre. Ged a bha sràidean dubh-dorcha, cha robh eagal no fiamh air aon againn a bhith a' dèanamh an turais. San sgoil fhèin, cha do bhuail e a-riamh nar cridhe gum buaileadh dad oirnn agus bha an ùine a' dol seachad gun fhios dhuinn, le naidheachdan is fealla-dhà is òl chupan tì. Nuair a bha an sgoil a' dùnadh airson nan làithean-saora san Ògmhios 1944, thàinig am maighstir-sgoile dhan rùm far an robh an luchd-teagaisg cruinn. 'S e naidheachd mhì-àghmhor a bh' aige: "Tha tè agaibh ri falbh le buidheann dhen chloinn a-mach às a' bhaile fad trì seachdainean gu gleann ann am Peairt, ach 's fheàrr dhuibh an taghadh a dhèanamh nur measg fhèin." Cha do leig mi dad orm, ach chaidh mi far an robh e a dh'innse dha gun robh mo chèile aig muir domhainn, agus gum bu mhath leamsa an t-uallach sin a ghabhail. Siud an naidheachd a chòrd ris an luchd-teagaisg agus eagal am bàis orra gun tuiteadh an taghadh orrasan.

Dh'fhalbh mi fhìn 's mo bhuidheann gu ruige Cuimrigh. Às an sin chaidh sinn air bus gu Gleann Liadnaig, far an robh sinn ri fuireach ann an *Lodge* a thairg daoine carthannach airson ar turais. Nuair a ràinig sinn, thug an tè a bha an t-àite fo a cùram cluas gheur dha mo chainnt agus thuirt i, "Chan ann a mhuinntir Ghlaschu a tha sibhse." Nuair a fhreagair mi gur ann a bha mi às na h-Eileanan an Iar, thuirt ise, "Tha sibh à Barraigh, mar a tha bean a' chìobair an ath dhoras." Cho luath 's a b' urrainn dhomh rinn mi air taigh bean MhicAoidh, ged nach robh mi a' creidsinn gun robh i à Barraigh oir cha robh an sloinneadh sin san eilean aig an àm. Nuair a ghnog mi, cò a dh'fhosgail an doras ach Ceiteag Ruairidh Iain Alasdair à Ceann Tangabhal am Barraigh, a dh'innis dhomh gur ann a bha a cèile à Uibhist agus gur iad cuideachd mo mhàthar na h-aon chàirdean a bh' aige am Barraigh. Cha robh mise gun taigh-cèilidh; ach, a dh'aindeoin àilleachd a' Ghlinne agus eireachdas nan craobhan, bha ionndrainn sònraichte nam chridhe nach robh mi a' tuigsinn aig an àm.

Bha clann na sgoile sin grinn, ciallach agus laghach; ach ged a bha, thàinig iargain nam chom agus thuig mi fàth na h-ionndrainn am Peairt. Bha

fuaim an taibh gam fhìor èigheach:

"Tiugainn, m' eudail, gud thìr dhàimh."

Leis an sin agus gàir na mara an-còmhnaidh nam chluasan, thill mi gu eilean mo bhreith is m' àraich. 'S e a thuirt an Coddy rium an uair a thachair sinn, "Seadh, a bhanacharaid. Tha fhios gun cual' thu an seanfhacal: 'Taghaidh bò a h-ath bhuaile.'"

Brèibhig, Bàgh a' Chaisteil, Glaschu a-rithist

Cha robh mi fada aig an taigh nuair a fhuair mi fios gu dhol a theagasg an Sgoil Bhrèibhig. A' chiad latha san dol a-staigh, dh'fhaighnich mi de chaileig bhig, "Cò leis thu fhèin, a ghaoil?" Fhreagair i gu socair, "Tha mi leis an Fheannaig." Shaoil mi gur ann a' fanaid orm a bha i, agus ghrad dh'fhaighnich mi is faobhar orm, "Dè thuirt thu?" Chrom i a ceann is ghabh i nàire agus leag i gu làr a sùilean, a' freagairt gu socair, "Sin an t-ainm a th' aca air m' athair." Agus cha do chuir mi seachad mòran làithean san dearbh choimhearsnachd sin nuair a thuig mi nach robh aig a' chaileig ach an t-uile-fhìrinn.

Cha robh mi ach beagan ùine san sgoil sin nuair a nochd am buidheann iomraiteach sin, na *"Boarded-outs"*, à baile mòr Ghlaschu. Bhuail a h-uile h-aon dhe na trì deug sin dìreach anns an rùm agamsa. A' chiad mhadainn, mun tàinig iad idir a-staigh, nochd nighean bheag Bharrach a-steach a' caoineadh gu goirt. Nuair a dh'fhaighnich mi gu dè idir a bha a' cur oirre, fhreagair i, "Thug an tè mhòr reamhar bhàn sin thall droch tharraing mun aodann orm." Dh'èigh mi air an tè bhàin. "Dè bu choireach gun do dhochainn thu a' chaileag seo?" dh'fhaighnich mi, agus 's e a fhreagair i agus bus diombach oirre, *"She was gapin' at me."* Mise an-diugh, thuirt mi rium fhìn, 's fheàrr dhomh casadh riutha sa chiad dol-a-mach air neo cha toir mi mo bheò às an lùib. Nuair a bha iad a-staigh agam cruinn cothrom còmhla, thug mi an tè bhàn gu seisean, agus leig mi fhaicinn dhi ann am barrachd 's am briathran nach fhaodadh an t-ìm sin a bhith air an roinn seo, air neo gum faodadh i taobh eile a thoirt oirre.

Thàinig an sin *inspector* aig an robh co-cheangal dlùth ri Glaschu dhan sgoil. "Ciamar a tha clann a' bhaile mhòir a' tighinn rid chàil?" dh'fharraid e. Cha robh e air a dhòigh an uair a nochd mi nach robh a leithid siud de dh'àireamh dhiubh am measg clann an eilein a' còrdadh rium. Nam biodh esan ag èisteachd aig an uinneig agus a' cluinntinn na glòir a chuala mise nuair a bhiodh iad a-muigh – agus srann aig clann Bhrèibhig air an dearbh sheanchas agus gun tuigsinn fon ghrèin aca gu dè a bu chiall dha na bha iad ag ràdh – thuigeadh e an uair sin am port. Gun teagamh air an t-saoghal, bha feadhainn glè mhath nam measg, agus 's math nach robh iad uile air an aon rèir.

Aig an àm sin, bha clann na sgoile sin glè shunndach gu gabhail òran. Thàinig an sin fear à Inbhir Nis a dhèanamh sgrùdaidh air cor na Gàidhlig am Barraigh. Nochd e a-steach agus e ag ràdh san dearbh mhionaid, "Bheil aon òran aca?" mar gum biodh e am beachd nach robh. Ghabh iad òran an dèidh òrain dha, agus siud gu fìor am buidheann a rachadh gu sunndach riutha.

Bha gille beag air ùr thighinn dhan sgoil an dearbh sheachdain sin. Bha fios agam fhìn gum biodh sùrd aca air gabhail òran san dachaigh sin gach oidhche. Dh'èigh mi air Dòmhnall Iain tighinn a-mach feuch an gabhadh e òran. Cha bu ruith ach leum siud leis an dearbh òganach sin. Chàirich e aon chas air tarsannan na cathrach agam, mar a dhèanadh athair aig an taigh, agus thug e an luinneag a b' àille dhuinn – *Fàilte Rubha Bhatairnis* – bho cheann gu ceann. Dh'fhalbh Dòmhnall MacPhàil le sunnd is fiamh-ghàire, ag ràdh, "Ma bha cùram ormsa sa mhadainn an-diugh mu Ghàidhlig Bharraigh, chan eil dad dhe leithid a-nis orm."

Bha balach beag eile agam san sgoil sin a chuir mi aon latha air cheann turais gu rùm a' mhaighstir-sgoile. Thill e 's e a' caoineadh 's a' lasagaich. Nuair a dh'fhaighnich mi gu dè idir a bha ceàrr, fhreagair e sa Bheurla los nach biodh e sràc air dheireadh air na "*Boarded-Outs*". "*Please, miss*," ars' esan, "*he gave me a sgleog sa bhus.*"

"Saoileam fhìn," thuirt mi riutha le dibhearsain, "gu dè bu chòir dhuinn a dhèanamh mun chùis?" Dh'èigh eucoraich Ghlaschu, "*See that piece of wood, miss. Let's drive some nails in*" – ach mun d' fhuair iad na b' fhaide leis an sgeul, chualas an guth aig an fhear a bh' air a leòn ag èigheach gu sgairteil an-àird: "*Crucify him.*" 'S ann mun dearbh àm sin a bha feadhainn a' dèanamh deiseil gu dhol gu an ciad chomain, agus thuig mi gun do rinn mi car ro chudromach an naidheachd aig an fhear a liubhair e fhèin air a' chrann.

'S e bliadhnachan sona a chuir mi seachad ann an Sgoil Bhrèibhig – a' fuireach aig Catrìona 's gun a-staigh ach sinn fhìn le chèile. Nach iomadh gàire chridheil a dh'fhàg sinn eadar na ballachan sin. Bha a cèile-se air falbh bhon taigh ga chosnadh, agus mo chèile-sa, Eòin, aig muir domhainn. Cha bhiodh Eòin a' tighinn dhachaigh ach nuair a bhiodh *leave* aige. An uair sin bha e a' nochdadh leis gach seòrsa rìomhach a bha e air a cheannach sna dùthchannan cèin. 'S ann aige fhèin a bhiodh na naidheachdan mu na h-àiteachan 's na h-iongnaidhean a chunnaic e fhad 's a bha e air falbh; agus tha mi ag amharas, an uair a theirigeadh an naidheachd, gun robh e fhèin glè chomasach air fad a chur aiste – agus nach ann dha fhèin a bha e furasta. Mar a thuirt mi mu thràth, bha comas air leth aig Eòin gu faighinn air aghaidh san t-saoghal nan robh e air cothrom fhaighinn an toiseach a latha. Bha ùidh air leth aige ann an leughadh – a h-uile seòrsa leabhair – agus dhèanadh e seanchas am Beurla 's an Gàidhlig mu chuspair sam bith. Nach iomadh fear is tè sna h-eileanan againne aig an robh comas is tomhas na b' fheàrr na bh' agamsa gus faighinn air aghaidh san t-saoghal, nan robh saod aca air nuair a bha iad òg. Dh'fhàg mi an sgoil sin sa Ghiblean 1950. Cha robh mo chridhe ag iarraidh gluasad ged a bha e riatanach dhomh a bhith togail orm. Tha am peann – Waterman – a thug a' chlann dhomh san dealachadh fhathast agam, ga ghleidheadh gu cùramach mar chuimhneachan air an fheadhainn sin a thug dhomh e le an làn-dùrachd.

Anns a' bhliadhna 1951 thill mi air ais a theagasg ann an Sgoil Bhàgh a' Chaisteil, agus dh'fhan mi an sin fad dheich bhliadhna. Bha Eòin a-nis aig an taigh còmhla rium, agus bha sin na thaic glè mhòr. Fhuair e car cosnaidh mun chidhe, far an robh e a' tachairt ri daoine a thigeadh às gach ceàrn de Bharraigh, agus nuair a gheibheadh e dhachaigh bha e loma-làn naidheachdan. Glè thric thigeadh bàta-iasgaich a-staigh, agus chan e beathach no dhà èisg a dh'fhòghnadh dha ach làn poca. Bha mo chèile cho còir ris an fhaoileig. Thadhaileadh e an iomadh taigh a' riarachadh na bha sa phoca, los nach biodh air fhàgail ach aon bheathach èisg no dhà mus ruigeadh e an taigh. Cha robh de phàigheadh aige ach cochair, ach cha robh e dìomhain an dèidh obair a' chidhe. Fhuair e a shàrachadh a' cur an taighe air dòigh.

Bha còmhlan cho gasta de luchd-teagaisg am Bàgh a' Chaisteil 's nach iarradh tu de cheòl no de dh'aighear ach a bhith nan teis-meadhain. Bhitheamaid ri cèilidhean gus airgead a chruinneachadh airson cuirm Nollaig. Bha a' chlann air an làn-dòigh, agus gach buidheann a' feuchainn ri bàrr-urraim a thoirt air an ath fhear le òrain, dàin is dealbhan-cluiche. Aon bhliadhna bha buidheann agam a rinn dealbh-chluiche air an tug iad *Am Picnic* mar ainm. 'S iad fhèin a chaidh gu sunndach ris. Saoilidh mi gum faic mi fhathast iad len cuid loingeis, agus sùrd aca air an òran a rinn Cal Cairsteig Chaluim nach maireann – *Bàta beag mo ghaoil, 's i bha bòidheach.* Leis cho sunndach 's a bha a' chlann len cuid dibhearsain agus leis na riochdan san rachadh iad, 's e bun a bh' ann gun do chuir iad an fheadhainn a thàinig gan èisteachd air ghleus cho math 's gun robh gach beag is mòr, sean is òg, a' dol nan lùban a' gàireachdainn mun do theirig an seanchas.

Dheònaich an seo am fear a bha os ar cionn gluasad air ais dhan bhaile mhòr. An dèidh sin, air dhòigheigin, chaidh an ceòl air feadh na fìdhle agus chaidh a' phìob a Thaigh Iain Ghròt an Gallaibh. Beag air bheag, thòisich duine mu seach dhen luchd-teagaisg air èaladh air falbh a thoirt taobh eile orra, agus chuir mise cuideachd na siùil rithe agus dh'fhàg mi cuideachd mo ghaoil is thill mi a theagasg a bhaile Ghlaschu.

Chaidh mi a theagasg gu Sgoil St. Anthony aig Crois Bhaile Ghobhainn. Cha robh mi fada an sin nuair a dh'innis am maighstir-sgoile dhomh gun tàinig fios thugam a bhith a' dol gu Sgoil St. Constantine air Sràid Uibhist. Ma bha meas agamsa sa chiad dol-a-mach air siubhal air an *subway*, fhuair mi mu dheireadh thall mo sheachd leòr dheth fad nan còig bliadhna a thug mi a' teagasg san sgoil sin. Bha dà fhichead 's a h-ochd no naoi anns a h-uile buidheann a bha a' tighinn mum choinneamh gach bliadhna – balaich agus nìghneagan gasta nach tug dragh a-riamh dhomh.

Ach nach ann a thòisich a-rithist an t-ionndrainn agus an iargain nam chom –

Fuaim an taibh gam shìor èigheach ...

agus thuig mi nach dèanainn a' chùis gun a bhith, cleas an trìlleachain, an-còmhnaidh an cois na tuinne.

AIR AIS A BHATARSAIGH

Chuir cuideigin cagar nam chluais gun robhar an tòir air bana-sgoilear ann an Eilean Bhatarsaigh. Chuir mi fios gum bithinn deònach a dhol an grèim a' chair chosnaidh sin nam faodainn, agus cha b' fhada gus an d' fhuair mi cuireadh fada farsaing tilleadh gu Sgoil Bhatarsaigh.

Thill mi air ais dhan eilean mhaiseach sin san t-Sultain 1966. Mo chreach, chan e an dealbh a thug mi leam nam inntinn air mo chiad chuairt ann a bha romham an sin idir. Bha an sluagh – a' chuid mhòr dhiubh – air fhàgail. Bha baile Eòrasdail, far am b' àbhaist dhomh a bhith a' dol air chèilidh, 's gun aon duine a' fuireach ann agus an cuid thaighean air a dhol bho dhòigh. Cha robh de chloinn san sgoil ach deichnear, agus b' e àireamh-sluaigh an eilein gu lèir trì fichead 's a seachd deug. Cha robh aon bhùth air fhàgail, far am b' àbhaist a trì a bhith. Bha misneachd an t-sluaigh glè ìosal. 'S e bh' aca sna pàipearan air ach an *"dying island"*. Gu dearbh, 's mise tè nach d' fhuair mòran brosnachaidh gu mo chasan a chur an tacsa.

Glè ghoirid an dèidh dhomh tilleadh, bha coinneamh aig muinntir an àite feuch an gabhadh dad de leasachadh a dhèanamh air an crannchur, agus bha fear à tìr-mòr san làthair. Nuair a thog mi mo ghuth an-àird, 's ann a dh'fhaighnich e dhìom gu dè a chuir air ais an siud mi. Thuirt e rium os ìosal, "Bheil thu idir a' creidsinn gu bheil e ro anmoch dad a leasachadh a dhèanamh an seo?"

Siud a' bhliadhna a chaidh mo dhùbhlanachadh gu m' fhiaclan. Mus robh mòran ùine air a dhol seachad 's gann gun creidinn gur mise bha siud idir. Calg-dhìreach an aghaidh 's mar a bha dùil agam a bhiodh a' chùis, 's e a bh' annam ach seòrsa de chnap-starraidh. Leugh mi ann am pàipear bhon uair sin gun robhar am beachd Bhatarsaigh fhalamhachadh beagan bhliadhnachan ro 1970. 'S dòcha gun robh iad am beachd, "Mura dearg mi air na h-eòin, fùcaidh mi na h-iseanan." Ach dh'fheumte cur às an toiseach dhan chirc ghuir – ach bha i tana aca.

Cha robh mi a-riamh roimhe air ceann sgoile leam fhìn, agus bha cus agam ri ionnsachadh 's gun fhear no tè san dreuchd faisg orm. Èigeantach 's mar a bha a' chùis, chùm mi an gnothach a' dol; agus gu dearbh cha robh e furasta ann an taigh-sgoile fo bheinn leam fhìn – bha aiceid air cromadh air mo chèile – agus taighean a' bhaile co-dhiù leth-mhìle air falbh.

Nuair a bhiodh gnothach agam a-null a Bhàgh a' Chaisteil, dh'fheumainn am bàta-aiseig a ghabhail – tè fhosgailte gun fhasgadh fon ghrèin ach fras an t-sàil a' gabhail dhut a h-uile sìnteag a bheireadh i aiste, agus glè thric i cha mhòr na seasamh air a ceann. Nam biodh am muir-tràigh ann, dh'fheumainn mi fhìn a shlaodadh air mo dheireadh air uachdar na feamainn, mar a dh'fheumadh a h-uile h-aon eile, gus faighinn air bòrd.

Chuir am fear a bha ris an aiseig aig an àm sin roimhe gluasad bhon obair sin agus bàta-iasgaich fhaighinn. Bha oidhche shunndach thoilichte againn san sgoil a' fàgail soraidh aige agus a' dùrachdainn gach rath air san t-seirbhis ùir. Mun gann a bha iad air faighinn air an làn-dòigh, chailleadh Aonghas Iain bochd agus a chuid sgioba anns a' *Mhàiri Dhonn*. Ann an àite beag iomallach, tha a leithid seo de sgiorraig a' cur leann-dubh am measg an t-sluaigh, agus tuigidh sinn ro mhath gu dè as adhbhar do mhuinntir nan eilean a bhith a' guidhe an-còmhnaidh "gun dìonadh Dia luchd na mara."

Sluagh Eilean Bhatarsaigh – daoine air an robh an saoghal air leth cruaidh, agus fhuair mise m' earrann fhìn dheth. Ri linn an t-suidheachaidh san robh iad, dh'ionnsaich iad cruadal gun eisimeil.

Beagan mu Mhiughalaigh

Thàinig a' mhòr-chuid de shluagh Bhatarsaigh, no an sliochd, à Eilean Mhiughalaigh, a b' fheudar dhaibh fhàgail le cruas an t-saoghail nuair a thug iad dùil thairis. Bidh e a' cur iongnadh mòr orm bho àm gu àm cho beag 's a chluinnear mu fhàgail Mhiughalaigh. Cha robh mise ann ach aon uair a-riamh nam bheatha agus feumaidh mi aideachadh gun do bhòidich mi nach tillinn tuilleadh, leis an tàir a fhuair mi a' dol air tìr aig treasad tarraing na fairge. Chaidh am buidheann againn dhan eaglais – tè mhòr eireachdail air bàrr cnuic. 'S e a chuir an t-iongnadh 's am mulad orm gun robh an doras aice sraointe fosgailte agus na siantan 's an gailleann a' gabhail dhi mar a thogradh iad. Nuair a bha mi a' gluasad air falbh chunnaic mi iarann na laighe air a'

59

chnoc. Thog mi nam làimh e gus a thoirt leam mar chuimhneachan air mo thuras, ach leig mi às e far an robh e. Ar leam, ged nach robh feum tuilleadh air, gun robh mi a' dèanamh cron – a' cur bruaillein air na bha nan sìneadh an cadal buan a' bhàis anns an eilean mhaiseach sin far an do dheònaich iad fhèin an saoghal a chur seachad.

A rèir eachdraidh, 's coltach gur fada is cian bhon a bha sluagh ann am Miughalaigh. Tha iomradh orra cho fada air ais ris an t-siathamh linn deug. Bha iad a' tighinn beò air buntàta is iasg, maorach na tràghad agus eunlaith na mara. Bha iad uile dhen aon aidmheil agus air leth làidir nan creideamh, ged nach rachadh aig pears'-eaglais air an ruighinn ach air uairean an ceann shia seachdainean. Bha mòine ga buain san eilean mar chonnadh. Bhiodh na boireannaich trang a' dèanamh chluasagan is bhobhsdairean le itean nan eun. 'S iad na sgothan seòl a bh' aca gu siubhal a' chuain. Dh'fheumte a bhith a' tighinn a Bhàgh a' Chaisteil air uairean, gu h-àraidh air thòir min-fhlùir agus ghoireasan beaga eile. Mar bu trice mum faigheadh iad dhachaigh, bhiodh na pocannan mine bog fliuch le srad an t-sàile. Cha bhiodh na breacagan arain cho fìor bhlasta an uair sin ach dh'fheumte dèanamh leotha.

A rèir na chuala mi, is coltach aig aon àm gun do ghlac muinntir Bharraigh cùram a thaobh nach robh aon sgoth a' nochdadh a-nall à Miughalaigh seachdain an dèidh seachdain. Mu dheireadh thall, sheòl bàta le deagh sgioba a-null dhan eilean. Chuireadh òganach air tìr gus a dhol air feadh an àite. Nuair a bha e a' teannadh air a' chladach, dh'èigh e na creachan do chàch: "Chan eil aon duine beò an siud." Ach b' e siud turas a dhunaidh dhàsan. Ghluais an sgoth air falbh gu cabhagach bhon chladach, is chuala e an glaodh: "Chan fhaod thu a thighinn nas fhaide air eagal gun toir thu leat an galair." Is coltach gun d' fhuair e gach taigh grinn sgiobalta, gun aon duine na bhroinn ach an taigh mu dheireadh – far an d' fhuair e cuirp nam feadhainn a bha an dèidh an càirdean a chur fon talamh mun d' fhuair iad fhèin am bàs. Bha an t-òganach bochd a rinn an teachdaireachd air fhògradh air Miughalaigh gun aon neach eile ach e fhèin. Beinn Mhic a' Phì a thugadh air a' chnoc far am biodh e a' cumail faireadh gach latha, ag achanaich gun nochdadh eathar à taobheigin a dhèanadh cobhair air. Mu dheireadh 's mu dhiubh, nochd tè aon latha à Bàgh a' Chaisteil – a' tighinn a shealltainn an robh e beò – agus air an turas sin thug iad air ais e. Bha Mìcheal Dhòmhnaill, air an robh an deagh eòlas agam, glè chàirdeach dhan ghaisgeach sin. Feumaidh gun deach sluagh air ais dhan eilean glè ghoirid an dèidh seo. Chuala mi naidheachd mun chiad sgoil a bha am Miughalaigh. Aig an àm bha fir le mnathan is teaghlaichean air Eilean Bheàrnaraigh, a tha deas air Miughalaigh, agus iad a' còmhnaidh ann gus frithealadh dhan taigh-sholais a th' air Ceann Bharraigh. A rèir na h-eachdraidh, ghlac iad sin cùram gum biodh an cuid chloinne gun sgoil, gun sgrìobhadh agus gun chreideamh nuair a dh'fhàsadh iad suas; agus dha thaobh sin, nach toireadh iad iad fhèin às ach meadhanach nuair a dh'fheumte an aghaidh a thoirt air an t-saoghal choimheach. Leis an sin, is coltach gun do chuir iad fios air falbh a dh'innse gun robh aindith cearbach air an cuid chloinne a thaobh foghlaim agus Facal Dhè.

Chunnacas freagarrach fear a thighinn gu an dleastanas sin a dhèanamh dhaibh. Feumaidh nach robh e an dàn dhan duine chòir a dhol gu cuideachd an taigh-sholais, oir dhubh-dh'fhairtlich air an sgioba a thàinig air a thòir a Bhàgh a' Chaisteil a dhol air tìr air Beàrnaraigh Cheann Bharraigh, aig treasad nan stuagh agus na gaillinn a bha mu a chuid chladaichean. 'S ann a rinn an sgoth an sin air Eilean Mhiughalaigh, far an deach aca air a dhol air tìr. Thàinig Mgr Fionnlastan – an "Sgoilear Glas" – à Srath Chamshroin. Fhuair e fanadh na h-oidhche ann am fear dhe na taighean, agus air dha coimhead thuige is bhuaithe, 's ann a chòrd an t-àite cho fìor mhath ris 's gun do chuir e roimhe san dearbh mhionaid sin, bhon a chual' e gun robh clann gu leòr ann, gur ann an siud a bha e a' dol a dh'fhantainn.

Nach esan a fhuair balgam a' chlisgidh nuair a dhùisg e sa mhadainn 's a chuala e bean a' trod agus a' cur dhith gu làidir taobh a-muigh an taighe. 'S bha i ag èigheach do bhean an taighe: "Nam biodh grèim agamsa air, dh'fhàgainn-sa a pheirceall cho tana ri seann sia sgillinn." Shaoil e gun robh muinntir an eilein a' dol a ghabhail mu chèile bho nach robh e dhen aon aidmheil riutha fhèin. Cha leigeadh an t-eagal dha gluasad às an leabaidh fad ùine mhòir. Nuair a dh'èalaidh e suas gu greim bìdh mu dheireadh, chuir an gnothach iongnadh mòr air. Cha robh tomhas aig a' choibhneas a nochd muinntir an taighe – agus a-rithist muinntir an eilein – ris.

Cho luath 's a b' urrainn dha, chaidh e air ceann a ghnothaich agus thòisich, mu dheireadh, teagasg air clann Mhiughalaigh. Cha robh cion teagaisg creidimh orra aig na dachaighean, oir bha meas mòr aig sluagh an eilein air an aidmheil aca fhèin. Dh'fhan an Sgoilear Glas am Miughalaigh, agus phòs e tè a mhuinntir an àite agus bha e an siud gus an do chaochail e.

Mun do chaochail e rinn e fhèin agus a' chuideachd a bha mun cuairt dheth iomadh gàire nuair a dh'innis e mun chlisgeadh a ghabh e a' chiad mhadainn.

Is coltach gur ann a bha an tè a bha a-muigh a' trod a' chiad mhadainn, ach mu bheathach mairt a bha air milleadh a dhèanamh air an arbhar aice. Le bròn is mulad, dh'fhàg gaisgich leis a' ghiùlan aig an Sgoilear Ghlas gu a thiodhlaiceadh thall am Barraigh ann an seann chladh Chuidhir còmhla ri cuideachd na h-aidmheil aige fhèin. Is coltach gun tàinig i cho mòr air an rathad gu Bàgh a' Chaisteil 's gum b' fheudar dhaibh a' chiste-laighe a cheangal na seasamh ris a' chrann mun toireadh an fhairge a-mach bhuapa i – agus mar sin, eadhon air an t-slighe chun na h-ùrach, bha na bha fhathast an làthair dhen ghaisgeach agus aghaidh air an fheadhainn sin don tug e an ciad eòlas air sgoil is sgrìobhadh.

Turas Nèill a Mhiughalaigh[1]

Air tighinn far Galltachd
Do Niall san àm sin
Bhios daoine trang 's iad
A' buain an eòrna,
'S a' bhean 's a' chlann aig'
Air thuar bhith caillte,
Gun bhiadh gun annlain,
Gun deoch, gun mhòine:

Och, och, mar tha mi,
Is mi nam aonar
Dol tro na caoil far
An robh mi eòlach;
Ged 's moch a dh'fhalbh mi
Gun bhiadh, gun ùrnaigh,
'S e thug mo thùr asam
Sùgh an eòrna.

---

[1] Niall Mòr, mac Nèill 'ic Iain Bhàin.

A-null mu Shanndraigh
'S a' ghaoth an ceann ann,
Ghrad-leum an crann mach
A broinn na bròige,[2]
'S mur b' i Sgeir Lithìnis
Bha mise millte;
'S ged fhuair mi innte
Bha m' inntinn brònach.

An uair a dhìrich mi
Os cionn nan stuaghach,
'S ann theab mo chluasan
Bhith air am bòdhradh,
'S na sgairbh ag èigheach
Gur ann a dh'eug mi
'S nach fhad' gum feumainn
Bhith air mo ròsladh.

Nam faighinn innse
Dhan t-sagart ghaolach
Gur e an daorach
A thug orm seòladh,
Bhiodh m' inntinn aotrom
'S bhiodh m' anam saor, is
A chaoidh cha taobhainn
Na taighean-òsta.

Bha Eóghain Stiùbhart [3]
Fo mhóran cùraim,
'S e ann an dùil gur
E bh' annam bòcan;
Bha mise tùrsach,
'S mi air mo ghlùinean
A' gabhail m' ùrnaigh —
'S ann dhomh bu chòir sin.

---

2 'S e seo a chuala mise, ged as e "na geòlaidh" a gheibhear ann an Deoch-Slàinte nan Gillean.
3 Eòghain Stiùbhart, a bhiodh a' toirt nan litrichean air ais 's air aghaidh a Mhiughalaigh.
   'S e a mhac, Seumas, a bha a' toirt nan litrichean gu Bhatarsaigh ann an 1935.

Bha Iain Ruadh
Fo uiread gruaimein
'S gun d' sheas a ghruag air
A cheann mar chònasg,
Is Mac an t-Saoir, 's e
Gun stad a' glaodhaich:
"'N e duine saoghalta
No an e ròn thu?"

Tha Dòmhnall Eóghain
Na dhuine tùrail -
'S e fhèin a stiùireadh,
Ged tha e leòinte;
Is bidh e dùrdail
'S a lòin ga chiùrradh,
Ach dearbh co-dhiù
'S math rinn e 'n t-òran.

Tha Iain Caimbeul
Na dhuine dàna;
Cha robh e sgàthail -
'S ann dha bu chòir e;
Thuirt e, "Stiùiribh
I null ga ionnsaigh -
'S e th' ann ball-bùirte
Rinn Mac an Tòisich."

'S e seacaid Eachainn
A bha mi 'g iarraidh,
Is i ga riasgladh
Aig Cuan nam Bòcan;
E fhèin gu cianail
Am freastal iasaid,
'S nach robh i a-riamh air
Ach bloigh de Dhòmhnach.

64

Nuair thig an geamhradh
Thèid mi gu Galltachd
'S gun toir mi challtachd
À ceann 's à ròpa;
Gun dèan mis' airgead
Ge b' ann sa Ghearmailt,
'S cha leig mi meanbh-chrodh
Air falbh le Dòmhnall.

*('S e an t-Athair Ailean MacGhillEathain a rinn an t-òran. Chaochail esan
an Ceap Breatann an 1872.)*

Is coltach gun robh feadhainn ann am Miughalaigh a bha fìor chomasach
an eanchainn. Bha an t-eilean cho fìor fhada gu deas air Barraigh, agus muir
bhàthaidh cho bitheanta ma thimcheall, is nach robh luchd-sgrùdaidh cor
an fhoghlaim ro dheònach a bhith a' dèanamh an turas cuain sin. Aon uair,
chaidh fios a-null gu triùir no ceathrar dhen chloinn a dhol a-null gu Bàgh
a' Chaisteil feuch an dèanadh fear-sgrùdaidh an fhoghlaim car de rannsachadh
air an cor a thaobh sgoil. B' iad dithis dhiubh Niall Chaluim agus Mìcheal
Dhòmhnaill nach maireann. Bha iad a rèir choltais, a cheart cho comasach rin
comhaoisean, mura robh iad air thoiseach orra. Bha Niall na bhàrd air leth
comasach, ged nach fhaca mi an clò a-riamh dad dhen bhàrdachd aige. Bha
eòlas math agam air Mìcheal Dhòmhnaill, seanchaidh ainmeil nach cuireadh
feum air glainne gu fiosrachadh fhaighinn mun aimsir – dh'fhòghnadh dha
sùil a thoirt air na h-iarmailtean.

Anns an eilean bha feadhainn a dhèanadh tuairnearachd air leth eireachdail,
ged nach do dh'ionnsaich iad a-riamh an ceàrd, agus tha grinneas obair an
làmhan am follais fhathast am Bàgh a' Chaisteil.

Cha robh oifigeach lagh idir aca. Rèiteachadh sam bith a bha ri dhèanamh,
dh'fhòghnadh dhan phears'-eaglais a bheul a ghabhadh, agus dhèanadh sin
a' chùis ged a bhiodh e uairean doirbh dha an ruighinn – gu h-àraidh an àm
a' gheamhraidh. Bha sagart glaiste am Miughalaigh fad shia seachdainean le
droch shìde, agus càraid ga fheitheamh gus am pòsadh am Barraigh bho dhà
latha bhon a sheòl e. Chuala mi naidheachd èibhinn aig Eòin mu fhear a chaidh
a bhacail dha a dhol tuilleadh a shealltainn air an tè air an robh a chridhe
an geall am Miughalaigh. Bhòidich e dhan phears'-eaglais nach rachadh e gu

65

sìorraidh tuilleadh a-staigh air an doras aice. Bha càirdeas no cleamhnas no nì air choreigin na chnap-starraidh. Ach fhuair mo laochan seòl eile air a dhol a thadhal air a' chailin dhan tug e spèis os cionn gach tè eile. 'S dòcha gun robh e càirdeach do Bhodach na Nollaig, oir 's coltach gun do thog e sgrath bhon tughadh – agus, bho nach do gheall e gun a dhol a-mach air an doras, cha robh e a' faighinn a leithid de thàir a bhith a' dèanamh air a dhachaigh nuair a chitheadh iad le chèile an t-àm iomchaidh.

Chuala mi aig tè a bha an Sgoil Mhiughalaigh mu mhaighstir-sgoile aig an robh leannan thall am Beàrnaraigh Cheann Bharraigh. Air uairean bhiodh an t-srathair ga ghoirteachadh gu h-àraidh air latha brèagha, agus theireadh e ris a' chloinn an taigh a thoirt orra. Bha e fhèin a' càradh air leis an sgothaidh, agus dhèanadh e air innis a rùin. Bha e ag iarraidh na cloinne san sgoil Disathairne gu toirt a-staigh na calltachd, ach bha seanair tè mo sgeòil a' casadh ris gu làidir oir bha feum aige fhèin oirre aig an taigh airson nan caran air an dearbh latha sin dhen t-seachdain.

A rèir na chuala mi, bhiodh cuideachd an eilein a' leigeil bhuapa gach car cosnaidh anns an robh iad an sàs, agus a' dèanamh air a' chladach nuair a chìte sgoth a' dèanamh air. Bha iad a' gabhail fàth air an fhairge agus a' dol cruinn cothrom còmhla mu thimcheall na sgotha, agus ga slaodadh a-staigh mum bristeadh an ath-lunn na biorain ris a' chladach i.

Tha sgorran glè àrd air cladaichean Mhiughalaigh. 'S i Biola-Creag an tè as àirde dhiubh, agus tha i faisg air mìle troigh bho a mullach gu bonn. 'S e "Biola-Creag!" an glaodh cogaidh a bh' aig Clann Nèill Bharraigh nuair a rachadh iad mu choinneamh an nàmhaid. Bha eunlaith na mara a' neadachadh mu na creagan sin, agus bha e na chleachdadh aig na h-òganaich a bhith a' dol gan goid air na neadan; agus cha robh seo gun sgiorraig iomadh uair, oir a rèir eachdraidh, bha aig Niall Sgrob le bhuidheann ri bhith a' frithealadh air Sanndraigh agus air an Eilein Fhùideach a bharrachd air Tiriodh. 'S e eun a' chrùbain am fear dhan do ghabh mi mòr-spèis air mo thuras a Mhiughalaigh. 'S ann tràth sa Chèitean a tha iad ri gurach, agus is coltach gur e sealladh èibhinn a th' ann mu dheireadh an Iuchair a bhith a' gabhail iolla riutha a' càradh an isein air an dromannan agus gan tilgeadh fhèin ris na creagan gu muir domhainn iomadh troigh fòdhpa. Cha till iad chun na nid gus an ath bhliadhna.

Tràth aig toiseach na linn seo, thòisich iorpais am measg an t-sluaigh gu gluasad às an eilean le cruas an saoghail. Dh'fhalbh Clann Mhic a' Phì, aig an robh am bàta bu treasa, agus ghluais iad air falbh a-null a Bharraigh. Chaill an fheadhainn a bh' air am fàgail am misneachd, agus thòisich iad air seòl fhaotainn gu dhol gu crìochan ùra. Gan goid fhèin air falbh mar mhèirlich feadh na h-oidhche, gun chuideachadh, gun truas bho fhear fon ghrèin, rinn iad air Bhatarsaigh; agus gun taing chuir iad suas bothagan os cionn a' chladaich. Cha leigeadh an t-eagal dhaibh gluasad a-mach asta a latha no dh'oidhche mu leagte iad mun cinn. Às an dèidh leum na bha de theaghlaichean air Beàrnaraigh Cheann Bharraigh, air Pabaigh agus air Sanndraigh.

Bha eòlas agam air feadhainn a thàinig à Pabaigh, agus cuimhne agam a bhith a' cluinntinn iomradh am measg nan seann daoine nuair a bha mi nam chaileig air "a' bhliadhna a bhàthadh na Pabaich." A rèir na sgeòil, thachair an t-eathar aca ri sruthan car coltach ri Coire Bhreacain, agus chan fhacas bioran dhith a-riamh air muir no air tìr. Dh'fhàgadh Pabaigh a' bhliadhna sin am freastal gu beagnaich, sheann daoine 's chloinne. Chuala mi gum facas a' bhean-shìth am Pabaigh – tè cho eireachdail 's air an do laigh sùil duine a-riamh. 'S dòcha nach i a bh' ann idir ach a' bhean sin a bu ghrinne de mhnathan an t-saoghail gu lèir.

Bha eòlas agam cuideachd air feadhainn a thàinig à Eilean Shanndraigh. Aig aon àm bha an t-eilean sin an urra ri aon fhear ris an cante Fear Shanndraigh. Is coltach gun robh ionmhas mòr de dh'òr aige, ge bith dè an ceàrn bhon tug e e. Thiodhlaic e an t-òr am fradharc seachd tràghadan, ach a dh'aindeoin gach strì cha do dh'amais do dh'aon neach a-riamh faighinn cho faisg air a' bhad sin a bha am fradharc shia tràghadan – agus tha e an siud fhathast.

Soraidh Mhic a' Phì do Mhiughalaigh

Bidh m' aigne fhèin a' gabhail reug
Air siubhal sgèith mo smaointinnean
Ag aiseag spèis o ghrunnd mo chlèibh
Gu sgeireig èitigh aonaraich
Far an tug mo mhàthair chaomh
A dh'àireamh chlann nan daoine mi,
Is far an iarrainn fois a' bhàis,
Nam biodh e 'n dàn dhomh fhaotainn ann.

Chunnaic mis' an cabhlach èisg
A' falbh 's am brèidean sgaoilt' orra,
A' tolladh slige ghorm nan speur -
Cha bhreug tha 'n sin ged shaoilear e;
Cha robh san àm mo fhradharc fann,
'S cha sealladh meallta draoidheachd e
Ach rud a bh' ann 's a bhitheas ann,
Is chì a' chlann dhibh daonnan e.

Is tric a dh'èist mi gàir nan tonn
Ri cladach lom nan caolaisean,
Is m' aigne fhèin cho rèidh rim fonn
'S mo chridhe trom a' smaointinn air
A liuthad car a chaidh dhen t-sruth
On chruthaicheadh an saoghal seo
Air ais 's air aghaidh gus an-diugh
Is fonn a ghuth gun chaochladh air.

Is tric air feasgar Cèitein ciùin,
'S gun leam ach speil de dh'fhaoileagan,
A shuidh mi greis gun mhòran suim
Air cinneag druim na h-aonaiche;
An àm dhan ghrèin bhith dol sa chuan,
Bu mhaiseach snuadh a h-aodainn leam
'S ged rinn i mìle mìle cuairt
Cha tàinig tuar na h-aois' oirre.

Leam bu mhiann bhith 'g amharc bhuam
Air madainn fhuaraidh Fhaoilleachail,
A' gabhail beachd air neart nan stuagh
Bu ghreannach, gruamach, caoir-ghealach;
A' cur nan car dhiubh, tè mu seach,
Len cìrein geal 'n àm laomannan,
A' nighe chas nan creagan glas'
'S a' froiseadh às na maoraiche.

Bhiodh druim a' chuain bu cholgach stuagh
Gu sgolbach duaichnidh craoisg-thomach,
A' strothlachadh suas an aigeal chruaidh
Gu colbhach, cruachach, craobh-steallach;
Gu molach, borb, dubh-ghlas is gorm,
Gu bronnach, colgach, craos-ghealach,
Le luasgan dian nan mìltean sian
O linntean cian' an t-saoghail seo.

An siud bhiodh dùilinn bhorb na h-iarmailt,
Gun chuibhrich, srian no taod oirre,
Ag iomairt neirt 's a' marcachd sian
Air sgiathan fuar' nan gaothannan;
An dealan lùb-chlis chritheach geur
A' lasadh speur nan craoslaichean,
'S an tàirneanach a' tighinn na dhèidh,
Toirt mòrachd Dhè gum smaointinnean.

Dhen teaghlach ghreadhnach shuidh gach oidhch'
Mun chagailt cruinn − bha naoinear ann -
Chan eil an-diugh air lom an tuim
Ach mise chaoidh nam aonaran;
Tha 'n tràthach gorm mun teintean fhuar,
Gun seo mun cuairt ach caoraich ann,
Is luchd mo ghràidh nan seòmar suain
Is glasan buan' an aoig orra.

Tha creagan corrach, sgorach, ciar,
Is trusgan liath na h-aois orra,
Ag èirigh suas mar bhalla dìon
An aghaidh sian nam Faoillichean;
Ged thug gailleann goirt is greann
Air bàrr nam meall 's nam maolaidhean,
Tha cluaintean fasgach 'n achlais bheann
Is dreach an t-samhraidh daonnan orr'.

San Iuchar shamhraidh bhiodh am bàrr
Le cinneas fàs air raonaidhean
Na bhanndail uaine dualach àrd,
Le duisle làn gu laomadh air;
Bhiodh eòrna 's coirc' na curachd thràth
Gu diasach, grànach, craobhagach,
Is duilleag ghorm air a' bhuntàt'
'S am flùr bàn air sgaoileadh air.

Chaidh an sgoil a thòisich an Sgoilear Glas ann am Miughalaigh mun t-Samhain 1875, a dùnadh sa Ghiblean 1910 agus chaidh a' chlann – cha robh mu dheireadh innte ach mu ochdnar – a-null a Bhatarsaigh. Dh'fhalbh an tidsear, Mrs MacShane, còmhla riutha gu innis ùr an dòchais. 'S i Mòrag Iagain Dhonnchaidh, Bean Eòin a' Bheannachain, am pàiste mu dheireadh a rugadh an Eilean Mhiughalaigh.

Ùrnaigh a thàinig à Eilean Mhiughalaigh

Gach nì tha truailleadh
Glan gun dàil;
Gach nì tha cruaidh
Dèan maoth led ghràs;
Gach creuchdadair tha dèanamh cràidh,
O Lèigh nan Lèigh, dèan fhèin e slàn.

Lùb gach nì
Tha rag riut fhèin;
Gach nì tha fuar
Dèan blàth fod sgèith;
Gach neach th' air seachran bhon t-sligh',
Glac a stiùir 's cha tèid e dhìth.

Sa bheatha seo
Thoir dhuinn do ghràs,
Is bidh nar fochair
Aig àm ar bàis;
San tràth sin dèan rinn iochd is bàidh,
'S dhed shòlas buan gum faigh sinn pàirt.

(Cha robh an ùrnaigh seo aca idir anns na ceàrnachan eile de Bharraigh)

Bhatarsaigh Fhèin

Bha teaghlaichean à Barraigh cuideachd, air an robh gainne sgrobagan fearainn air an dèanadh iad buntàta 's anns an cuireadh iad sìol airson iad fhèin 's an teaghlaichean a bheathachadh, a leum a-null nuair a thugadh a-mach fearann Bhatarsaigh. 'S e tuathanas a bh' anns an eilean, agus cha b' àbhaist a bhith còmhnaidh ann ach an tuathanach fhèin – a' fuireach san Taigh Mhòr – agus a luchd-obrach. 'S ann aig fear dhen luchd-obrach a bha Màiri piuthar mo mhàthar pòsta. Sheall duine còir dhomh an dearbh bhad san robh clach an teintein aice.

Leugh mi gur fhada 's cian bhon a bha na Lochlannaich a' tàmh san dearbh eilean, agus gur e Dùn a' Chaolais a' chiad dùn a thog iad an Innse Gall. Tha bruthaichean à Bhatarsaigh air chumadh bàta 's i air a beul fòidhpe mar a tha an Nirribidh. Sin far an robh an ceann-feadhna ga thiodhlaiceadh le a chuid sheudan is armachd.

Shuas air cnoc os cionn na Tràigh Shiar, tha carragh-cuimhne brèagha air a chàradh air an uaigh aig an fheadhainn sin a chaill am beatha san luing an *Annie Jane*, a bha làn de dh'eilthirich a' dèanamh air Aimeireaga. 'S iad Èireannaich is Albannaich a bu mhotha a bh' innte. Dh'fhàg i Libhearpul air an treas latha thar fhichead dhen Lùnastal 1853. 'S coltach nach robh an Sealbh leis an eathar bho thùs. Thàinig oirre tilleadh gu baile-puirt dà uair, ach an treas uair thuirt an sgiobair nach tilleadh e; agus ged a thachair tubaist no dhà eile, chùm e air an t-slighe. Nuair a thàinig i fìor dhoirbh, ghlas e gach aon shìos gu h-ìosal. 'S coltach gun tuirt e ris a' mhnaoi fuireach faisg gu h-àrd agus gun toireadh e a làmh dhi nam biodh èiginn ann; ach nuair a thàinig àm na h-èiginn, cò shìn dha a làmh ach tè làidir Èireannach a chuala an còmhradh. Bha aon tè dhiubh a thuig am fear air an tràigh a thuirt, "A nighean an ànraidh, 's iomadh tè a chaidh dhan ghrinneal na bu bhrèagha na thu," agus dh'èigh i air ais dha, "Taing do Dhia nach tu mo Dhia." Bha aon mhàthair san luing a cheangail aon phàiste ann an sgòd ri a druim, agus rinn i grèim bàis air an fhear eile ri a com eadar a dà làimh. Mo chreach, spìon an cuan gun iochd bhuaipe am fear a bh' aice ri com, ach rinn i fhèin 's am fear eile tìr dheth. A rèir choltais, nuair a bhuail an long ri cladach na Tràigh Shiar agus a bhrist an fhairge na biorain i, chaidh còrr agus ceithir cheud a chall ach shàbhail mu cheud am beatha. Chuala luchd-obrach an tuathanaich na sgreadan an dèidh mheadhan-oidhche, agus ghreas iad sìos chun na tràghad. Nuair a ghlas an latha, cha robh ri fhaicinn air an tràigh bhòidhich sin ach corp air muin cuirp.

Cha deach ciste a chur ach air dithis – pears'-eaglais agus fear de dh'oifigich a' bhàta. Chladhaicheadh aon uaigh os cionn na Tràigh Shiar, agus tha iad nan sìneadh an sin nan suain an cadal buan a' bhàis, air an tàladh gach latha 's oidhche le fuaim an taibh. Chuir caraid cuid dhiubh suas an carragh-cuimhne air bàrr a' chnuic os cionn na h-uaighe, ach air feasgar ciùin samhraidh nuair a bheirinn sraon a-null, bhiodh e doirbh leam a chreidsinn gum biodh dòrainn cho goirt ann am bad cho fìor eireachdail.

Bha fear à Bhatarsaigh aig aon àm ag iasgach mu chladaichean tuath na h-Èireann, agus air dha a dhol air tìr 's faighinn am measg chòmhlain, dh'innis e dhaibh cò an taobh bhon tàinig e. Thàinig fear dhen chuideachd, a' faighneachd, "A bheil cuimhn' agad nuair a chailleadh an *Annie Jane*?" Nuair a fhreagair e gur e siud aon nì nach dìochuimhnicheadh e fhad 's a bu bheò e, dh'innis am fear a rinn an seanchas dha, "Is mise an aon phàiste a thàinig beò às an t-soitheach mhì-shealbhach sin."

Tha bad dhen eilean air a bheil Am Beannachan mar ainm. Shìos goirid dhan chladach tha clach mhòr air a bheil mullach car cothrom. A rèir eachdraidh, 's ann an sin a bhiodh sagart a' dèanamh na h-ìobairt nuair nach robh sgeul no iomradh air eaglais.

A bharrachd air muinntir nan eilean mu dheas, le gainne an fhearainn chaidh feadhainn à Brraigh an sàs am fearrann Bhatarsaigh cuideachd, mar a thuirt mi roimhe. Ach an àite an cuideachadh, 's ann a chuireadh cruadh orra agus mhaoidheadh orra gum biodh iad an grèim aig lagh na rìoghachd mura gluaiseadh iad gu lèir air ais a-mach. Nis, aig an àm sin bha eagal uabhasach ro phrìosan no lagh, agus nuair a bha mise òg, nam biodh an càirdeas a bu shuaraiche agad ri aon a thugadh gu cùirt, bha thu glan air do nàrachadh. Nach ann a bha an gaisgeach anns an fhear dhe na *Raiders* a thuirt an dèidh a' mhaoidhidh, "Nam faighinn leam dhan phrìosan iad, dhèanamaid an gnothach" – agus chaidh leis.

Cha do ghabhadh mòran dhealbhan dhen bhuidheann bhochd a chàireadh gu prìosan an Dùn Èideann. Le cion na Beurla agus cion eòlais air cleachdaidhean a' bhaile mhòir, cha bu chulaidh fharmaid iad. Bha fear-lagha ann dham b' ainm Mgr Shaw a chaidh a thagradh na cùis, agus nuair a fhuair na pàipearan-naidheachd an gnothach nan làmhan, 's ann a chuireadh an sgeul ann a leithid de dhòigh 's gun do dh'èirich fearg mhòr air feadh na rìoghachd mu chor nam prìosanach bhochda. Thug iad sia seachdainean an Dùn Èideann, ach bha a-nis Rùnaire na Stàite air làmh a chur sa chùis.

Cheannaich e fearann Bhatarsaigh bhon bhana-uachdaran, agus riaraicheadh a-mach na chroitean e anns a' bhliadhna 1918. 'S coltach, nuair a thill na gaisgich a bha an Dùn Èideann, gun do dhanns iad fhèin 's an luchd-dàimh ruidhle thoilichte nuair a chuir iad an cas air an "fhearann ùr".

Seo am fearann a bha a-nis ann an 1966, a' bàsachadh a dh'aindeoin gach dùbhlain a fhuaireadh ga thoirt a-mach, agus bha mise a-nis air ceann sgoile, 's an uileann annam – airson a' chiad uair nam bheatha a thaobh gnothach teagaisg – aig a h-uile fear a b' àirde bun cluaise. 'S ann acasan as fheàrr tha fhios carson! Cha robh neach ann ris an tionndaidheadh sluagh an àite no mise, ach ri càch a chèile, an àm na h-èiginn.

Le cuideachadh Dhè agus le gràsan na foighidinn, beag air bheag, thàinig a' chuibheall mun cuairt. Thill òganach no dhà bho mhuir dhomhainn, agus le cuideachadh bho Bhòrd Leasachaidh na Gàidhealtachd, fhuair iad saod air bàtaichean fhaotainn gus a dhol a dh'iasgach ghiomach. An dèidh do dhealbhan nochdadh sna pàipearan-naidheachd dhen chrodh a bha a' dol gu margadh a' snàmh a-null tarsainn a' Chaolais Chumhaing, agus na fir a bha nan cois a' faighinn an dùbhlain agus cuid dhen chrodh gam bàthadh, 's ann a fhuaireadh bàt'-aiseig cruidh – seòl nach robh a-riamh roimhe aca. Gum pàigheadh am Freastal gu làn-shònraichte iadsan a rinn an dìcheall gu cumhachd an dealain a thoirt dhan eilean. Dh'fhosgail saoghal a' mhic nach do rugadh do shluagh an àite a bha cho fìor iomallach seo, anns a' Ghearran 1968. Sin far an robh an toil-inntinn agus am brosnachadh air misneachd sluaigh. Stad mi an uair sin a choimhead thugam is bhuam air na làraichean a bh' air am fàgail falamh air mo thilleadh air ais dhan eilean. Bhithinn ag amharc roimhe seo air na bh' air fhàgail dhen Taigh Mhòr. Sin far an do thòisich a' chiad sgoil san àite. Air mo chiad chuairt a theagasg a-null an sin, bha an Taigh Mòr glè dhòigheil agus a mhullach air.

Dh'fhosgail an sgoil san Taigh Mhòr air an fhicheadamh latha dhen Ògmhìos 1910, agus bha mu dhà fhichead innte. Bha a' chuid mhòr dhen chloinn às aonais na sgoile mu thrì bliadhna, agus dha thaobh sin cha bu bhuidhe dhan fheadhainn a bha a' dèanamh na teagaisg an uair sin. Is coltach gun do ghabh A' Bh-ph MacShane – a' bhana-sgoilear a thàinig à Miughalaigh còmhla ris a' chloinn – caran san t-sròin e gun do chuireadh maighstir-sgoile na cheannard; ach tha fhios, bhon a bha an t-snaois na làimh fhèin cho fìor fhada – bhon Bhliadhn' Ùir 1904 – gun gabh e a thuigsinn nach còrdadh e rithe a' chuibheall a thoirt às a làimh. Dh'fhàg a' bhana-ghaisgeach sin aig saor-làithean an t-samhraidh 1912. Bha sgoil ga toirt seachad san Taigh Mhòr gus an do thogadh an sgoil ùr iarainn air Ceann Magaig, a dh'fhosgladh air an treas latha deug dhen Ògmhios ann an 1911. Bha àireamh dà fhichead 's a còig deug de chloinn innte an uair sin. Feumaidh gun robh an sgoil sin car fiadhaich, gu h-àraidh ri gaoith an iar, oir bha i gu h-àrd air cnoc os cionn na tè a th' ann an-dràsta. Tha an làrach aice glè fhollaiseach fhathast.

Chaidh sgoil eireachdail ùr chloiche a thogail gu h-ìosal goirid dhan rathad mhòr, agus dh'fhosgladh i aig mìos na Samhna ann an 1927. Tha i sin air tè cho tìorail 's a chunnaic thu a-riamh, agus taigh-sgoile co-cheangailte rithe a riaraicheadh neach san dreuchd.

Tha naidheachd ann gum faca duine còir a' mhaighdeann-mhara a' dannsa gu sunndach air blianaig ghuirm an taobh thall dhen dearbh bhad san deach an sgoil a thogail, agus a h-earball a' deàrrsadh gu h-eireachdail ann an solas na grèine aig gach car a chuireadh i dhith.

Àite anns an robh a leithid de bheairteas a thaobh eachdraidh is eòlais, nach bu duilich an smaoin e a dhol fàs. Aig an dearbh àm bha mòran sluaigh a' fàgail Bharraigh, croitean gan toirt seachad los gun robh am fear a bha deònach fuireach agus trì no ceithir air a làmhan. Bha taighean gan dùnadh agus misneachd gu leòr dhe na bha a' fuireach a' tuiteam ìosal gu làr, agus mo mhisneachd-sa cuideachd. An tè a b' àbhaist am bannal a bhith daonnan na cois, bha i a-nis air cnoc dhi fhèin. Duilich agus mar a bha a' chùis eadar gach uallach a bh' orm, bha mi a' faireachdainn gun robh e car mar fhiachadh orm gun toirt suas a dh'aindeoin chùisean.

Mar a thuirt mi a-cheana, fhuair sinn a-nis cumhachd an dealain, agus saoilidh mi gun d' fhuair sinn mòran cumhachd agus misnich eile còmhla ris. Thòisich gach bean-taighe air faotainn theintean, phlangaidean leapa agus gach greadhnachas co-cheangailte ris a' chumhachd sin. Rachainn air chèilidh, 's nuair a theireadh bean-an-taighe, "Fan mionaid bheag gus an cuir mi air mo phlaide," 's ann a shaoilinn gur ann a bha mi an teis-meadhain a' bhaile mhòir. Thàinig an sin bogsa an TBh, agus dh'fhosgail saoghal mòr ùr dha gach aon, beag is mòr, sean is òg. Mura cuala mise Gàidhlig an uair sin. Bha clann na sgoile buileach às am beachd mu *Jackanory* agus *Blue Peter*. Na creutairean, nach b' àlainn an naidheachd gun robh iad a-nis air a' phutan rin comhaoisean. 'S e bun a bh' ann, le othail mu bhogsa an TBh, gun robh iad a' call suim ann an ionnsachadh nan *tables* agus nan *spellings* aig an taigh. B' fheudar dhomh casadh riutha gu làidir los nach dèanadh iad dìochiumhn' air cuibhreann na sgoile aig an taigh. Cha robh fios an uair sin gun nochdadh na *calculators* an ceann bliadhna no dhà agus nach biodh uallach na *tables* ionnsachadh cho trom.

Thàinig caileag dhan sgoil à Glaschu. A' chiad latha a thòisich i air na ceistean, chrom i a ceann agus i a' coimhead glè mhì-shunndach. Nuair a dh'fhaighnich mi dhith gu dè idir a bha a' cur oirre, dh'aidich i gu bthe brònach: "Cha dearg mi orra. Cha robh againn ri *tables* ionnsachadh an sgoiltean Glaschu idir." "Mise an-diugh," thuirt mi rium fhìn, "gu dè idir a thachair an Glaschu bhon a dh'fhàg mis' e?" Dh'innis a' chaileag dhomh gu robh cairt mhòr mhòr air a' bhalla san sgoil san robh ise, agus a h-uile h-aon dhe na *tables* oirre mun coinneamh. "Ionnsaich thusa, a ghràidh, air do theangaidh iad, oir cha tèid agad air cairt dhen t-seòrsa sin a tharraing mu chuairt an t-saoghail leat idir," chomhairlich mi dhi. Mo ghalad, 's ise a rinn sin an ionnsachadh, agus an ùine ghoirid bha iad aice pailt cho math 's a bha iad aig a' chòrr dhiubh.

'S e teachd-an-tìr muinntir an eilein a bhith ri iasgach ghiomach agus a' gleidheadh chruidh dhuibh agus chaorach, agus tha sin glè phàighteach dhaibh san latha an-diugh; ach beagan bhliadhnachan an dèidh seo nach ann a fhuair na seòid iomall air na *Jobs Creation*, agus bha iad a' cosnadh arain làitheil gun strì aig an dachaighean fhèin.

'S ann mun t-Samhain 1968, a fhuair an sgoil cumhachd an dealain. Bha solais eireachdail againn a-nis agus, na b' fheàrr na sin buileach, bha innealan teasachaidh – ceithir dhiubh – air an càradh air na ballachan an àite na stòbha bhig bhìodaich a bha a' cur teas an aon oisean. Chluinneadh tu a' chlann air latha fuar geamhraidh a' cur an làmhan ris a' bhlàths 's ag ràdh, "O, a bhalaich, a bhalaich." Chuimhnichinn an uair sin air mo chiad thuras dhan sgoil sin a theagasg.

A' chiad mhadainn a bha mi innte, bha mi a-muigh aig àm dìnnearach far am biodh na còtaichean crochte. Bha aon bhalach an sin, aig an robh grunnan bhràithrean, a bha trang a' riarachadh na breacaig fhlùir is Innseanaich air am feadh. Bha e a' toirt sgonn dha gach fear, ach nuair a chunnaic e an tidsear ùr mu choinneamh, siud a-staigh fo sheacaid a chaidh an earrann nach robh fhathast air a caobadh. Saoilidh mi nach do sheall an dearbh bhalach a-riamh coimheach orm, leis an fhaothachadh a fhuair e nuair a thuirt mi ris: "A bhalaich, na bi thusa a' cur sin am falach ormsa idir. Na biodh nàire sam bith ort – sin an dearbh rud a bh' agamsa cuideachd nuair a bha mi dol

75

dhan sgoil." Bhiodh esan 's a chomhaoisean nan suidhe bog fliuch an dèidh na mìltean a choiseachd dhan sgoil. An duine bochd, nam bu bheò e, nach esan a dh'fhosgaileadh a shùilean nam faiceadh e a-nis an dol – le solais agus stòbh air gach oisean, an dèidh theab a dhol le creig is theab nach deachaidh. "Thusa a tha nad sheasamh, thoir an aire nach tuit thu"- ach a dh'aindeon chùisean 's ann a bha sinn a' sìor thighinn am bàrr.

Cha robh mi fhìn gun dùbhlan cuideachd. Chaochail mo phiuthar, a bh' air chuairt a-nall à Astràilia, gu h-aithghearr ann an Lunnainn air an rathad air ais dhachaigh còmhla ri a teaghlach anns a' Ghiblean 1971. 'S e buille ghoirt a bha sin. Ise leis a' ghuth bu bhinne 's leis a' ghàire bu chridheile. Cha choinnicheamaid tuilleadh air an taobh seo. Ach feumaidh an saoghal a dhol air aghaidh a dh'aindeoin dheuchainnean is bròin.

Nach ann a bha sinn a' cumail air aghaidh gu sgoinneil anns an eilean, agus mu dheireadh 's mu dhiùbh 's ann a ghabh an saoghal a-muigh car de shùil oirnn le iongnadh; agus feumaidh gun tuirt iad riutha fhèin, mar a their iad sa Bheurla: "Mura tèid agad air am plùcadh fodhad, geàrr a-staigh còmhla riutha." Agus sin dìreach an dearbh rud a rinn iad.

Ann am mìos na Samhna 1973, nochd buidheann a-nall thar sàile agus bha coinneamh anns an sgoil aca. Gun teagamh, shaoil leam gun robh cuid dhiubh 's an teanga nam pluic, ach co-dhiù a bha 's gun nach robh, 's ann a chuireadh air bonn *Community Association* san eilean airson gun togamaid ar guth an-àird, los gun gabhadh an saoghal coimheach iolla rinn.

'S ann a thugadh iomradh air a' bhàt-aiseig ùir a bha an dùil an t-aiseag a dhèanamh eadar Bàgh a' Chaisteil 's an Uidh. Tè ùr nodha a thigeadh mun earrach 1974, agus nach ann a bha i làn-uidheamaichte gu bùth air rothan a ghiùlain loma-làn dhen a h-uile seòrsa a chuireadh bean-taighe feum air. Thugadh iomradh cuideachd air taighean fiodha a bha a' tighinn à Nirribhidh leis gach greadhnachas, agus an t-uisge a-staigh annta. Cha robh latha gun dà latha. Chan fheumte tuilleadh a bhith dol dhan tobar.

Thàinig an t-eathar as t-fhoghar ann an 1974. Chùm mi beachd oirre air a ciad thuras-cuain eadar Cidhe na h-Àirde 's an Uidh. Cha tug i còig mionaidean a' dèanamh an astair, agus thuirt mi rium fhìn, "Tha draghan muinntir an eilein seachad a-nis." Ach cha do mhair i fada. Ann an ùine bheag chaidh a' Bhirlinn Bhatarsach bho dhòigh. Cha robh i freagarrach gu siubhal sàile, agus b' fheudar a dhol air ais airson tacain chun na seann dòigh.

Ron t-Samhain 1974, nach ann a nochd taighean Nirribhidh. Chàireadh pronnaich air h-earraich iad shuas mun bhaile; agus am fear a bha sa Chaolas a dh'iarr fear dhiubh sa bhaile aige fhèin, cha tugadh fuigheag air. Bha an gnothach gu bhith ro chosgail. An gaisgeach, nach ann a chaidh e fhèin 's a bhean an sàs, agus rinn iad taigh-còmhnaidh eireachdail – agus gum bu fada beò iad fhèin 's an teaghlach an "Gàir na Mara". Cha do chuireadh similearan idir ann an taighean fiodha Nirribhidh, agus a h-uile uair a bhristeas cumhachd an dealain chan eil dòigh no saod aca air biadh no blàths.

A-nis, bha mi a' feuchainn ris an sgoil a chumail a' dol cho math 's a rachadh agam air. Ann an aon sgoil, far an robh aon uair naoi deug agam, cha robh e furasta a h-uile h-aon a chumail a' dol aig ìre fhèin, ach rinn mi mo dhìcheall agus cha tèid aig neach sam bith nas fheàrr na sin a dhèanamh aig cho dona 's gum bi e.

Aon bhliadhna thàinig òganach thugam dhan sgoil thar an aiseig. Feumaidh gun do chuir e roimhe nach robh e a' dol a dh'ionnsachadh srad sgoile. Cha dèanadh e facal leughaidh agus a rèir a h-uile coltais, cha robh dùil sam bith aige tòiseachadh. Bha e làn-chinnteach gun robh e a' dol a chur a phuing fhèin an cèill. Aon fheasgar, chaidh mi fhìn 's e fhèin cho fìor dhubh a-mach air a chèile agus gun do shìn e e fhèin air a dhruim dìreach air an ùrlar. Theann e air spriodadh a chas 's air bualadh a bhasan ri chèile, a' bòideachadh nach tilleadh esan gu sìorraidh, gu sìorraidh tuilleadh air ais dhan sgoil agamsa. "A charaid," thuirt mi ris, "càirich ort. Cha bhi mise a' gleidheadh do leithid-sa an seo." Feumaidh gun do dh'atharraich e a bheachd feadh na h-oidhche, oir thill e sa mhadainn an latharna-mhàireach agus gun ghuth, gun iomradh, leag e inntinn gu dòigheil air obair. Dhà no trì bhliadhnachan an dèidh seo, 's ann a bha athair ag innse dhomh gum biodh an dearbh bhalach a' leughadh fon phlaide le *torch*. Nuair a theann e air a dhol air a' bhàt'-aiseig a-null a Bhàgh a' Chaisteil, 's ann a thilleadh e is dòrnan aige de leabhraichean Ladybird a bha e air a cheannach thall sna bùthan. Mu dheireadh thall, 's ann a bha lann leabhraichean aig mo laochan dha fhèin. Nuair a thigeadh fear-sgrùdaidh foghlaim, ge bith dè an diùlnach no an naidheachd air an toireadh e iomradh, bha mo bhalachan bàn a' toirt glaodh às ag innse dha sa mhionaid uarach: "Gheibh sibh an naidheachd sin air a leithid seo de dhuilleig, ann an leithid seo de leabhar anns a' chùlaist sin thall." Chuimhnichinn an uair sin a-rithist air mo chiad chuairt dhan sgoil ann an 1935. Bha mi aig an àm ann an trèine mo neirt a thaobh teagaisg, ach bha e a' dubh-fhairtleachadh orm leughadh ionnsachadh do dh'aon bhalach, agus cha robh eòlas againn an uair sin air aiceidean a thaobh cion togail leughaidh mar a tha an-diugh aca. A dh'aindeoin chùisean, rinn e an gnothach mu dheireadh thall, agus chan eil fhios agam cò bu thoilichte againn – mi fhìn no e fhèin. Tha e an-diugh air thrì neo-ar-thaing, ga thoirt fhèin tron t-saoghal ann am baile mòr Lunnainn. Nach mairg neach a dhèanadh tàir air gille luideagach agus air loth peallagaich.

Nuair a thàinig bogsa an TBh, bha balach agam a thug a leithid de spèis dha agus gun robh mi am beachd gun robh e air trian dhe shuim a thoirt às. Nuair a throidinn ris a thaobh 's nach ionnsaicheadh e *tables* no *spellings* aig an taigh, 's ann a choimheadadh e car fiadhaich orm, ag ràdh, "Cha toil leam *tables* no sgoil agus cha chreid mi gun toil leam sibhse nas mò." Tha e an-dràsta cus nas measaile orm!

Ged a thàinig bogsa an TBh, cha do chuir e às dhan chèilidh san eilean idir mar a rinn e an iomadh àite. Bha seòid thall an siud a bheireadh gàire air gamhainn leis na riochdan anns an rachadh iad. Thug mi taing dhan Àgh nach fhaca mi a-riamh iad a' dol an riochd na bana-sgoileir a bh' aca an uair sin, ged nach eil aon teagamh agam gur h-iomadh uair a rinn iad sin 's gun mise san làthair.

Bha dithis fhear mar dhà cheann eich leis cho measail 's a bha iad air a chèile. Bha an dearbh dhithis sin sònraichte fhèin uidheamaichte gu dhol an riochd neach sam bith a thogradh iad. Cha robh fa-near dhaibh dorran a chur air neach fon ghrèin, ach ceòl-gàire a thoirt a-mach.

Aig aon àm, dh'fhalbh a' bhean aig fear dhiubh air chuairt dhan bhaile mhòr agus dh'fhàgadh a cèile a-staigh leis fhèin, ach cha bhiodh e leis fhèin ach fìor ainneamh. Bha a charaid mar bu trice, loma-làn eagail. Chuireadh an rud a b' fhaoine giorag air, agus nach esan, an duine còir, a fhuair na fàthan air sin. Aig àm a' chogaidh mu dheireadh ghlac na Gearmailtich aig muir e, agus chuir e trì seachdainean seachad a' grunnd a' chuain ann an tè dhe na soithichean a bha a' dèanamh na slighe air an t-seòl sin. An dèidh sin chuireadh dhan phrìosan e gus an do dhubh fhiaclan agus an tàinig na daoine againn fhìn a dhèanamh cobhair air aig deireadh a' chogaidh.

An oidhche bha seo nuair a bha bean an taighe air falbh, thàinig a charaid air chèilidh air agus mar a b' àbhaist, 's ann aig uairean beaga na maidne a bha e a' dèanamh air an taigh. Chaidh fear an taighe a-mach còmhla ris a dh'fhàgail madainn mhath aige. Nuair a thill an dàrna fear a-staigh, 's ann a rinn mo charaid a chaidh a-mach car mu chnoc agus a-staigh air an doras gun do thill e, agus gu fàilidh air a chorra-bhiod, siud sìos a dh'ìochdar an taighe gun do leum e. Gheàrr e air an uair sin dhan leabaidh, a' cur nam plaideachan mu cheann. Bha am fear a bha shuas trang a' sgioblachadh air choinneamh an ath latha. Rinn e an sin air ìochdar an taighe gus a dhol a chadal, ach ma rinn, 's esan a fhuair balgam a' chlisgidh air dha an solas a chur air.

Nuair a thug e sùil air an leabaidh, chunnaic e an cnap mòr a b' uabhasaiche na teis-meadhain agus thòisich a' bheucaich a bu ghràinde a chuala e a-riamh. Bha e a' dol air a ghlùinean an siud 's an seo ag achanaich air an Fhreastal fuasgladh a dhèanamh air, agus an cnap neo-ghnàthaichte ud a ghluasad às a shealladh; ach 's ann a bha a' bheucaich a' sìor dhol na bu mhiosa. Nuair a bha e an ìmpis a dhol à cochall a chridhe, thog am fear a bha san leabaidh a cheann agus nuair a fhuair fear an taighe faothachadh, cha b' ann dhan Àgh a bheannaich e fear nan cleas. "Shaoil mi," ars' esan, "gur e ròn a bh' annad." Fhreagair an t-eucorach eile, "'S tusa nach do shaoil sin – 's ann a bha thu an dòchas gur e a bh' annam maighdeann-mhara!"

Aig àm an t-samhraidh 's an fhoghair, bhiodh mòran luchd-turais ag amharc àilleachd an àite. Theireadh iad rium: "Feumaidh gur sibhse an tè as sona air an t-saoghal – a bhith ann a leithid seo de bhad." Cinnteach gu leòr, bha e fìor – chan eil a leithid eile ann. Ach nuair a dh'fhalbhadh iad a-null thar an aiseig, bha mi a-rithist air cnoc leam fhìn – na faoileagan a' sgreadail rium, "Cuir thugam mo bhiadh ma rinn thu a-riamh e, agus an t-acras gam dhalladh," agus an dòbhran donn a' gàireachdaich rium shìos san t-sàile agus breac aige air a tharsainn na bheul. Thoirinn an sin sùil air Maol Dòmhnaich "'s an laogh na chois an-còmhnaidh, nach iarr gu crò no machaire," agus chumainn beachd air goirtean Mhic a' Chreachair, a chaidh fhògradh an sin leis fhèin a thaobh 's gun do rinn e fàisneachd mu Chlann MhicNèill:

Ri linn Ruairidh an t-seachdamh Ruairidh
Thig an cuaradh air gach neach -
Mac na baintighearna caoile bàine,
'S mairg a bhios ann ri linn;
Bidh Cìosamul na gharaidh bhiastan-dubha
'S na nid aig eunlaith nan speuran.

Thuiginn a chor, ged a bha an toiseach aige ormsa, a thaobh 's nach do rinn mise a-riamh goirtean; ach ar leam fhìn, dh'fheumainn an gnothach a chumail a' dol.

Rachainn air uairean air chuairt sìos dhan Uidh, far am b' àbhaist mo bhanacharaid, Bean an Dotair Ruaidh, 's a teaghlach a bhith a' còmhnaidh. Bha iadsan air taobh eile a thoirt orra, agus na taighean air gach taobh dhiubh dùinte, glaiste. Ruiginn an sin baile Charragraidh, far am b' àbhaist dhomh a bhith a' dol air chèilidh air mo chiad turas dhan eilean, gu taigh Chaluim Iain Shomhairle. Cha robh air am fàgail fosgailte an sin a-nis ach dà thaigh-còmhnaidh far am b' àbhaist còig no sia a bhith. Thoirinn sùil a-mach air Snuasamal agus air Uineasain, an t-eilean beag a-mach bho cheann a' bhaile far a bheil Caibeal Moire nan Ceann. B' ise a' bhaintighearna aig fear de Chlann Nèill Bharraigh. Thàinig i bho thùs à Colla, agus b' e a h-achanaich 's a h-iarrtas mun do bhàsaich i, gun rachadh a tiodhlaiceadh an sin. Air dhi am bàs fhaighinn, chàirich Clann Nèill orra leis a' Bhirlinn Bharraich 's an giùlan air bòrd, agus thug iad an cuan orra a' dèanamh air Colla. A rèir choltais, thàinig an gailleann cho fìor dhoirbh 's gum b' fheudar dhaibh tilleadh air thrì neo-ar-thaing dhaibh, agus chaidh iad air an tilleadh air tìr an Uineasain, far an deach a tiodhlaiceadh. A rèir eachdraidh, chaidh a' chiste-mhairbh a chur sìos air a ceann san uaigh air dhòigh 's gum biodh aghaidh na baintighearna daonnan air Colla. Fhuair i an t-ainm annasach a bh' oirre a chionn 's gun robh e mar chleachdadh aice nan gabhadh i an-tlachd do dh'aon air bith, a bhith a' toirt seachad òrdan teann cruaidh gun dàil: "Dheth an ceann!"

Beathach Annasach

Air dhomh tilleadh air ais dhan eilean ann an 1966, 's e nì a chuir iongnadh orm cluinntinn nach fhacas a-riamh luch san àite. Gu fìor, cha b' fhada bha an t-ìm sin air an roinn sin. Aon latha bha siud, nach ann a ghabh tè an t-aiseag gun fhios dhi fhèin am broinn poca sìl. 'S ann gu Iain agus Eilidh sa Chaolas a thàinig am poca. Mhothaich iad dhi a' toirt duibh-leum aiste a-mach às a' phoca agus a' dèanamh air an toll. 'S e rud nach tàinig a-riamh fa-near dhaibh gun robh an luch an dèidh banais a bhith aice mun do ghabh i an t-aiseag. Siud an luch a rinn am fuaim a bha uabhasach. Thàinig muinntir nam pàipearan-naidheachd a dh'aon ghnothach gu sgeul fhaotainn mun bheathach neo-àbhaisteach bh' air a thighinn air tìr – agus nach ann a thug iad a chreidsinn air an t-saoghal choimheach gur ann a bha an luch seo a' beucaich!

A-nis, bha an luch an dèidh banais a bhith aice mar a dh'innis mi roimhe, agus bha a bhlàth 's a bhuil. 'S gann a bha an t-seachdain a-mach nuair a nochd i fhèin 's a h-àl a-mach a bhocadaich air feadh an taighe. Siud far an robh an dol ann, agus hùg is hoireann aca air ìm 's air càise.

A-nis, bha bean an taighe air leth measail air cait. Cha robh i a' gleidheadh ach a sia! Ach leth na truaighe, le cion a' chleachdaidh, an àite ròic a thoirt thuca gus an glacadh, nach ann a thòisich gach cat air a dhol na bhlian, air caogadh sùla agus air gach oidhirp a dhèanamh gu a dhol a shuirighe air na luchain. Chaidh muinntir an taighe ann an ceò. Rug bean an taighe air a' fòn agus chuir i glaodh dhan Òban inneal glacaidh luch a chàradh thuicese cho luath 's a rinn iad a-riamh. 'S coma dè na chosg an t-inneal sin eadar fòn is eile; ach dè na dhèidh sin, a chuireadh às do luchd na mallachd – na luchain?

Cha b' ann air an sin a dh'aithriseadh an sgeul mu dheireadh, ach air na cait bhochda. Dh'fhalbh gach sunnd agus sannt dhiubhsan. Cha toireadh fiù is fàileadh an èisg fhèin às an toinneamh iad. Nuair a rachainn oidhche air chuairt dhan Chaolas is geòbadh gealaich ann, 's ann a chithinn sreath de shia cait 's an sùil gu dòchasach air na h-iarmailtean feuch am faiceadh iad soitheach-adhair a' gluasad dhan eilean, a' giùlain luchain air ais thuca an àite na feadhainn a bha iad a' caoidh, los gun tòisicheadh a' mhire, an caogadh sùla 's an t-suirighe às ùr. Gum b' èibhinn dha na cait a bh' againn a Bhatarsaigh aig an àm sin. 'S e a theireadh na cailleachan sa bhaile againn fhìn uaireigin, "Dia a chur fàth gàire oirnn," agus bha ceòl eadar thall 's a-bhos airson iomadh latha mun luch a ghabh an turas cuain.

Feum air Leasachadh

A-nis, an-dràsta 's a-rithist bha muinntir an eilein a' cruinneachadh anns an sgoil feuch an rachadh againn air an còrr leasachaidh a dhèanamh ri ar cor. Chuireadh buidheann air bhonn, agus abradh sibhse gun deach sinne gu labhairt agus gu sgrìobhadh. Bha brod na Gàidhlig thall ann a Bhatarsaigh, agus carson a bhitheamaid ga cùmhnadh? Thòisich an t-àite air caran de bheothachadh, ach a dh'aindeoin sin is na dhà dhèidh, bha sinn fhathast sgrìob mhòr air dheireadh air àitean eile ach 's e a' chluas bhodhar a bha daoine an t-saoghail, mar bu trice, a' cur ri ar cuid gearain.

Aon bhliadhna cha tàinig am pufair guail chun na tràghad mar a b' àbhaist dhi. Dh'fheumte gual fhaighinn a-nall thar an aiseig à Bàgh a' Chaisteil. Aon oidhche thàinig bristeadh air cumhachd an dealain. An dearbh oidhche sin bha mi gun ghual, gun sholas agus gun uisge. Cha mhòr nach fhaodainn a ràdh, cleas an fhir eile, "Bha mi gun chaol, gun daorach, gun airgead," agus thuirt mi rium fhìn, "Fòghnaidh na dh'fhòghnas – agus a-màireach bidh mi togail orm." Iomadh latha agus oidhche chuimhnichinn air mo charaid, am maighstir-sgoile a bha mi fo làimh ann an Glaschu mu dheireadh. 'S e nach do chuir a-riamh an uileann annam, ach a dh'earb rium san dealachadh: "Cuimhnich, nuair a dh'fhàsas tu sgìth thall an sin, till air ais, coisich a-nuas an staidhre seo, agus nì mi fhìn an còrr." Gun teagamh, bha deireas orra fhathast aig an àm a thaobh luchd-teagaisg sa bhaile sin.

Ged a bha cas a' falbh is cas a' fuireach agam, a dh'aindeoin gach cas bhacail, dh'fhan mi far an robh mi.

An dèidh na Càisge ann an 1974, thàinig tiormachd uabhasach. Theirig gach deur uisge a bha sna bogsaichean iarainn shuas ann an cliathaich na beinne gu uisge a chumail ris an sgoil. Chaidh mi air a' fòn gu luchd Roinn an Fhoghlaim shuas an Inbhir Nis, nochd mi dhaibh mar a bha a' chùis agus dh'fhaighnich mi an dùininn an sgoil. "Bheil dòigh eile air uisge fhaotainn?" chaidh fhaighneachd air dhìom. "Chan aithne dhòmhsa an còrr dòigh ach iarraidh air fear na bhana cumain uisge a thoirt thugainn à tobar a' bhaile," thuirt mi ris.

Ga shocrachadh fhèin gu seasgair aig bòrd mìltean air mhìltean air falbh bho Bhatarsaigh, dh'iarr an neach ris an robh mi a' bruidhinn shuas an Inbhir Nis orm, "Dèan sin." Ach thuirt mi rium fhìn, "'S tu gum faod."

Chuir mi fios a-null dhan bhaile mun t-suidheachadh a bh' ann. Cha do chleachd iadsan a bhith tionndadh ri neach sam bith an àm na h-èiginn. Dhèanadh iad fhèin saod air fuasgladh fhaighinn air a' gheimheal.

Sa mhadainn an latharna-mhàireach, nochd fear na bhana agus e a' giùlain pige mòr brèagha geal, cho eireachdail 's a chunnaic thu a-riamh, loma-làn de dh'uisge glan à tobar a' bhaile. "Càite idir air an t-saoghal an d' fhuair thu e, Dhòmhnaill?" dh'fhaighnich mi. 'S ann a fhreagair e, "'S fhad' o chuala sibh: "Glèidh rud seachd bliadhna is gheibh thu feum dha'; ach chan eil e agamsa seachd bliadhna. 'S ann an-uiridh a fhuair mi air a' chladach e, ach gu dearbh 's beag a bha dh'fhios agam gur seo am feum a chuirte air."

Moch agus anmoch, bha fear a' phige a' tighinn chun na sgoile – sa mhadainn a' giùlain an uisge a-nall agus feasgar a' giùlain a' phige air ais. 'S mise gu fìor a dh'fhaodadh a ràdh, "Fear a' phige, fear a' phige, fear a' phige 's docha leam; fear a' phige, fear a' phige, fear a' phige 's fheàrr leam!" Bha sinne san sgoil fo fhiachan aig fear a' phige gus an do dhùin i san Ògmhìos airson saor-làithean samhraidh.

An dearbh bhliadhna sin, air a' chiad latha dhen Ògmhios, chaochail mo chèile ann an taigh-eiridinn air tìr-mòr far an do chuir e seachad na bliadhnachan mu dheireadh le euslaint. 'S ann a Bhatarsaigh a chuir esan seachad làithean sòlasach òige. Bha e aig an àm sin làn-uidheamaichte gu dhol air aghaidh san sgoil; ach, mar iomadh fear eile, cha d' fhuair e an cothrom. Chaidh a thiodhlaiceadh san eilean am measg a luchd-dàimh ann an cladh Bhatarsaigh. Bha mi taingeil dhan fheadhainn sin a thug iomradh air a bhàs ann am pàipear – gu h-àraidh airson an rainn co-cheangailte ris an iomradh:

O, tha mi smaointinn air tarraing dhachaigh daonnan
Gu monaidhean mo ghaoil is m' eòlais,
Gu cladaichean is caolais far a bheil mo dhaoine,
Far an robh mi aotrom is gòrach.

Anns an sgoil aon bhliadhna, bha balach againn air an robh droch thinneas. Nuair a dh'fhàsadh e meadhanach, bha e a' call a mhothachaidh. A cheart cho luath 's a bheireadh a' chlann an aire, bha iad a' leum a-staigh dhan taigh-sgoile agus a' faotainn chluasagan agus plaide no dhà. Chuirte am balach na shìneadh air an ùrlar, agus chaidleadh e ann an sin gu socair, agus nuair a dhùisgeadh e cha bhiodh aon dad de choltas tinneis air.

Bha muinntir an àite fhathast a' strì ri car de leasachadh a dhèanamh air cor an eilein. Bha sinn an-còmhnaidh a' sgrìobhadh an siud 's an seo, agus an-còmhnaidh ag iarraidh. Uaireannan cha choisneadh sin dhuinn ach an diomba, ach a dh'aindeoin sin chùm sinn air aghaidh. Gun teagamh, cha robh sinn leinn fhìn sa chath. Bu mhòr an taic a thug am pears'-eaglais feadh nam bliadhnachan a bha sin do mhuinntir an eilean. Cha robh geimheal no càs anns am biodh neach nach dèanadh e saod air fhuasgladh dhaibh. Gu dearbh 's esan aon neach nach tèid air dìochuimhn' orra fhad 's a bhios labhairt aca.

Seann Eòlach

Anns a' Chèitein, 1974, chuala mi iomradh gun robh a' chiad fhear-seòlaidh foghlaim air siorramachd Inbhir Nis – Murchadh Moireasdanach nach maireann, Leòdhasach – a' dol a nochdadh air bogsa an TBh agus a' dol a dhèanamh còmhraidh, agus e còrr agus ceud bliadhna a dh'aois. Chàirich mi orm a-null dhan bhaile gus èisteachd. Rinn mi toileachadh mòr ri chainnt 's ri choltas. Nach fhada bhon a chuir mi eòlas air agus nuair a thill mi dhachaigh, nach ann a shuidh mi sìos agus a sgrìobh mi litir thuige – a h-uile facal ann an Gàidhlig, mar a leanas:

Bhatarsaigh,
Barraigh
An Cèitean, 1974

A Charaid Chòir,

'*S dòcha gun gabh sibh mo leisgeul mas e dànadas dhomh fàilte a chur air neach a bha an ionad cho àrd ribh anns an dòigh seo.*

Tha mi a' toirt mòran taing dhuibh airson an cothrom a thoirt dhomh ur faicinn agus ur cluinntinn aon uair eile. Bha fios agam gun robh sibh suas am bliadhnachan, ach cha do thuig mi gus an cuala mi sibh, gun deach sibh seachad air a' chloich-mhìle eireachdail sin. B' àlainn a bhith gur cluinntinn a' toirt sùil air ais agus nach ann dhuibh fhèin a b' fhiach.

Oidhche Diluain 's a chaidh, choisich mi null dhan bhaile bhon taigh-sgoile a dh'aon ghnothach airson ur faicinn agus ur cluinntinn. Air an rathad a-null rinn mi smaointinn agus fiamh-ghàire. Bha na raointean air gach taobh dhìom buidhe le sòbhraichean. Chuimhnich mi air ais le taitneas chun an àm o chionn dà fhichead bliadhna, nuair a thug sibh dhomh an cothrom tighinn a theagasg gu Sgoil Bhatarsaigh an toiseach. Thadhail sibh fhèin anns an sgoil glè ghoirid an dèidh dhomh a thighinn, agus dh'iarr sibh orm leasan air sòbhraichean a thoirt dhan chloinn.

Ged nach do dh'aidich mi sin dhuibh aig an àm, cha b' annasach ged a rachadh agam air sin a dhèanamh caran math. Bha mi air an dearbh leasan a thoirt seachad an sgoiltean Ghlaschu grunn uairean airson "crit," mar a theireamaid sa Cholaiste.

Rinn mi siubhal gu leòr bhon uair sin – air feadh sgoiltean Bharraigh, agus thug mi an sin Glaschu orm aig deireadh nam port, gus teagasg sna sgoiltean sin. Rinn sin feum mhòr dhomh. Thuig mi an uair sin cho fìor luachmhor agus a bha eilean beag donn a' chuain againn fhìn, agus nuair a fhuair mi an cothrom thill mi air ais aig peilear mo bheatha, agus tha mi an seo an eilean maiseach Bhatarsaigh. B' fheàrr leam gum faiceadh sibh àilleachd an-dràsta le thrusgan àlainn samhraidh.

B' olc an airidh na h-eileanan bòidheach againn a bhith a' dol fàs. Chan eil ach beagan is trì fichead 's a deich de shluagh a' còmhnaidh ann a Bhatarsaigh an diugh. 'S e dhà-dheug àireamh na sgoile, agus mise leam fhìn nan ceann a' mhòr-chuid a nis de dh'ochd bliadhna.

'S iad clann na ciad fheadhainn a bha agam an seo san sgoil a tha mi a' teagasg an dràsta, agus feumaidh mi aideachadh gu bheil iadsan a' faicinn barrachd toinisg anns na New Mathematics 's a tha mise.

Cha mhath leam a bhith gur cumail ro fhada bho na leabhraichean brèagha a tha mi toilichte a chluinntinn a bhios a' cur seachad na h-ùine dhuibh.

'S ann à Sgoil a' Bhàigh a Tuath a thàinig mise, far an robh Niall Mac na Ceàrdaich nach maireann a' teagasg. Chan eil cluiche no iomain a' dol an sin an dràsta. Dh'fhalbh an t-àm sin 's tha an gleann fo bhròn.

'S e Ealasaid NicFhionghain a b' ainm dhomh an uair sin; ach, ged a dh'atharraich mi mo shloinneadh, tha mi sa bharail gu bheil mi Fhionghaineach fhathast – a dhlùth is a dh'uachdar.

Mòran taing dhuibhse airson gach brosnachaidh a rinn sibh orm. Iomadh latha sona dhuibh.

Is mise, le mòr-mheas agus leis a h-uile deagh dhùrachd,

ur banacharaid,
Ealasaid Chaimbeul

Nach mise a fhuair an ulaidh an comain na litreach sin – sia duilleagan na làimh-sgrìobhaidh fhèin ann am Beurla – ag innse gun do rinn e fìor thoileachadh rim litir Ghàidhlig agus e fhèin an uair sin a' teannadh suas air ciad bliadhna 's a dhà.

Leasachadh a' Tighinn

Mu dheireadh an Lùnastail 1974, chaidh pìob a leigeil tarsainn air grunnd na mara gus uisge a ghiùlain à Barraigh gu muinntir Bhatarsaigh. Nuair a bha na *Raiders* a' toirt a-mach an fhearainn, 's e sin aon chnap-starraidh a chuireadh nan rathad – nach robh uisge gu leòr ann gu feumalachd na bha am beachd tighinn ann de shluagh. Bha a-nis an seachd leòr aca, agus cha bhuaileadh tiormachd tuilleadh air an sgoil. Eadar cumhachd an dealain is eile, nach ann a bha sinn a-nis cus air thoiseach air iomadh eilean beag iomallach eile; agus bha dòchas làidir againn nach rachamaid an comhair ar cùil gu sìorraidh tuilleadh.

Mu dheireadh an Dàmhair an dearbh bhliadhna sin, chualas straighlich uabhasach mun bhàgh thall mu choinneamh na sgoile. Gu dè a bha seo ach taighean fiodha Nirribhidh air a thighinn thar an aiseig. Cha ruigte a leas a dhol dhan tobar tuilleadh. Nach iad na daoine còire a bha nan sìneadh a chuireadh an umhail air cor an àite a-nis.

Chualas an sin iomradh gun robh sgoiltean is riaghladh nan Eilean Siar gu bhith an ùine ghoirid fo chùram Chomhairle nan Eilean. An latha an dèidh na Bliadhna Ùire 1975, dè a nochd san sgoil ach buidheann sunndach – sianar fhear agus Gàidhlig aca, cha mhòr a h-uile fear dhiubh. Thàinig am fiamh-ghàire bu loinneile air aodainn na cloinne nuair a chuala iad mu dheireadh an cànan fhèin. Nach b' fhada ga feitheamh iad! Thug iad thuca fhèin nach i a' Ghàidhlig cànan nan dìolachan-dèirce a-nis, agus leig iad gu rubha i. Theab nach stadadh iad a sheanchas.

Thug an fheadhainn a thàinig bho Chomhairle nan Eilean sùil air a' chrìonaich de *Chalor Gas Cooker* a bh' againn, agus sùil eile air an *refrigerator* mhòr mheirgeach, agus 's dòcha cuideachd sùil gheur orm fhèin – bha mi fhìn gus meirgeadh! Bha iad coibhneil. Cha do leig iad orra dad.

Air an t-siathamh latha deug dhen Chèitean, chaidh sinn fo chùram Chomhairle nan Eilean. Cha bu mhiste sinn sin. Fhuair sinn faothachadh. An àite nan crìonaichean a bh' againn roimhe a thaobh deasachadh bìdh, nach ann a thàinig thugainn gun shireadh, gun iarraidh, innealan snasail ùra, ged a bha sinn an druim an t-saoghail. Nach ann dhuinn a rug an cat an cuilean – gu dè a thàinig cuideachd ach bogsa an *deep-freeze*, agus ged a bhiodh stoirm bhristeadh nan taighean ann, cha robh clann na sgoile tuilleadh gu bhith a' seanglachadh le cion a' bhìdh.

Bha sinn mu thràth air cur mu dheidhinn talla airson an eilein – tè a bhiodh fosgailte feadh an latha agus air an oidhche, los nach bitheamaid am freastal na sgoile airson chruinneachaidhean. Cha robh mòran dùil againn rithe ged a chùm sinn ag iarraidh, ach 's ann a dh'fhàs sinn cho tapaidh nuair a fhuair sinn taic na Comhairle ùir. Dh'iarr sinn cuideachadh air Bòrd Leasachaidh na Gàidhealtachd agus cuideachd air Roinn an Fhoghlaim an Dùn Èideann. Dh'aindeoin eu-dòchais, 's ann a fhuair sinn a h-uile misneachd gun rachadh cùis na talla leinn, agus chùm sinn fhìn air aghaidh a' cruinneachadh airgid agus a' sgrìobhadh, agus cuideachd a' labhairt mun deireas a bh' air an eilean a thaobh cion talla.

Latha bha siud an dèidh an sgoil a dhol a-staigh san t-samhradh, gu dè a chunnacas a' nochdadh a-staigh am bàgh ach soitheach brèagha geal, crann àrd oirre agus siùil dhearga rithe. Bidh an seòrsa sin glè thric a' gabhail tàmh na h-oidhche an sin mun àm seo. 'S gann a bhuail a' gheòla bheag tìr nuair a bha gnogadh aig an doras. Thàinig dithis no triùir a-staigh agus driamlaichean uabhasach aca. Thuirt iad: "Tha cead againn dealbhan a thogail anns an sgoil seo a thaobh obair dà-chànanais." Thog iad na dealbhan agus sheòl iad gu sunndach air ais a-mach am bàgh.

Glè ghoirid an dèidh seo, 's ann a nochd cuid dhen chloinn air a' bhogsa air *Nationwide*. Nach sinn a bha air faighinn air aghaidh san t-saoghal. Bha brath a' tighinn às an siud 's an seo gum facas am buidheann beag a bha a' strì an iomall a' chuain. 'S coma dè cho math 's a chòrd e ris a' chloinn iad fhèin fhaicinn air a' bhogsa.

Bhithinn daonnan a' faotainn eallach litrichean leis a' phost – mar bu trice feadhainn co-cheangailte ri obair foghlaim. Mu thoiseach mìos na Samhna, 's ann a mhothaich mi do litir fhada chaol neo-àbhaisteach am measg an ultaich. Nuair a thug mi sùil gheur oirre, 's ann a chunnaic mi ainm a' Phrìomhaire san oisean. Thuirt mi rium fhìn: "Tha an t-òran ullamh. Gu dè bhon t-saoghal a rinn mi nis?"

'S ann an uair a dh'fhosgail mi i 's a leugh mi na bha sgrìobhte mum choinneamh, a fhuair mi fìor bhalgam a' chlisgidh. Bha an naidheachd dhìomhair – nach fheumainn a leigeil ri neach fon ghrèin – ag ràdh gun robh iad am beachd m' ainm-sa a chur mu choinneamh na Banrìgh feuch am faiceadh ise freagarrach urram sònraichte an MBE a chur orm aig a' Bhliadhn' Ùir. "Saoileam fhìn cò tha ris a' chleas?" thuirt mi rium fhìn. Choimhead mi a-rithist air an t-seòladh a bh' air an litir, ach bha mi cinnteach gun do rinn cuideigin mearachd. Cha b' urrainn gur ann dhòmhsa a bha seo. Cha bhiodh a leithid seo a' tachairt ach sna sgeulachdan a leugh mi anns an sgoil o chionn fhada. An dèidh na sgoile, chaidh mi air a' fòn a bhruidhinn ri banacharaid an Glaschu. Cha do leig mi dad orm cò dha, ach bha mi ag iarraidh oirre foillseachadh fhaighinn mun MBE agus carson a bha e. Cha robh mi fìor fhada a' feitheamh a' ghliong, agus an tè a bha an Glaschu an dèidh tilleadh à leabharlann far an d' fhuair i mach mun ghnothach. "Ach," ars' ise, "cha bhi mòran a' faighinn a leithid sin. Bithear a' dèanamh cnuasachadh gu leòr mun dèanar an taghadh sin, agus cha ruig e leas cùram a chur air aon againn." Cha robh agam ach a bhith bog balbh an siud. 'S e a' chuid bu duilghe nach b' urrainn mi mo rùn a leigeil ri aon neach fon ghrèin.

Glè ghoirid an dèidh sin thàinig am buidheann aig *Bonn Còmhraidh*, agus iad fhèin a' dol a thogail dhealbhan dhen eilean agus dhen sgoil. Chaidh agam air beagan fhaclan a thoirt dhaibh còmhla ri càch, agus eadar a h-uile ulla-thruis a bh' ann chaidh agam air naidheachd na litreach a chur air chùl, agus fhuair mi nam àite fhìn.

Latha no dhà ron Bhliadhn' Ùir, chaidh mi am falach. Thuig mi gum biodh gleadhraich ann. Mar a h-uile rud eile, chaidh e seachad. Cha do dh'iarr mise a-riamh an t-urram a chaidh a chur orm aig a' Bhliadhn' Ùir 1977. Thàinig sin gun shireadh, gun iarraidh, agus is mise aon tè air uachdar na cruinne-cè aig nach robh dùil ris. Bha mi a' caoidh nach robh an làthair dhen bhuidheann ghasta a thogadh san aon taigh rium, dhan toireadh an sgeul mòr-thoileachadh, ach aon bhràthair (a chaidh a sgaradh bhuam bhon uair sin mu iomlaid na mionaid).

Beagan ùine an dèidh an sgoil a dhol a-staigh, nochd dealbhan *Bonn Còmhraidh* air a' bhogsa. Chunnaic an fheadhainn a bha air tìr-mòr àilleachd an eilein, le dhathan agus le thràighean deàlrach airgid. 'S ann beagan ro mheadhan-oidhche a nochd na dealbhan, ach a dh'aindeoin sin 's na dhà dhèidh, bha gliong an dèidh gliong air a' fòn – na h-eòlaich loma-làn mulaid a' coimhead àilleachd nan cladaichean bho an do ghluais iad le cion teachd-an-tìr, agus an fheadhainn nach robh a-riamh ann a' straighlich agus a' faighneachd am biodh muinntir an eilein a' gabhail luchd-turais. Rinn luchd a' chraobh-sgaoilidh fathamas mòr rinn – nach ann a nochd iad a-rithist sinn air cridhe dearg a' mheadhain-latha, agus chaidh sinn uile a-staigh dhan taigh-sgoile gus ar faicinn is ar n-èisteachd fhìn. Sin far an robh an othail, agus gach aon ag èigheach, "Seall mise, a charaid."

An Latha Mòr

Fhuair mi an sin cuireadh, agus cha b' e sin a h-uile cuireadh – mise gam iarraidh gu lùchairt na Banrigh air an deicheamh latha den Ghearran 1977, los gum faighinn an sin an MBE a chur orm. Cha robh latha gun dà latha! Mise – mu dheireadh is mu dhiùbh a' dol gu Buckingham Palace. Dh'fhàs mi an toiseach car fiamhach, ach mar a bha an t-àm a' teannadh dlùth cha bu ruith ach leum siud leamsa, agus chàirich mi orm. 'S e Sealbh a bha leam. Fhuair mi air an itealan mu dheireadh a dh'fhàg Barraigh mun do thòisich an stailc.

Rinn mo bhanacharaid Màiri agus mi fhìn iomadh ceum air feadh bhùithtean mòra Ghlaschu, agus ise a' dèanamh làn-chinnteach gum bithinn fhìn 's i fhèin air ar sgeadachadh glè rìomhach airson a dhol gu lùchairt na Banrìgh.

Air Diciadain, moch-thràth sa mhadainn, chàirich Calum agus Màiri 's mi fhìn oirnn air an trèan gu baile mòr Lunnainn. Bha sinn a' fuireach fad thrì latha ann an Croydon aig Anna a' Chaiptein. B' fhialaidh dha-rìribh a dh'fheuch i fhèin 's a cèile, an dotair, rinn fad na h-ùine sin. Air madainn Diardaoin fhuair sinn còmhdhail gu lùchairt na Banrigh. An dèidh beagan sgrùdaidh, fhuair sinn a-staigh tron chachaileith mhòir agus dh'fhalbhadh le Màiri 's le Calum taobh eile. Thugadh mise a-staigh do sheòmar mòr fada far an robh feadhainn eile a' deisealachadh gu dhol mu choinneamh na tè rìoghail. 'S e màthair ar Banrigh a rinn gu grinn eireachdail an sìneadas a thoirt seachad.

Nis, bha a' chùis math gu leòr fhad 's a bha sinn cruinn cothrom còmhla, ach bha sgrìob glè fhada aig gach aon ri choiseachd leis fhèin suas air a' bhrat chun na tè urramaich. Mu dheireadh thall dh'èigheadh m' ainm-sa. Thàinig caran de chrith orm, ach an sin – cleas muinntir nan seann sgeulachdan – chuimhnich mi air na daoine bhon tàinig mi agus suas gun tug mi.

Bha an tè rìoghail aoigheil, aoigheil. Dh'iarr i orm a beannachdan a ghiùlain chun na cloinne a bha mi a' teagasg san eilean bheag uaine an iomall a' chuain, agus cuideachd chun a' chòrr dhen t-sluagh. Chroch i an MBE air mo ghualainn, agus thug i crathadh cridheil càirdeil air mo làimh, agus bha a gnothach-se riumsa ullamh.

Shaoileadh tu gun robh a' chuid bu duilghe a-nis seachad, ach feuch an robh. 'S ann an comhair mo chùil a dh'fheumainn gluasad air falbh bhon tè urramaich, agus chan eil sin cho furasta nuair nach eil thu cho òg nad bhodhaig 's a tha thu nad chridhe, gu h-àraidh nuair a thàinig e gu lùbadh na glùine mu ochd ceumannan air ais. Eadar an làmh 's an taobh chaidh agam air, agus cho aotrom ri uan rinn mi air an doras far an robh an dithis a bha leam a' feitheamh agus iad ag ràdh, "Tha thu beò fhathast co-dhiù." Nuair a fhuair sinn a-mach às an lùchairt ainmeil sin, bha feadhainn a' dol pronnaich air h-earraich thairis air a chèile gus dealbhan a thogail dhinn airson nam pàipearan-naidheachd. Nis, nach ann a bha cuireadh agamsa agus aig na bha nam chuideachd bho Bhall Pàrlamaid nan Eilean Siar, Dòmhnall Stiùbhart, a dhol gu dinnear an latha sin gu Taigh nan Cumantan.

Chuir e fhèin 's a bhean flath is fàilte oirnn nuair a ràinig sinn ar ceann-uidhe. Ghabh sinn dinnear bhlasta còmhla riutha, agus fhuair iad cothrom air ar faighinn a-staigh do Thaigh na Pàrlamaid aig àm nan ceistean.

Sin far an robh an dol ann. Bha am Prìomhaire, Mgr Callaghan, agus Mairead Bhàn a' cur cath air a chèile. Cha bu luaithe a ghluais Mgr Callaghan air falbh na thàinig Mìcheal Foot, agus chaidh e fhèin is Mairead gun dàil an ugannan a chèile. Cha dèanadh ise toll nach cuireadh esan tarrang ann. Dh'fhan sinn ann mu uair an uaireadair, agus dh'fhàg sinn an sin beannachd aig feadhainn a dh'fheuch cho fialaidh rinn.

Thill sinn air ais a Ghlaschu Dihaoine, agus dè bha feitheamh oirnn ach cuirm mhòr. 'S coma gu dè cho moiteil 's a bha na nàbaidhean aig Màiri is Calum gun robh sinn air chuairt aig lùchairt na Banrigh. Nuair a chunnaic mi iad a' dol an sreath gu crathadh làimh a dhèanamh orm, thuig mi gun robh iadsan a' cur luach mhòr air a' chomharra a fhuair mi.

Thill mi dhachaigh a Bharraigh an ath Dhiluain. A dh'aindeoin a h-uile rud a chunnaic mi 's a h-uile rud a rinn mi, thug mo chridhe leum an-àird nuair a thàinig creagan corrach glasa Bharraigh nam fhradharc. Mun do laigh an t-itealan air an Tràigh Mhòir thug mi sùil air ais agus thill, ar leam, sealladh de bhuidheann gasta air an casan rùisgte a' cladhach airson an t-srùbain – saothair nach robh gu mòran buannachd glè thric – agus chuimhnich mi air "*Cockles condemned*"; agus ged nach robh neach nam shealladh, nam inntinn bha mi ag èigheach dhaibh, "Air ur sgàth-se a rinn mi an turas. Nach seall sibh an comharra a thug mi air ais thugaibh."

Nuair a thàinig mi às an itealan, chuala mi cuideigin ag ràdh, "Cha chreid mi fhìn nach robh sibh air falbh." Thuirt mi rium fhìn, "Obh, obh, 's mise bh' ann an sin air falbh, sgrìob mhòr mhòr air falbh, air saoghal eile – seadh, saoghal a' mhic nach do rugadh an coimeas ris an t-saoghal a th' air an eilean air a bheil mise a' còmhnaidh, far am feum thu a bhith air do mhùgan 's air do mhàgan, an ìmpis a dhol às do chnàmhan air feadh na feamainn 's nan creagan, mu am faigh thu air tìr." Gu deimhinn, 's e aon nì a tha cinnteach – nach eil fios aig an dàrna leth de shluagh an t-saoghail ciamar a tha an leth eile a' faighinn troimhe.

An ath oidhche Dihaoine, bha cuirm aig muinntir Eilean Bhatarsaigh far an tug iad sìneadas feumail eireachdail dhomh – "mar chuimhneachan air mo thapachd," thuirt iad.

Ro dheireadh na bliadhna thàinig iomradh às ùr am Barraigh air "co-obraichean." Nach fhada bhon uair sin a fhuair mi eòlas orra an toiseach mo làithean, am Brudhairnis; ach bha Calum Ruadh nan duanagan air triall às fada roimhe seo. Chaidh buidheann à Barraigh, agus fleasgach òg a mhuinntir Bhatarsaigh còmhla riutha, a-null a dh'Èirinn a bheachdachadh air ciamar a bha a' chùis ag obrachadh thall an sin. Aig àm an t-samhraidh thàinig fear air chuairt a-nall às an sin a shoilleireachadh do luchd an àite gum freagradh a leithid seo glè mhath anns an eilean, far am feumadh gach aon a dhol an taing a choimhearsnaich – a h-uile latha deug sa bhliadhna. Fhuair iad beagan cuideachaidh bho Bhòrd Leasachaidh na Gàidhealtachd. 'S ann às a chèile a nithear na caisteil, agus chan eil aon teagamh agam, ri ùine nach bi piseach air an oidhirp.

Nis, bha an ùine air ruith, agus bha an t-àm a' tighinn dlùth gu mise na ràimh a shaoradh. Bha mi a' dol a leigeil dhìom na h-acfhainn anns an Ògmhios 1978. Nach robh an t-àm ann, an dèidh còrr agus dà fhichead bliadhna na bun. Sin an obair dhan tug mi làn-spèis, ach bha an t-àm an t-uallach a leagadh air gualainn sgairteil òg. Teirigidh an saoghal ach mairidh gaol is ceòl.

Bu mhòr an toileachadh a bh' air gach neach an oidhche a dh'fhosgladh an talla ùr ann a Bhatarsaigh air an treas latha dhen Iuchar. Bha an aitreabh ùr air leth maiseach, agus a' toirt bàrr-urraim air gach tè dhe leithid air an do dhearc mo shùil a-riamh. Bha fonn air gach aon, oir cha do shaoil sinn gum faiceamaid a leithid-se gu sìorraidh air an làraich. Aig an ath chruinneachadh, air an t-seachdamh latha deug dhen Iuchar, bha muinntir an àite a' fàgail soraidh agam agus a' sìneadh cuimhneachan snasail eile dhomh air na bliadhnachan a bha sinn còmhla. Cò a nochd a-staigh an dèidh tighinn bhàrr a' bhàta às an Òban, a dh'aon ghnothach gu bhith còmhla rinn air an oidhche shònraichte sin, ach mo ghalad, a' chaileag nach deargadh air na ceistean a thaobh 's nach do dh'ionnsaich i a-riamh na *tables*. Moch-thràth sa mhadainn, chàirich i oirre air ais gu a cosnadh a Ghlaschu.

An oidhche sin, 's gann a bha an talla air fosgladh nuair a nochd cuideachd mo rùin à Eòlaigearraidh a-staigh, agus Màiri an Jen air an ceann, gu cur an cèill nan dòigh fhèin nach do rinn iad dìochuimhn' orm, a dh'aindeoin an liuthad bliadhna bhon dhealaich sinn.

Eadar sgioblachadh agus stobhadh bhogsaichean, bha an latha mu dheireadh dhen Iuchar ann mun do ghabh mi an t-aiseag. Thug mi ùine mhath mun tàinig mi mun cuairt an dèidh na h-iomraich, oir bha an sgìths air trian dhem shuim a thoirt asam, ach uidh air n-uidh fhuair mi às a sin. Bha mi car ann an ceò fad greis oir chan eil e furasta a chreidsinn, an dèidh a bhith a' strì ris a' chosnadh sin cho fada, nach eil agam ri dhol dhan sgoil tuilleadh. Threabh mi m' iomair fhìn, ach 's iad na smaointean a bha a' ruith tro m' inntinn an latha a dh'fhàg mi Bhatarsaigh, air mo mhùgan 's air mo mhàgan air feadh nan clach 's na feamainn, gu teàrnadh chun a' bhàt'-aiseig: "Ged a bhiodh tu mar a' chlach a dhiùlt na clachairean, gheibh an Sàr-chlachair oisean beag dìomhair far an cuirear gu feum thu."

AN DÈIDH NA RÀIMH A SHAORADH

Tha mi a-nis "tioram air tìr", agus gun uallach aiseig orm – gun uallach cò an taobh bhon tig i! 'S ann sa Ghleann a tha mi a' còmhnaidh. Ged nach esan an gleann san robh mi òg, 's e gleann fìor thaitneach a th' ann an dèidh sin. 'S e an ciad bhad de Bharraigh san goir a' chuthag ron Chèitean. Nuair a sheallas mi a-mach, chì mi Caisteal Chìosamuil gu stàiteil na sheasamh air a chreig. Ged a thàinig fàisneachd Mhic a' Chreachair air a bonn feadh ùine, agus a bha an aitreabh iomraiteach sin na garaidh bhiastan dubha, thàinig às an sin dhi. Chaidh a cur air dòigh, los gu bheil i an-diugh mar leug a' toirt nar cuimhne nan gaisgeach a bha air ais 's air aghaidh leis a' Bhirlinn Bharraich anns na linntean a dh'aom.

Mòd an Òbain
A' bhliadhna a dh'fhàg mi an sgoil, 1978, 's ann san Òban a bha am Mòd. Bha mòran tlachd agam a-riamh do chainnt mo mhàthar – Gàidhlig Bharraigh. Chuir mi uibhireach glè mhòr air cor na Gàidhlig an seo bhon a thàinig mi a-nall, gu h-àraidh am measg na h-òigridh. 'S e a' Bheurla as trice a tha iad a' cleachdadh, chan ann a-mhàin am Bàgh a' Chaisteil ach cho fada gu tuath ri Eòlaigearraidh, far nach bitheamaid idir ga cleachdadh ach nuair a dh'fheumte. Saoilidh mi, a dh'aindeoin chùisean, gu bheil an uileann fhathast innte agus gum feum i fìor bhrosnachadh mun tig i buileach am bàrr.

Is truagh a' Ghàidhlig bhith na càs
On dh'fhalbh na Gàidheil a bh' againn;
A ghineil òig tha tighinn nan àit',
O, togaibh àrd a bratach.

Gun teagamh, chuir bogsa an TBh às dhan chèilidh air feadh thaighean, agus cha b' fheàirrde a' Ghàidhlig sin, ach nach b' àlainn nan cuimhnicheadh òigridh an latha an-diugh air "Lean gu dlùth ri cliù do shinnsre, 's na dìobair a bhith mar iadsan."

Co-dhiù, chàirich mi orm gu Mòd an Òbain. Bha am baile a' goil le daoine agus luchd an fhèilidh-bhig air gach sràid is oisean. Chaidh sinn a' chiad latha a dh'èisteachd chòisirean agus gu fìor, chòrd na chuala sinn air leth math rinn. Air an fheasgar, dh'fhàg mi fhìn agus tè 'ile an taigh gus a dhol air tòir thiogaidean a bheireadh an oidhche sin gu cèilidh ann an talla shònraichte sinn. Ràinig sinn talla far an robh dithis aig an doras – fear aig gach taobh dheth – len cuid fhèilidhean is eile de dheise an fhìor Ghàidheil agus iad air leth ceanalta. Dh'fhaighnich mi de dh'fhear dhiubh, "Càite am faigh mi tiogaidean airson cèilidh na h-oidhche nochd?" Rinn e casad no dhà, ghluais e bho chois gu cois, thug e sùil neo-thlachdmhor orm agus thuirt e ann am Beurla, "*Sorry, madam.*" Sheòl e colgag a-null gu charaid, ag earbsa ris: "*You speak to the lady.*" Rinn am fear sin casad no dhà cuideachd agus an sin, mar gun tigeadh e à Hong Kong thuirt e, "Ciamar tha?" Dh'aithnichte air fuaim analach nach do bhlais a sheanair a-riamh air buntàta 's sgadan. Dh'fhaighnich mi an e cuibhreann dhen Mhòd a bha a' dol a-staigh, no an do rinn mi mearachd. Fhreagair fear dhiubh sa Bheurla nach robh iadsan cho fileanta sa chànan, ach gum faigheadh iad neach a bha, nuair a thuirt mi nach robh agam ach fìor bheagan dhen Bheurla. Thàinig am fear agus nuair a thug mi sùil gheur air, cò bh' agam ach Barrach nach fhaca mi bho chionn iomadh bliadhna. Dh'innis e dhomh gun robh na tiogaidean uile air an reic, ach ars' esan, "Thigeadh sibhse, agus nì sinn saod air àite fhaighinn dhuibh." Rinn sinn sin, ach bha sinn anmoch mun d' fhuair sinn a-staigh dhan talla air tàilleabh cion nan tiogaidean. Air mo chorra-bhiod, chaidh mi a-staigh a shreath, a' cagraich ris an neach a bha rim thaobh, "Tha mi duilich a bhith a' cur dragh oirbh." "Chuala mi do ghuth roimhe," ars' esan, agus dh'innis am ministear a rinn an t-òran a tha a' dol mar seo:

Thoir dhomh do làmh, thoir dhomh do làmh,
Oir tha an saoghal fada ceàrr –
'S e tha dhìth air tuilleadh gràidh;
Thoir dhomh do làmh, thoir dhomh do làmh.

Agus nach ann dhàsan a b' fhìor sin. Cha robh an saoghal a-riamh nas riatanaiche air daoine a bhith coibhneil, càirdeil ri chèile air eagal 's gun tèid iad a-rithist an ugannan.

Aig a' Mhòd an ath fheasgar, rinn sinn air taigh-òsta far an robh cèilidh – air an Iomall. Nis, feumaidh mi aideachadh nach robh mi idir air mo dhòigh aig toiseach a' Mhòid, a chionn agus ar leam, nach robh ann ach seòrsa de dh'atharrais. Ach a-nis, leis na bha de dh'fhìor thoileachadh am measg an t-sluaigh a chruinnich dhan Òban, cha b' urrainn dhut gun aontachadh: chan eil e gu mòran diofar gu dè a' chànan a tha iad a' cleachdadh, fhad 's a tha daoine sunndach, càirdeil, toilichte; agus bha iadsan sin. Chan fhaca mi aon duine air an robh coltas bruaillein.

Rinn sinn air an taigh-cèilidh. Nis, 's e an seòrsa cèilidh a bh' againn an oidhche sin cèilidh eadar-dhealaichte bhon fheadhainn àbhaisteach. Aig an tè seo, cha robh mòran an làthair aig an robh eòlas air a chèile. Gun shireadh, gun iarraidh, bha duine an dèidh duine a' cur sprogan air agus a' toirt sùrd air gabhail òran, agus càch gu sunndach a' togail an fhuinn. Dhìochuimhnich mi gun robh mi a-nis dhen chomann sin a bha ri togail airgead na Banrigh a h-uile seachdain, agus nach ann a thug mi fhìn seachad duanag no dhà.

Cò dh'amais nar cuideachd aig a' bhòrd ach fear Èirisgeach. Cha do thachair sinn air a chèile a-riamh roimhe, ach dè na dhèidh sin – nach tàinig e bho na crìochan againn fhìn agus bha sin na bhann mòr gu leòr eadarainn.

Bha triùir thall agus leabhraichean beaga buidhe aca loma-làn de dh'òrain Ghàidhlig – dìreach an dearbh leithid leabhraichean-òran a bhiodh againn san sgoil. Bha na fleasgaich agus hùg is hoireann aca air gabhail nan òran – gan leughadh às na leabhraichean. 'S ann a thug mo charaid an t-Èirisgeach, grad dhuibh-leum às ag èigheach, "Chan eil facal Gàidhlig nan claignean siud. Siuthad, a chaillich, siuthad – cùm ort!" Thug mi sùil mun cuairt ach càite an robh a' chailleach. Nach e Freastal a bha gam faicinn – cò air an robh mo laochan agus an còmhlan uile ag amharc ach orm fhìn! Mise nam chaillich! Ach 's fheudar gun robh e fìor, a chionn 's, mun do dh'fhàg mi an sgoil, bha gliong air a' fòn uair no dhà agus feadhainn a' co-fheuchainn rium a' faighneachd: "An e an fhìrinn a th' ann gu bheil sibh gu bhith togail a' pheinnsein a-nis?" Thuig mi a-nis gur e an t-uile-fhìrinn a bh' ann gun do dh'fhàg mi Tìr nan Òg; agus gus mo dhèanamh buileach cinnteach, nuair a ràinig mi Glaschu 's mi dol air bus, ghrad dh'fhaighnich fear nan tiogaidean mun deach mi na b' fhaide na an doras, "Seall do chairt dhomh." "Gu dè idir a' chairt?" thuirt mise. Ghrad fhreagair e gu math oglaidh, "Cairt nan seann fheadhainn." Nuair a ghearain mi nach robh a leithid siud agam, an iomlaid na mionaid thuirt e rium, "Bha làn-chòir agad tè a bhith agad, agus tha thu an fhìor àm cur mu deidhinn." Ochoin! Ochoin! Feumaidh gur mi a bha a' coimhead sean. Cha tuigeadh agus cha chreideadh mo laochan ged a dh'innsinn dha, ach long bhòidheach a bhiodh a' gearradh shìnteag cho tric 's a thogadh a' ghaoth an t-òrdan "Tiugainn" a thoirt dhi.

Ann an Glaschu Turas Eile
Mar a h-uile rud eile, dh'atharraich baile Ghlaschu gu mòr seach mar a bha e nuair a chaidh mise an toiseach ann. Bha drochaid ùr agus rathad thall 's a bhos air nach robh sgeul air mo chiad turas ann. 'S ann air an taobh a deas dhen bhaile a bhiodh na Gàidheil a' fuireach, agus nuair a rachadh tu a-mach thachradh Barrach no Uibhisteach riut air gach oisean. Ach dh'fhalbh sin agus thàinig seo. Bha na taighean agus na sràidean air am b' àbhaist iad a bhith, air an sguabadh air falbh agus na còmhlain a bhiodh an taic a chèile air an sgapadh feadh a' bhaile. Cha chluinneadh tu aon iomradh aig duine nis air falbh chun na drochaid. Bha an Toll fhathast an siud air a' Phaisley Road, ach chan fhaiceadh tu aon Ghàidheal faisg a' mhìle air.

Aon latha, bha mi shuas am baile sna bùithtean far an còrdadh e rium a bhith a' call mo shuim mar a b' àbhaist. Nuair a bha mi làn-bhuidheach 's a bha an t-àm agam tilleadh dhachaigh, rinn mi air an *subway* mar a b' àbhaist. 'S mi a dh'earbadh aiste. Nuair a ràinig mi an doras, nach ann a bha sreath fhada – cha mhòr cho fada ris an latha màireach – a' feitheamh gus faighinn a-staigh. 'S coltach gun robh cluiche ball-coise gu bhith air an taobh a deas. Bha fleasgach an sin le deise a' *Chorporation* a' cumail rian anns an treud. Nuair a dh'èigh e, "Move along there," dh'aithnich mi air fuaim analach gur e Leòdhasach a bh' ann. Nuair a ghluais e faisg orm, thuirt mi gu socair an Gàidhlig ris, "'Ille, nach ann an seo a tha an dol!" Ged nach fhaca e a-riamh mi, bhoillsg am fiamh-ghàire chàirdeil a bha sin air aodann. "Cò às a tha thu, a bhrònag?" dh'fhaighnich e.

"Tha mise à Barraigh. Cò às a tha thu fhèin?"

"Tha mise à Steòrnabhagh," fhreagair e.

"'Ille," dh'fhaighnich mi dheth, "dè an dol a th' aca an-dràsta ann an Steòrnabhagh?"

Cha bhi mi ag innse gu dè a thuirt e rium, ach bha e fìor amaiseach agus rinn mi glag gàire. Tha mi an dùil gun do shaoil an fheadhainn a bha san t-sreath gur ann a bha sinn às ar beachd, agus cànan neònach dhuinn fhìn againn. Co-dhiù, rinn mo charaid an deagh thoileachadh ri cainnt nan Gàidheal.

Bha mi a' fuireach ann an taigh gun aon duine eile ach mi fhìn. Bha mi glan air mo chlisgeadh. Bha an doras glaiste a latha 's a dh'oidhche, agus nan tachradh do dh'eòlach tighinn san rathad, bha mi cìgeadh tron toll san doras mus fhosglainn e. Cha robh latha gun dà latha! Cha bhithinn-sa idir a' glasadh doras an taighe thall san eilean. Thug mi sraon no dhà air feadh a' bhaile gus a dhol a shealltainn air an fheadhainn a bha còmhla rium sna sgoiltean. Dh'earb aon tè rium a dhol cuairt gu Bridgeton agus sùil mhath a thoirt air an sgoil san robh mi a' teagasg aig àm a' Chogaidh. Chàirich mi orm an latharna-mhàireach agus chaidh mi mun cuairt dhith. Bha i a-riamh snasail ri coimhead oirre. "Saoileam fhìn càite a bheil na caileagan 's na gillean gasta a bha mise a' teagasg san sgoil sin ann an 1944 agus 1945?" dh'fhaighnich mi dhìom fhìn. 'S mi a dh'fhaodadh mo bheannachd a thoirt orra. Cha tug iad dragh a-riamh dhomh. Cha robh agam ach mo shùil a chiagadh gun fhacal a ràdh – agus sin na bh' air. Bhiodh feadhainn dhen luchd-teagaisg a' cur na ceist orm: "Ciamar a thèid agaibh air an dà fhichead 's a naoi a cheannsachadh gun ur beul a thoirt bho chèile?" Ach cha tàinig e a-riamh fa-near dhomh gun rachadh agam air sin a dhèanamh. Nach iomadh ceann a chaidh an currac bhon uair sin. Bha iad a-nis a' dol a leagadh na sgoile bhrèagha seo, 's chan fhaicinn tuilleadh i.

Bha mi a-nis air cridhe a' mheadhain-latha, agus an cridhe air chrith nam chom agus an doras glaiste agam, ach nuair a bha mi a' teagasg san sgoil sin bha mi a' coiseachd na sràide air oidhche dhubh dhorcha agus gun leus solais ri fhaicinn, gun eagal, gun fhiamh, gus a dhol a dhìon na sgoile mus leagadh na Gearmailtich ball-teine oirre.

'S dòcha gun tug an aois trian de thuisleadh nam cheum, agus gun do sgaoil trian eile de thacsa bhuam le dol an t-saoghail. Smaoinich mi air a dhol gu sràid far am b' àbhaist feadhainn dhen chloinn a bhith a' fuireach, ach bhiodh a' chuid mhòr dhiubh air sgapadh agus air thaigheadas dhaibh fhèin a-nis, agus b' fheàrr leam iad a bhith a' cuimhneachadh orm mar a chunnaic iad mi – an trèine mo neirt.

Fhad 's a bha mi air a' chuairt ann an Glaschu, dh'fhàg muinntir an taighe eun air mo chùram. Bha e gu dòigheil ann an eunlann agus cha robh agam ach a bhith a' toirt biadh is deoch dha, agus bha mi a' cumail a dhìol dhe sin ris.

Aon fheasgar, thàinig feadhainn air chèilidh orm. Gun teagamh, dh'èigh iad a-muigh cò iad, agus a bharrachd air an sin bha Gàidhlig aca, ach thug iad an deagh ùine a' feitheamh a-muigh mun d' fhuair mise na slabhraidhean 's na glasan a thoirt bhàrr an dorais. Fhad 's a bha iad a-staigh thug iad sùil air an eun, agus thuirt am fear, "Cha chòrd e riutha bhith às aonais cuideachd an taighe. Bidh feadhainn aca a' faighinn a' bhàis leis an ionndrainn." Mun do leig e am facal às a bheul, chualas glag agus nuair a chaidh mi null bha an t-eun bòidheach na shìneadh fuar marbh air an ùrlar.

Bha mi glan air mo nàrachadh 's air mo leaghadh. Siud air an *subway* gun tug mi agus suas am baile cho luath 's a rinn mi a-riamh, a cheannach eun eile a bhiodh cho coltach ris na bhodhaig 's a ghabhadh e bhith. Fhuair mi siud, ged nach robh e an-asgaidh dhomh – thug e an deagh tholl nam sporan – agus cho luath 's a b' urrainn dhomh rinn mi air an t-*subway*, agus eagal mo ghonaidh orm nach ruigeadh an iomlaid an taigh beò slàn. Nuair a ràinig mi chàirich mi san dearbh ionad e san robh am fear a bh' air tàr às. Thuirt mo chàirdean rium: "Cha dèan e an gnothach biadh is deoch a thoirt dha. Feumaidh sibh cumail air bruidhinn ris."

'S fhada bhon a chuala mi "Nuair a bha Gàidhlig aig na h-eòin." Chan eil fhios agam an robh an t-eun ùr dhen treubh sin ach co-dhiù bha 's gun nach robh, chuala esan Gàidhlig gu leòr agus nuair a theirigeadh seanchas dhomh bha mi a' toirt sùrd air gabhail òran dha. Seo am fear a b' fheàrr leis:

M' eudail air do shùilean donna,
Air do shùilean 's air do bhodhaig;
M' eudail air do shùilean donna
'S air do bhodhaig bhòidhich.

Cha mhòr nach robh a h-uile facal dheth aige fhèin mun do dhealaich sinn. Nuair a thill an teaghlach dhachaigh a Ghlaschu, cha do chuir iad uibhireach fon ghrèin air an eun a bha gu sunndach a' bocadaich thall san oisean.

Mun do dh'fhàg mi am baile mòr dh'innis mi os ìosal, do bhean an taighe nach e an caraid a dh'fhàg iad a bha siud idir, ach a bhreac-samhail. 'S gann gun creideadh i mi nuair a bhòidich mi nach tuigeadh e facal ach Gàidhlig, agus thug mi deagh chomhairle oirre: "Cum brod na Gàidhlig ris, agus cumaidh i a chridhe ris, los gum bi e beò chan eil fhios dè an ùine." Mura do bhàsaich e bhon uair sin, tha e fhathast cho beò ri Èireannach air beagan bìdh agus dibhe, air fuaim na Gàidhlig.

Dhachaigh

Ged nach robh mi ach beagan sheachdainean an Glaschu, 's coma dè am faothachadh a fhuair mi air an trèan a' dol dhachaigh nuair a nochd solais an Òbain sa chiaradh, 's mi air mo rathad air ais gu Barraigh bheag bhòidheach san do dh'àraicheadh òg mi. Tha còmhlan math de mhuinntir an eilein a' còmhnaidh san Òban a-nis, agus chuir mi seachad latha no dhà nan cuideachd a' toirt sùil air ais air na làithean a dh'aom.

'S e a' chuid as duilghe dhen tilleadh nach eil an-diugh sgeul air luchd mo ghràidh – an fheadhainn a dhèanadh mo bheatha agus a dhèanadh sunnd is sogan rim thighinn.

> *Dhen teaghlach ghreadhnach shuidh gach oidhch'*
> *Mun chagailt cruinn – bha ochdnar ann –*
> *Chan eil an-diugh air lom an tuim*
> *Ach mis' a' caoidh nam bhochdadan.*

Bha geamhradh 1978 cho fuar 's nach do dh'fhairich mi a leithid a-riamh nam bheatha. Gun teagamh, cha robh m' aire air mòran agus 's dòcha nach b' fheàirrde mi sin. Bhuail an lòinidh mi airson a' chiad uair nam bheatha. Cha d' fhuair mi a-riamh roimhe eòlas oirre agus gu dearbh, cha ruiginn a leas a bhith a' caoidh a cuideachd. 'S iomadh rud a chuireas bho fheum an t-saoghail thu ma leigeas tu leis, agus cha do leig mise leis an lòinidh brath na laigse a ghabhail orm nas motha na leig mi leis a' chòrr. Tha e na fhàgail aig an lòinidh, mar chuid eile, am brath sin a ghabhail ma gheibh i an cothrom; ach ghrad thionndaidh mi rithe agus thuirt mi, "'S mise tha seo fhathast. Thoir do chasan leat," agus cha do dh'fhairich mise lòinidh bhon uair sin.

Ann an 1979, cha robh an t-earrach mòran na bu bhlàithe na bha an geamhradh fhèin ach a dh'aindeoin chùisean chaidh againn air tighinn tron chruadhaig. Cha robh an samhradh fhèin ach iomluathasach. Chaidh mi gu tòrradh caraid a-null a dh'Uibhist mu dheireadh an Ògmhios. A dh'aindeoin a bhith eòlach air aiseag, 's e an t-aiseag air ais bhon Lùdaig gu Eòlaigearraidh a thug mo dhùbhlan dhomh. Bha gluasad a' bhàt'-aiseig gam chaitheamh an siud 's an seo, agus b' fheudar dhomh grèim bàis a dhèanamh air spàrr mus rachadh an t-eanchainn a chur asam.

Nis, bhon a thàinig mi a-nall a Bhàgh a' Chaisteil, an dèidh a bhith còrr is seachd bliadhna deug às aonais, bha mi a' feuchainn ri eòlas a chur air dòighean ùra an t-saoghail. Fhad 's a bha mi air falbh, thàinig cus atharrachaidh air, agus 's ann uidh air n-uidh a dh'fheumainn a dhol ma thimcheall. 'S ann às a chèile a nithear na caisteil. Thàinig iomadh nì ùr air a' mhargadh nach b' aithne dhomh dad mu dheidhinn, agus dh'fheumainn a bhith seòlta air eagal 's gun dèanadh càch a-mach gun robh mi cho claon. Bheirinn ùine glè fhada sna bùithtean a' coimhead agus ag èisteachd. Rachadh agam air seo a dhèanamh gun mhòran sluaigh a thoirt fa-near, oir thàinig atharrachadh sònraichte eadhon air na bùithtean fhèin. Cha ruig thu leas tuilleadh a bhith ag iarraidh nan gnothaichean mar a b' àbhaist. Faodaidh tu fhèin an taghadh a dhèanamh, agus leis an sin tha thu buailteach air a dhol am mullach an torra agus mòran a bharrachd a chur sa bhasgaid na chuireas tu feum air. A thaobh 's gun d' fhuaireadh cumhachd an dealain, faodaidh tu do thoil fhaighinn de dh'fheòil agus de dh'iasg agus de dh'iomadh criomaig bhlasta eile. Chan fhaic mi sgeul air a' bharaile sgadain a b' àbhaist a bhith an oisean a h-uile bùth. Nam òige, nach bu tric mi a' dol dhan bhùth a dh'iarraidh fiach tastain dheth. Gheibheadh tu mu dhusan air an airgead sin an uair sin; ach 's e a h-uile rud ùr as fheàrr, agus nach math sin.

An-dràsta tha an t-airgead ga mhalairt mar na sligean, agus chan eil cùmhnadh fa-near do neach sam bith. Chan eil e a' cur cùram air àl an latha an-diugh mogan a bhith air chùl an cinn air eagal aiceid no gort a thighinn nan rathad. Nach sona dhaibhsan!

Air dhomh tilleadh à Glaschu ann an 1966, bha mòran sluaigh a' fàgail Bharraigh 's a' gluasad gu tìr-mòr le cion teachd-an-tìr. Bha na taighean gan dùnadh no gan reic, agus na croitean gan sìneadh seachad do charaid no do nàbaidh. Bha feadhainn gan leigeadh bhuapa uile-gu-lèir, agus an fheadhainn bu sheòlta gan leigeadh gu nàbaidh air chùmhnant gus am faigheadh iad air ais iad an ceann dhà no trì bhliadhnachan. Ach bhon uair sin ghabh a' chuibheall làn-char. Bho chionn bhliadhnachan tha daoine a' tilleadh air ais nan deann-ruith. Tha iad a' togail thaighean – chan ann dhen t-seann cholmadh, ach air deilbh ùir. Chan eil sgrobag fearainn a bhithear a' reic nach eil feadhainn nan deann a' strì ri fhaighinn, agus 's iad muinntir Bharraigh fhèin no an sliochd as trice a bhios ris a' mhalairt.

Bho chionn ghoirid reiceadh Sgoil a' Mhorghain às ùr, agus 's e gille à Barraigh fhèin a fhuair i. Gun teagamh, cha b' ann an-asgaidh. A rèir choltais, thug e airgead mòr oirre agus chuimhnich mi nuair a chuala mi an sgeul air nuair a reiceadh an t-seann eaglais aig tuath (a tha an-diugh na taigh-òsta) airson a' chiad uair, nuair a bha mi òg, agus a bha buidheann grinn a' bhaile againn fhìn a' diùrrais eadarainn: "Gu sìorraidh, càite idir an d' fhuair i an t-airgead? Smaoinich thusa, trì cheud punnd Sasannach." Nach e luach an airgid fhèin a dh'atharraich. Chan fhaigh thu an-diugh mòran air trì cheud punnd Sasannach. Ach nach buidhe dhan fhear a cheannaich Sgoil a' Mhorghain. Bidh esan, chan ann a-mhàin gu bràth a' cuimhneachadh, ach mar an ceudna ag amharc fad a làithean air àilleachd Loch na h-Òib. Nach iomadh naidheachd thoilichte a dh'innseadh na ballachan sin a tha mun cuairt dheth nam biodh bruidhinn aca, agus cò aig a tha fios nach bi am fear a dh'fhàg soraidh againn le ceumannan dannsa sunndach air an drochaid bho àm gu àm a' toirt sùil choibhneil a-nuas air a' bhad san do dh'fhàg e beannachd againn.

A-null Thairis
A-nis chun na bliadhna 1979, cha do dhearg mi a-riamh air a chruinneachadh de chuid an t-saoghail na bheireadh a-mach thar crìochan Bhreatainn mi. Nach robh am fìor àm agam nan dèanainn gu sìorraidh e, saod a chur ann. Shaoileadh tu gun robh cuideigin ag èisteachd rim smaoin. Gu dè a fhuair mi ann am mìos mheadhanach an t-samhraidh ach cuireadh bho sheann bhanacharaid gus tighinn na cuideachd air chuairt dhan Fhraing. Leig i rium gun robh buidheann de Bhadhlaich agus de dh'Uibhistich am beachd a dhol gu baile beag bòidheach Lourdes. Cha bu ruith ach leum siud leamsa. 'S fhada bho bu mhath leam turas a dhèanamh nan robh cùisean air a bhith freagarrach.

Dh'fhalbh mi gu bog balbh a bhaile Ghlaschu, ach ged nach do leig mi orm ri aon cò an taobh a bha mi a' toirt m' aghaidh, thachair banacharaid rium san Òban a thuirt rium, "Tha sibh a' falbh gu Lourdes." Chuir mi latha no dhà seachad ann an Glaschu, agus an seo air oidhche Diluain, an naoidheamh latha dhen Iuchar 1979, chàirich mi orm gu port-adhair Ghlaschu. Thachair am buidheann againn ri chèile an sin, agus ged nach robh aon neach à Barraigh sa chuideachd ach mi fhìn, ann an tiota bha mi aig an taigh còmhla ris na Badhlaich 's na h-Uibhistich. Faodaidh mi aideachadh nach do dh'fhairich mi a-riamh cho fìor thoilichte ann an còmhlan 's a bha mi sa chuideachd sin. Thug iad nam chuimhne nuair a bha mi òg, agus ar leam gun robh mi a' cur eòlas às ùr air ceòl taitneach a thàlaidh mi ann an Gearasdan Dubh Inbhir Lòchaidh.

Chaidh sinn air an itealan mu leth-uair an dèidh aon uair deug a dh'oidhche.

Bha an t-sìde air leth sèimh agus socair, agus daoine gasta a' frithealadh oirnn, gar tatadh leis gach seòrsa bìdh is mhìlsean a thigeadh ri ar càil. Mu dhà uair sa mhadainn dhèanamaid a-mach mullach nam Pyrenees, agus nochd an sin crois sholas gu ar stiùireadh gus ar ceann-uidhe. Laigh am bàt'-adhair, agus bha mi airson a' chiad uair nam bheatha air taobh a-muigh crìochan Bhreatainn agus am measg nam Frangach, ged nach do thog mise a-riamh mòran dhen cànan, agus ar leam gun robh sìth an siud – "O, sìth nach d' fhairich cridhe duine a-riamh."

Tha mi glè chinnteach gun robh mìltean a' coiseachd nan sràidean ach bho cheann gu ceann dhen bhaile, cha chluinneadh tu guth mòr no droch fhacal. Fhad 's a bha sinn ann, bha sinn cho toilichte 's a bha an latha cho fada. Cha robh sinn uile-gu-lèir ri ùrnaigh, agus air an fheasgar glè thric bha sùrd againn air gabhail òran ann an Gàidhlig. Saoil an do dh'èist na Pyrenees a-riamh roimhe ri òrain Ghàidhlig? Chunnaic mi Frangach no dhà a' toirt fuath-shùil oirnn mar gum biodh iad ag ràdh riutha fhèin: "Saoileam fhìn cò an ceàrn de thalamh na Criosdachd às an do ghluais sibhse le bhur cainnt?" Ach cha robh a' chuid mhòr de dhaoine a' toirt for – bha iad eòlach gu leòr air a bhith cluinntinn chànanan às gach seòrsa mu na sreathan ud.

A-nis, bha feadhainn sa bhuidheann againn aig an robh an deagh eòlas air cànan nam Frangach; ach mo thruaighe bhochd an còrr againn, cha dèanamaid bun no bàrr dhith. Gu mì-fhortanach, ghluais mise air falbh bhon chòrr aon latha leam fhìn, gus coinneachadh ri banacharaid an aon bhad sònraichte dhen bhaile. Turas an ànraidh! Cha deachaidh mi fada nuair a thuig mi gun robh mi air chall san Fhraing 's gun chomas laighe no èirigh agam san dùthaich sin le cion na teanga.

Ach – rinn mi gàire. Chuimhnich mi air a' chàraid a bha sa bhaile bheag againn fhìn nuair a bha mi òg. Cha robh facal Beurla aig bean an taighe, agus b' fhìor thoil leatha a bhith a' cur a puing fhèin an cèill. Thàinig trabhalair MhicPhàrlain aon latha. Nis, bha eu-còrdadh eadar muinntir an taighe agus an treubh sin a thaobh gnothach malairt. Bha beagan Beurla aig fear an taighe agus 's esan a bha a' cumail còmhraidh ris agus 's e duine socair modhail a bha san dearbh fhear. Nuair a dh'fhalbh an coigreach, thòisich bean an taighe air ochanaich 's air osnaich agus air sìor ràdh, "Obh, obh, tha feum aigesan nach robh an dà theanga agamsa." Fhreagair am bodach gu socair, "M' anam fhìn, a dhuine – tha mi a' smaointinn gu bheil thu a' dèanamh glè mhath leis an aon tè fhèin."

Bha mise air chall san Fhraing, ach chan e an dà theanga a bha gam dhìth-sa idir ach an treas tè. B' fheàrr dhomh dèanamh air an taigh-chòmhnaidh – ach, cleas na sradaig, "Siud e 's cha chia." Cha robh sgeul air.

Thachair fear nam putan rium. Chaidh mi ann an sàis ma choinneamh ag ainmeachadh far an robh mi fuireach. B' e fhèin am balach. Thug e mu fhichead mionaid co-dhiù a' cur an liubhairt a bha sin bhàrr a theanga, ach aon fhacal cha do thog mise ach *pons*. Rinn mi air an drochaid agus mar a rinn an sealbh, bhuail mi ann an triùir dhen bhuidheann againn fhìn, agus thoirinn-sa mo ghealladh nach leiginn às mo shealladh iad turas eile.

Thug sinn còrr agus seachdain san Fhraing, agus saoilidh mi gun robh mulad oirnn a' dealachadh nuair a thàinig an t-àm sinn sgaoileadh – a h-uile neach air ais gu a cheàrn fhèin.

Atharrachadh

Air mo thilleadh, dh'fhan mi greis an Glaschu. Nach robh an Sealbh gam fhaicinn. Cha robh mo bhanacharaid an *subway* a' dol, agus leis an sin 's e beagan siubhail a rinn mi feadh a' bhaile. 'S ann bhon a thill mi às an Fhraing air ais a Bharraigh a bheachdaich mi gu sònraichte air an atharrachadh a thàinig air dol an t-saoghail san eilean bhon a bha mi òg. 'S ann an 1926 a thàinig a' chiad chàr air tìr, agus bhiodh daoine an ìmpis an dà shùil a chall a' gabhail iolla ris. Nam biodh cailleach no bodach a' coiseachd an rathaid mhòir, nuair a chitheadh iad thar mhìltean bhuapa e bha iad a' gearradh bhàrr an rathaid agus a' falbh nan deann-ruith suas cliathaich na beinne. An-diugh, gu beagnaich, tha carbad mar sin aig gach doras agus na boireannaich a cheart cho fileanta ris na fir fhèin gu dhol gu cuibhill. A' falbh an rathaid mhòir, 's gann gun tèid agad air do bheatha a shàbhaladh leis cho luath 's cho pailt 's a tha na carbadan a' siubhal. Nach iad a tha sona dheth.

Dh'fhalbh an latha a chitheadh tu poca an t-seòladair, agus coiseachd nan sia mìle gu Bàgh a' Chaisteil. Ma tha cabhag ann, air neo nach toil le neach falbh air bàta, thèid iadsan gu port-adhair na Tràigh Mòire. Bheir an t-itealan a Ghlaschu iad an dà uair an uaireadair. Uibhist agus Beinn na Fadhla, na dùthchannan cèin air am bitheamaid a' faighinn eòlas bho àm gu àm nuair a bha mi òg – chan eil iadsan a-nis ach mar gum biodh iad an ath dhoras. Bidh mi a' dol air chuairt uairean a Bheinn na Fadhla. Cha toir mi ach beagan agus deich mionaidean san itealan bhon Tràigh Mhòir gus an ruig mi thall, agus aon uair 's gu ruig, chan eil strì agam faighinn bho Loch nam Madadh gu Loch Baghasdail. Glè thric chì thu *helicopter* mun cuairt. B' àbhaist dhi a bhith a' toirt dhaoine chun an taigh-sholais an Ceann Bharraigh. Tha mi air cluinntinn nach fhada a bhios feum air fir an sin idir gus frithealadh dhan t-solas. Bidh e a dh'aithghearr, air dhòigh 's gun obraich e leis fhèin. Chunnaic mi anns na pàipearan iad ag iarraidh reic dha na taighean-còmhnaidh an Ceann Bharraigh. Chuala mi gun robh clach air leth luachmhor sna taighean sin a thugadh à Sanndraigh. Shaoilinn nach iarradh neach fon ghrèin a dhol a dh'fhuireach gu àite cho fìor iomallach – ach chaidh feadhainn suas gus sùil a thoirt orra. Chaidh an eaglais a bha am Miughalaigh a reic bho chionn bliadhna no dhà. Nach iad na gaisgich a b' àbhaist a bhith na seachdainean ri laimrig le droch shìde an dèidh tighinn à Miughalaigh, a ghabhadh an t-iongnadh nam faiceadh iad an sealladh a chunnaic mise ron Nollaig 1979 – *helicopter* a' siubhal air ais 's air aghaidh eadar Bàgh a' Chaisteil is Miughalaigh, ròp slaodte rithe a' giùlain bathair agus i a' dèanamh an turais ann am fichead mionaid. Chunnaic mi cuideachd sna pàipearan bho chionn ghoirid Taigh Mòr Bhatarsaigh – seadh, na tha a-nis air fhàgail dheth – air a' mhargadh. Chan eil sgeul bho chionn beagan bhliadhnachan air Taigh Mòr Eòlaigearraidh – far am biodh an òigridh a' faighinn car cosnaidh rim chiad chuimhne, ged nach robh an tuarastal ach glè bheag. Tha seann taigh a' mhinisteir an Cuidhir a-nis aig Sasannaich, agus tha e glè fhollaiseach gun dèan gach aon a thig dhan eilean grèim nam bàirnich air, agus gum bi iad an seo tuilleadh. Cha dhroch innse sin idir air.

Chan fhaic mi caileagan a' buain dhìtheanan mar a dhèanadh iad nam òige-sa. Cha mhotha a chluinneas mi cion airgid air aon dhen òigridh. Chan eil iomradh a-nis air a bhith gu dìcheallach fad seachdain a' cosnadh an tastain a bheireadh dhan dannsa iad. Tha a h-uile dad cho furasta dhaibh. 'S dòcha gu bheil iad nan staid fhèin a cheart cho sona 's a bha sinne nar n-òige, ach tha e doirbh a chreidsinn gun gabhadh e a bhith.

Saoilidh mi gum bi tòrraidhean nas bitheanta am Barraigh aig an àm seo na bhitheadh iad nam òige. Chan fhaic thu an-diugh iad a' falbh dhen cois leis a' ghiùlan mar a b' àbhaist, agus cha mhotha a chluinneas tu glaodh dhòrainneach na pìob-chiùil. Cha chluinn thu a-nis diog dhen ghlaodh a bhiodh aig fear sònraichte nuair a bha iad a' coiseachd. An ceann gach tiorma, dh'èigheadh esan an guth làidir, "Seasaibh a-mach," los gun gabhadh feadhainn às ùr tarraing a' ghiùlain. Chan fhaic thu bean is clann air an t-seann dòigh, a' dol gu taobh thall an rathaid 's a' dol air an glùin gus soraidh fhàgail aig a' mharbh. Dh'atharraich a' chùis. 'S e aon oidhche a bhithear a' toirt a-nis ann an taigh na h-aire. An ath latha aig àm an fheasgair, tha an tòrradh a' dol dhan eaglais. Sa mhadainn an latharna-mhàireach, tha ìobairt an tiodhlaicidh san eaglais. An dèidh sin, dìreach mar gum biodh tu air Ghalltachd, tha an giùlan ga chàradh an carbad sònraichte agus a' gluasad air falbh, a' dèanamh air a' chladh. Ana-coltach ri tòrraidhean thìr-mòir, chan e aon charbad no dhà a bhios a' leantainn a' ghiùlain ach còrr math agus ceud carbad. Anns a' chladh an-diugh, 's ainneamh a chluinneas tu an osna 's an dòrainn a bha daoine an-còmhnaidh ag èisteachd an làithean m' òige aig a' mhionaid sin nuair a leigte sìos a' chiste. Tha daoine a-nis a' gleidheadh a' bhròin 's an dòrainn gus am faigh iad gu an dachaighean fhèin, agus tha a' chùis mòran nas fheàrr mar sin. Gun teagamh, cuiridh an fheadhainn mun cuairt seachad seachdain no dhà a' moladh an neach a dh'fhalbh – chan eil aon ghuth air na rinneadh de chàineadh air fhad 's a bha e sa cholainn-daonna; ach tha sin na fhàgail aig sluagh an t-saoghail. Chluinninn am Barraigh glè thric na seann daoine ag ràdh, "Ma tha thu airson do chàineadh, pòs – ach 's ann an dèidh do bhàis a gheibh thu do mholadh."

Cha chluinn mi aon iomradh an-dràsta air còrdadh no rèiteach. Gun teagamh, tha iad a' pòsadh; ach mar as trice tha cuideachd na bainnse a' togail orra dhan bhaile mhòr, far a bheil e nas fhasa dhaibh na gùintean sìoda agus gach goireas eile a tha feumail aig an àm shònraichte sin fhaotainn. 'S fhada bhon a dh'fhalbh feadhainn fuaigheil is gearraidh nan gùintean bainnse, agus cha chluinn thu othail thall no a-bhos an-diugh aig boireannaich air an rathad gu fonnmhor gus a dhol a spìonadh agus a bhruich nan cearc. Chan eil sin a-nis san fhasan agus is olc an airidh – ach an òigridh aig nach robh aithne no eòlas air an t-seann dòigh, cha bhi ionndrainn aca oirre. Chan eil aon an-diugh a' feitheamh fear a' chuiridh a' falbh bho thaigh gu taigh. Chaidh sin bàs, agus 's e cuireadh mar a th' air Galltachd a tha san fhasan – cairt a' tighinn leis a' phosta.

Nuair a bha mi òg, bha e anabarrach feumail do thè a bhiodh a' dol a phòsadh a bhith ann am fìor dheagh shlàinte. Gu fìor nach ise a dh'fheumadh sin, oir bha mòran a' feitheamh oirre agus aice ri frithealadh a-muigh 's a-staigh. Nam òige, cha robh aon tè dhe na boireannaich ag òl no smocadh, ach cha rachainn fada an urras gu bheil an t-ìm sin air an roinn sin anns an latha an-diugh. Cha ghabhadh tè air na chunnaic i a-riamh a dhol a shuidhe aig bòrd ann an taigh-òsta nam òige-sa; ach dh'fhalbh sin agus thàinig seo.

Gu mìorbhaileach, cha chluinnear iomradh an-diugh cha mhòr, air an aiceid a bha a leithid de ghioraig aig gach aon roimhpe – a' chaitheamh. Nam biodh aon an teaghlach do sheanar air an do bhuail a' bhochdainn sin uaireigin, chluinneadh tu cuid a dh'fheadhainn a' diùbhrasachd – "Bha e sna daoine" – agus cha bu bhuidhe do thè sam bith a bha càirdeach dhan treubh sin. Ged a bhiodh fear 's a chridhe an trom-gheall oirre, bha strì gun chiall ann ga stiùireadh taobh air choreigin eile; agus nach iomadh fiùran fearail a chaill a thuar 's a choltas nuair a thigeadh a' ghaoid sin na chuideachd. Bha an grèim aig an eug, agus cha robh tighinn às aige. Ach an-diugh chan eil iomradh air an aiceid sin san eilean, no air gach bròn is bristeadh-cridhe co-cheangailte rithe, agus bidh sinn buailteach air a dhìochuimhneachadh bho àm gu àm cò an Tì a chunnaic sin iomchaidh.

Thug mì iomradh mu thràth air na taighean ùra. Air an dearbh shlighe a bha mi a' leantainn gus a dhol chun a' Chaolais Chumhaing bho chionn dà fhichead bliadhna 's a còig, tha an t-sràid as àille de thaighean eireachdail, an dàrna fear a' toirt bàrr-urraim air an fhear eile ann an cruth 's an grinneas air an taobh a-muigh, ach fa chomhair an sùil iunntas nach gabh ceannach – eileanan is cuan fad an t-seallaidh. Air an taobh a-staigh 's e fàth smaointinn a th' annta, nuair a bheir mi sùil air ais air taighean Bharraigh nam òige.

Chan eil sgeul a-nis air an ùrlar dhubh no air a' bhrat ghainmhich. An àite sin thèid thu fodha cha mhòr gud ghlùin am brat-ùrlair bog tlachdmhor air a bheil dathan às gach seòrsa. Cluinnidh tu srann aig *Hoovers* air gach oisean, agus mu leig thu am facal às do bheul, tha an taigh grinn sgeadaichte gun dragh gun saothair. Chan eil inneal co-cheangailte ri cumhachd an dealain nach eil am follais. Tha srann aig tè dhiubh air nigheadaireachd agus thèid i air ais is dheth leatha fhèin. Cha ruig thu leas fàsgadh air an aodach. Tha inneal ann a nì an dleastanas sin, agus a chuireas gach bad aodaich a-mach cha mhòr tioram. An àite nam fàdan mòna a bha a' dol fo na h-èibhlean air an oidhche airson an teine a thoirt beò sa mhadainn ('s e smàladh an teine a theirte ris an seo), chan eil a-nis agad ach do làmh a chur air putan agus gheibh thu do thoil blàiths. Iarann chan eil ga chur air teine gu a theasachadh. Teasaichidh e leis fhèin, aig an dearbh ìre a bheil e dhìth ort, fhad 's a chuireas tu do làmh sa phutan.

Gheibh thu an *toast* gud mhiann ann an iomlaid na mionaid a-mach à inneal cho eireachdail 's a chunnaic thu a-riamh. Nam òige cha robh feum air a leithid ann. Cha robh an uair sin san fhasan ach na breacagan arain. An-dràsta bithear a' fuine ach 's ann mar annas, agus rinn mi smaointinn agus fiamh-ghàire nuair a chuala mi o chionn ghoirid, asard gun tomhas aig boireannaich a' bhaile air thòir na beagain mhine Innseanaich a thàinig às ùr à Bhatarsaigh. Sin an dearbh thè – i fhèin agus an rionnach – air am bitheamaid a' tàir ann an làithean m' òige, agus 's e an nì as cinntiche gum b' eòlach mo dhà sheanair-sa air blasad orra le chèile gu math tric.

Eadar gach fasan ùr a th' ann, nach ann a thuirt mi rium fhìn mu dheireadh thall gum faighinn inneal nigheadaireachd, los nach ruiginn a leas mo làmh a chur am bogadh nam sheann aois. Chan eil agad an-diugh ach an gabadh as fhaoine a thoirt air do bheul ag iarraidh, agus abair thusa! Cha bhi dìth rogha is taghaidh ort, ach idir an t-airgead a bhith agad.

Cha robh i fada bhuam, agus is rìomhach dha-rìribh i mum choinneamh. Thug mi làmh oirre uair no dhà, ach 's ann a th' air an sin naidheachd eile nach bi mi ag innse. Eu-coltach ris a' chaillich a bha a' caoidh nach robh an dà theanga aice, chan eil an aon tè fhèin aicese no iarraidh oirre, agus tha e a cheart cho glan. An rud a chì i an-diugh, chan innis i a-màireach, agus tha mise a' toirt taing dhan t-Sealbh a chionn sin. Ach thug mi ainm oirre – ainm a' bhàta a bh' aig mo sheanair o chionn fhada an t-saoghail (an *Try Again*) – ach 's ann an Gàidhlig. Gun teagamh, cha do ràinig a' chùis fhathast co-dhiù an ìre a ràinig tè a fhuair *pressure cooker*. A cheart cho luath 's a fhuair i gu dol e, rinn i na deann air taobh eile an taighe agus theann i air dìdeag air tron uinneig agus i dearbhte cinnteach gun spreadhadh e mionaid sam bith. 'S dòcha, cleas an damhain-allaidh aig an Rìgh Raibeart, gun tèid leam air an t-seachdamh ionnsaigh!

An Seann Iasgach is Eile

Ann am Barraigh aig an dearbh àm seo, cha mhòr gum faic thu sealladh air deargadh èisg ach an t-iasg reòthte a cheannaichear anns a' bhùth. Gun teagamh, tha beagan iasgaich a' dol ach tha na h-iasgairean teòma a' reic na shaothraich iad ri ghlacadh ri luchd an taigh-èisg an Àird Mhighinis shìos sa Bhàgh a Tuath. Tha deannan fhear is mhnathan an sàs an grèim cosnaidh mun taigh-èisg sin, air clàr na dùthcha. 'S dòcha nach biodh neach gun iasg a dhèanadh an t-astar eadar seo 's am Bàgh a Tuath, ach nach fada an t-astar sin an-diugh seach nuair a chuir mise eòlas an toiseach air! Nam biodh saod agad air faighinn sìos gun a choiseachd, bhiodh an tagradh leat.

Cha chluinn thu iomradh an-diugh air neach sam bith a' dol gu carraig. Bha sin mar chleachdadh aig gach ceann teaghlaich sa bhaile bheag againn fhìn ann an làithean m' òige. Chì thu fhathast air a' charraig na slugagan anns am biodh na fir a' pronnadh an t-suill gus a' charraig a bhiadhadh mun teannadh an t-iasgach. 'S e deagh àite-cèilidh cuideachd a bha sa charraig, far am biodh fir a' bhaile ri dibhearsain agus ag innse naidheachd.

A bharrachd air iasgach nan slat, bho àm gu àm bha fir a' bhaile a' dol còmhla mu thàbh. Nuair a bha mi mu naoi bliadhna a dh'aois, bha *Òran nan Tàibh* air tighinn am bàrr, agus sùrd aca air sna taighean cèilidh.

Ma phronnas mi urchar san t-slugaig
'S gun éirich e chluiche ann am bàrr,
Gum bi mi fo iomagain 's fo mhulad
Nach tòir mi le dubhan às tràth.
Ach nam bithinn mun skimmer,
Ged chosgainn ris iongag de shnàth,
Gum faighinn nas leòr dhith sa ghlumaig
'S gun rachadh an dubhan dhan phàn.

Aon uair 's gun cuirte crìoch air an tàbh, cha robh feum idir air an dubhan. Bha an fheadhainn sin a chaidh mun tàbh a' faighinn tumadh mu seach dheth sa ghlumaig, agus bu shunndach an ceum a' tilleadh dhachaigh leis an tràth. 'S tric a dh'èist mi rim athair ag èirigh an glasadh an latha 's e a' dèanamh air Carraig an Radain thall mun t-Sruth, agus bhiodh e air ais dhachaigh leis an tràth mu falbhamaid dhan sgoil.

Glè thric air an fheasgar bha fir a' bhaile, an dèidh a bhith trang fad an latha, a' falbh gu maghar. 'S iad fhèin a bhiodh sunndach a' togail orra. Ged a bhiodh iad a' dol gu banais, cha bhiodh a leithid de shogan orra. Bhitheamaid nar cloinn a' feitheamh na mionaid gus an nochdadh an sgoth a-staigh am bàgh an dèidh an iasgaich. Bha sinn uile a' dèanamh air an laimrig, agus sinn air bhiodan a' feitheamh roinn an èisg. Bhiodh roinn mu choinneamh gach fir a bha a-muigh ag iasgach agus roinn a bhàrr aig an sgothaidh. An siud 's an seo air feadh nan creag, a bha iad a' caitheamh an èisg na roinnean gus an teirigeadh an t-iomlan. An sin bha fear a' dol sa chùil, sgrìob air falbh bhon iasg agus aghaidh taobh eile, agus bha fear eile dhen sgioba ag èigheach – agus sinne gu furachail a' gabhail beachd air agus colgag a' dèanamh an taghaidh – "Cò aige am bi siud?" agus bha fear na cùil a' freagairt, "Bidh aig Niall." An ath thuras a dh'èighte, "Cò aige am bi siud?" chluinnte am fear eile a' freagairt, "Bidh aig mo ghoistidh." Agus sin an dol a bh' ann gus am biodh an riarachadh ullamh. Agus an sin bha sinn fhìn 's iad fhèin a' dèanamh gu sunndach air na taighean.

Bho àm gu àm bhiodh na h-iasgairean a' dèanamh air an oitir leis na linn-chaola air thòir na lèabaig, ach bha iad an toiseach a' dol dhan tràigh luga gu biadhadh fhaotainn. Bha an sin gach fear a' suidhe gu socair ri taobh an sgùlain agus a' cur biadhaidh air gach dubhan dhen lìon-chaol. Bha na lèabagan air leth blasta fhad 's a bha iad ùr, ach cha robh iad nan annlan cho tlachdmhor nuair a bhiodh iad greis an sailleadh.

Car mun t-Sultain, mhothaicheadh fear do chnap rionnaich a' cluiche sa bhàgh. Bha iad sa mhionaid a' càradh orra leis an lìon-sgadain agus a' lìonadh na sgotha leis an iasg. Bha iad ga shailleadh agus bha e glè bhlasta leis a' bhuntàta, ach bha car de cheann sìos air. Cha robh ann ach biadh nan truaghan bochda.

Ach nach i a' chuibheall a ghabh an ana-char bhon uair sin. 'S e car de dh'annas a tha an-diugh san rionnach. Leugh mi am pàipear-naidheachd bho chionn ghoirid feadhainn a bhith ag iarraidh cus de chinn chaorach. Nach b' eòlach orra sinn nar n-òige, ach a-rithist bha a leithid de cheann sìos orra mar bhiadh, agus nan cluinnte starram mun doras an àm a bhith ga dheisealachadh, bha bean an taighe ga thilgeadh a-staigh fon bheinge. 'S goirid ma dh'fhaodte, gus am bi an ceann caorach air a' phutan ris a' ghiomach mar annlan. Nach iomadh car a chuireas an saoghal dheth.

Tha ùine mhòr bhon a chaidh na h-eich à fasan am Barraigh, a dh'aindeoin iad a bhith air an cunntais air leth cruadalach. Bho chionn dhà no trì bhliadhnachan 's ann a ghabhadh ùidh às ùr annta. 'S fhìor thaitneach leam an naidheachd a chuala mi bho chionn ghoirid. Thill càraid a bha air thaigheadas am baile Ghlaschu dhachaigh a Bharraigh. Fhuair iad fearann. Nach iomadh feadhainn a thilleadh an-diugh nam faigheadh iad a leithid cheudna. Thog iad taigh dhen fhasan ùr gu h-eireachdail ri taobh an rathaid. Shuas os cionn an rathaid tha a' mhòinteach a chumas an toil connaidh riutha, agus cheannaich iad each gus tarraing na mòna. Saoileam fhìn am feuch e cleas na làire bàine orra sa chiad dol-a-mach? Chuala mi gun do rinn Iain Beag clèibh is plàta dhen t-seann fhasan dhaibh, ged a shaoil mi nach robh aon air fhàgail mu na sreathan a dhèanadh a leithid siud dhaibh an-diugh. Gum bu fada bhios an comas aige eòlas a thoirt dhan òigridh làmh a thoirt air a cheart leithid, agus gum bu fada connadh air druim an eich ùir. 'S iad na làraidhean agus na tractaran a bha a' dèanamh cobhair air daoine bho chionn deannan bhliadhnachan a thaobh tarraing feòir, arbhair, guail, is ghoireasan cudromach sam bith eile air an cuirte feum. Cha dèan a h-aon dhiubh sin feum sa mhòintich sin, far a bheil an talamh cho mì-chothrom. Ach thèid aig an each air aisridh fhaotainn air a feadh, agus nach math an naidheachd sin. Tha an gual an-diugh cho daor ris an aran mhilis, agus tha gu leòr de dhaoine taingeil toilichte làmh a thoirt aon uair eile air a' mhònaidh – connadh air an robh mise mion-eòlach an làithean sòlasach m' òige.

Nuair a fhuair sinn cumhachd an dealain am Barraigh ann an 1967, bha daoine taingeil toilichte gun rachadh aca air aon chaol fhèin fhaighinn air bogsa an TBh, agus b' e sin BBC 1. Bha sinn a' pàigheadh na h-aon chìs sa bhliadhna 's a bha muinntir thìr-mòir, ged a bha e comasach dhaibhsan tionndadh gu caol sam bith. Bho chionn beagan agus bliadhna fhuaras seòl air crann a chur air bidean an siud 's an seo, los a-nis gu bheil sinn air thrì neo-ar-thaing agus sinn a' faighinn caol mu seach air a' bhocsa. Chan ann air an sin a-mhàin a dh'aithriseadh an sgeul. Nach ann a tha a-nis dealbh le dathan againn dìreach mar a th' aca air Ghalltachd, agus tha sinn am mullach ar sòlais.

Nuair a bha mi nam chaileig, bha seann duine còir a' fuireach faisg oirnn agus bha e mar fhasan aige daonnan nuair a chluinneadh e naidheachd mu dheidhinn innleachd ùr a thàinig am follais, a bhith a' meòrachadh fad mionaid – agus an sin a' tachas a chinn, theireadh e, "'Ille – m' anam fhìn, nach e an saoghal a tha ag adbhansadh." A thaobh 's gun robh am facal cho annasach, thog clann bheag a' bhaile againn fhìn e agus bhiodh sùrd againn air bho àm gu àm, ged nach robh tuigse fon ghrèin againn gu dè bu chiall dha. Nam biodh am bodach bochd sa cholainn-daonna an-diugh, nach e a chuireadh an uibhireach air dol an t-saoghail.

Air an dearbh sheachdain seo – an dàrna seachdain dhen Chèitean 1980 – tha mi nam shuidhe sa Ghleann agus fèath nan eun ann. Tha gach doras is uinneag aig gach taigh sa bhaile sraointe fosgailte, agus na h-eòin bhuchainn a' ceilearadh gu ceòlmhor air gach taobh, agus cuthag ghorm a' sìor thoirt "gug-gù" aiste los nach dèan sinn dìochuimhn' air an astar air an tàinig ise a chur flath is fàilte an t-samhraidh oirnn. Tha sìth an seo – "O, sìth nach d' fhairich cridhe duine a-riamh."

Tha fear an rèidio dìreach air innse do mhuinntir an t-saoghail a tha ag èisteachd nach cosg e dhut a-nis ach còig cheud punnd Sasannach a dhol air chuairt chun nan dùthchannan as fhaide dhan ear. An duine bochd, feumaidh nach robh e a-riamh am Barraigh. Nam bitheadh 's gun seòladh e an taobh seo iad, thèid mi fhìn an urras nach iarradh iad a cheòl no a dh'aighear nas àille na 'n Gleann sa Chèitean shamraidh no na sòbhraichean mar leugan a' boillsgeadh air machaire Bhatarsaigh.

A-mach am bàgh, chì mi long-sgairteil loma-làn dhen luchd-turais air an do sheall an Sealbh agus a ràinig Tìr nan Òg, a' dèanamh gu sunndach air Miughalaigh a thoirt sùil air ais air saoghal a tha a-nis seachad. Bheir iad greis mu na làraichean a dh'fhàg iadsan a chuir seachad am beatha ann air bheagan teachd-an-tìr agus a dh'aindeoin cruas an t-saoghail, agus bidh na h-eòin mhara a' sìor sgreadail air aghaidh nan creagan corrach glasa mar bu dual, a' cur an t-saoghail aca fhèin air aghaidh a dh'aindeoin cò a dh'fhalbhas no a thig. Tha fear an rèidio air mo ghrad-dhùsgadh air ais bho Mhiughalaigh, ag innse gu bheil cuid de luchd na dreuchd dhan tug mi spèis mo chridhe air a dhol air trèan ann an Glaschu air an rathad gu Lunnainn gus gearain a dhèanamh ri muinntir na Pàrlamaid mu bheagan tuarastail. Chan eil teagamh nach eil sin feumach san latha an-diugh; ach anns a' Chèitean, tha mi ag amharc a-null air Bhatarsaigh, far an robh mi an tùs mo làithean air naoi notaichean sa mhìos, agus feumaidh mi aideachadh nach bithinn am brògan nam feadhainn sin a th' air an dearbh mhionaid-sa air an rathad san trèan gu Lunnainn airson òr Fhir Shanndraigh.

Air an t-seachdain seo cuideachd, tha sagairt an dà sgìre am Barraigh air soraidh fhàgail againn. Chuir am fear a bha aig deas seachad ceithir bliadhna deug an seo, agus am fear a bha aig tuath – Maighstir Calum againn fhìn – sia bliadhna. Chàirich iad orra le chèile gu crìochan ùra, agus tha sinn a' guidhe gum bi saoghal sona sòlasach aca le chèile an taobh an deachaidh iad.

Airson ar cuid-ne dheth, faodaidh sinn a bhith air leth taingeil cò an t-urra a thàinig thugainn aig a' cheann a deas dhen eilean. Chan ann na choigreach dhuinn a tha e. Chuir sinn an deagh eòlas air mu thràth, nuair a bha e ann am paraist a' Bhàigh a Tuath. Fhad 's a bha e am Beinn na Fadhla, chuala sinn a ghuth glè thric air Rèidio nan Eilean a' tagradh iomadh cùis às leth Uibhist is Bharraigh. 'S e their sinn ris an sin, "'S fheàrr caraid sa Chùirt na crùn san sporan." Tha fios againn, ann an càs na h-èiginn, gu bheil e ullamh, ealamh, uidheamaichte gu bruidhinn às ar leth a dh'aindeoin gach uallaich eile a tha ma choinneamh.

Tha sinne mar chaoraich agus ar ceann thar ar gualainn a' feitheamh stiùiridh bhon chìobair ùr. Anns a' chiad dol-a-mach guidheamaid dha

seòladh socair, farsaing, rèidh;
Sruth is soirbheas às a dhèidh,
Gus an ruig e cala tioram,
A h-uile là gu ceann a rèis.

Bho chionn beagan sheachdainean dh'fhosgladh dorais an taigh-eiridinn ùir am Barraigh. Nach b' e sin gu fìrinneach an latha òr-bhuidhe. Bhon as cuimhneach leam, bha a h-uile neach air am buaileadh euslaint ga fhògradh taobh a-mach an eilein gu Loch nam Madadh, Uibhist no àite sam bith a ghabhadh roimhe mura robh neach air fhuran fhèin ghabhadh a chùram. Chruinnicheadh às gach ceàrn iad sin dhachaigh gu an dùthaich fhèin. Nach sona dhaibh! A' chiad phriobadh a thig air an sùilean nuair a ghlasas an latha, coimheadaidh iad le taitneas a-mach air creagan corrach glasa Bharraigh, agus lìonaidh an cridhe le sòlas is taitneas a thaobh a bhith air ais aon turas eile an dùthaich an seanar. Às gach ceàrn thig an càirdean 's an luchd-eòlais a h-uile feasgar a chur seachad greis dhen ùine còmhla riutha, agus bidh iad sona sòlasach ag èisteachd blas na Gàidhlig air clàr an dùthcha fhèin. An fheadhainn aca aig a bheil comas nan cas, faodaidh iad càradh orra a-mach cuairt air feadh nam bùithtean no a choimhead air an càirdean. Chan eil bann no ceangal orra gus fuireach a-staigh fhad 's a ruigeas iad aig àm bìdh.

Tha còrr is leth-cheud bliadhna bhon a rinn mi fhìn 's mo bhana-chompanach nach maireann an turas sònraichte sin chun an dannsa aig fosgladh Talla a' Bhàigh a Tuath. Sheas i glè mhath on ùine sin ris gach gaoith is gailleann, agus nach iomadh oidhche thoilichte a chuir sinn seachad innte. Bha iomradh an-uiridh air talla ùr a chur na h-àite air neo ath-nuadhachadh sònraichte a dhèanamh air an t-seann tè. 'S gann gun gabh e a bhith, a dh'aindeoin a cruth-atharrachaidh, gun tèid ceumannan dannsa nas toilichte a dhèanamh innte na rinneadh nuair a bha muinntir a' bhaile bhig againn fhìn aig ìre faram a dhèanamh air na clàir – ach theagamh gu bheil mi a' dèanamh mearachd.

Chaidh innse dhuinn gun robhar a' togail eaglais ùr ann a Bhatarsaigh. An tè a th' ann, thogadh i glè ghoirid dhan àm a thòisich an sgoil ann an Taigh Mòr an tuathanaich. Is math an naidheachd sin. Chan eil dad de bhlàth air an eilean sin gu bheil dùil aige am bàs fhaighinn. Mar a h-uile rud eile, cosgaidh an eaglais ùr iomadh mìle punnd airgid, ach chan eil teagamh agam nach tèid a togail, agus tha dòchas làidir agam gun tig an t-àm nuair a bhios gach croit aon turas eile agus fear mu choinneamh gach tè dhiubh.

Chuala sinn cuideachd gu bheil iad a' dol a thogail sgoil ùr ann am Bàgh a' Chaisteil a chosgas còrr agus deich ceud mìle. A rèir a h-uile coltais 's e sgoil air chruth an-àbhaisteach a bhios innte sin. Bidh glumag innte gus gillean is nigheanan snàmh ionnsachadh, agus gu fìor 's e gnothach air leth feumail a tha sin – gu h-àraidh san eilean seo, far a bheil òganaich cho tric ag iasgach mu na cladaichean.

Dè Tha Romhainn?

Thug mi sùil glè fhada air ais – còrr agus trì fichead bliadhna. Ged nach fhàisnich mise mar Mhac a' Chreachair, thèid mi cho dàna 's gun toir mi sùil sgrìob air aghaidh.

Fon ghrinneal sa Chuan an Iar – dìreach mu na sreathan sin sam biodh na h-iasgairean a' faighinn sealladh air Rocabarra anns na linntean a dh'aom – tha an ùill na liagha a' feitheamh o chionn chaogadan airson a toirt am bàrr. An ceann beagan bhliadhnachan ge bith cò bhios beò 's a chì, sin far am bi am fuaim 's an t-straighlich aig bàtaichean len innealan tollaidh air thòir an ionmhais ùir. Thig iad às an ear agus às an iar, dubh agus geal – oir 's e an aon dath a th' air an cuid airgid – a cheannach caob de dh'iomair an grunnd a' chuain. Ma thèid leudachadh air port-adhair Steòrnabhaigh mar a tha cuid an dùil, eadar sin agus coigrich Bheinn na Fadhla, 's ann an uair sin gu fìor a dh'fhaodar Innse Gall a ghabhail air na h-eileanan bòidheach againne.

Abraidh mi gun tèid dualchas an aghaidh nan creag, agus gun seas clann nan eilean a' cur an cinn ri chèile agus an casan an tacsa, agus nach leig iad le aon fon ghrèin a' Ghàidhlig a phutadh an comhair a cùil. 'S dòcha gum faicear srian air stuaghann a' Chuain an Iar los gun slaodar cumhachd an dealain bhuapa. Tillidh clann nan eilean air ais a-rithist gu an crìochan fhèin, agus aon turas eile bidh sluagh a' còmhnaidh ann am Beàrnaraigh Cheann Bharraigh, ann an eilean bòidheach Mhiughalaigh agus ann an Sanndraigh agus am Pabaigh, agus itealan aig gach aon a' siubhal air ais agus air aghaidh mar a thoilicheas iad air ceann an gnothaich, agus gun aon dhiubh a' cur a làimh na cheap do dh'aon mhac màthar le cainnt choimhich. Bidh gach aon sna bailtean air tìr-mòr anns a bheil am boinne as fhaoine de dh'fhuil chloinn eileanach, deònach an leth-dhubhag a thoirt air iomall fhaighinn de chriomaig fhearainn air aon dhe na h-eileanan mu dheas.

Bidh Bhatarsaigh le drochaid àlainn tarsainn a' Chaolais Chumhaing, agus carbadan a' siubhal a-null 's a-nall às mar a thogras iad dìreach air an dearbh shlighe sin air an robh mise a' dèanamh mo rathaid o chionn dà fhichead bliadhna 's a còig, am measg puill is chreagan gus a dhol tarsainn a' Chaolais air an aiseag.

An t-aiseag – tha fuaim an fhacail gam thàladh air ais chun na dearbh mhionaid seo a th' againn. Bu dual is bu chleachdadh dhomh a bhith glè thric a' feitheamh an aiseig. Gu sealladh an Sealbh orm, agus gum faiceadh am Freastal freagarrach m' fhàgail tacan eile mu na:

Cladaichean is caolais far a bheil mo dhaoine,
Far an robh mi aotrom is gòrach.

Tha cus ann bu mhath leam fhaicinn is ionnsachadh fhathast mun tèid mi air a' bhòidse mhòir.

A' toirt sùil san dealachadh a-null air Bhatarsaigh – eilean maiseach nan sòbhraichean 's nan tràighean deàlrach airgid – 's e mo dhùrachd dhaibh thall an sin:

Gum bu h-èibhinn gach fear is tè dhibh
A h-uile latha fhad 's a bhios sibh beò ann;
'S an sin nur n-àite thig sliochd bhios bàidheil,
Chur cliù air àilleachd an eilein 's bòidhche.

A' Chrìoch

*In grateful and loving memory
of my mother and father,
my sisters and brothers and
wishing every blessing upon all who had been
entrusted to my care.*

My Journey

Elizabeth Campbell

*Translated from the original Gaelic
by Mary F. Galbraith*

Contents

FOREWORD

"Air mo Chuairt" was written by Elizabeth Campbell in Gaelic and published by Acair in 1982. Elizabeth, or "Ellie" was well-known to me. A friend of my mother, a fellow islander, and a fellow member of the teaching profession, I was as surprised and delighted as any to learn in 1977 of her invitation to be honoured by the Queen in Buckingham Palace with an MBE for her services to the tiny community of Vatersay! Ellie was teaching in Castlebay school at the time that I was a pupil there. Whilst she was not my own class-teacher, I remember her filling in on occasions for Miss MacDonald, and teaching us reading and poetry.

I first decided to translate the book after meeting Ellie's niece and nephew in Melbourne, Australia in 2008 when both my own dear brother Kenny MacKinnon and Ellie's nephew Kenny Stewart had died. The Stewart family were aware that their aunt from Barra had written a book, and they had a copy, but being all in Gaelic, they were unable to read it. I told them that I would maybe attempt to translate it for them one day!

In 2011, I set about translating the book so that they too could "meet" their aunt Ellie, who had sadly passed away on Good Friday 17th April 1981. The family were thrilled with the original, handwritten draft translation of the book. I decided, before my time would pass too, that I would attempt to complete and publish the translation, so that a more permanent copy of Ellie's book in English would be available, and open to others who may wish to learn of the life of this remarkable lady.

In the process, I enjoyed re-acquainting myself with Ellie herself, and with some familiar stories from home. Like her, and many other island women, I went on to teach after school, both in Glasgow and the islands before settling in West Lothian. Over the years, my knowledge of my mother-tongue, Gaelic, has been called on by learners keen to progress their understanding of the language.

Therefore, it is with the Gaelic learner in mind, and with respect for Ellie's own unique style, that I have kept this translation as true to Ellie's own words as possible. Where a phrase does not directly translate into an English equivalent, I have included a footnote to explain the literal translation, so that anyone choosing to read the original text alongside this translated version would find the Gaelic accessible.

Ellie's voice carries the narrative well, in her own direct and personal style – indeed, for most of the book it is almost as if she were in the room talking to you! In the English version which follows, I have added some punctuation to the original phrasing where needed for clarity.

Mary Flora Galbraith

Elizabeth Campbell in the classroom

THE BEGINNING OF MY YOUTH –
MY EARLY CHILDHOOD

On a beautiful day in May, so hot that the raven was hanging out its tongue[1], I came into the world in a very beautiful little village at the north end of Barra. Of course, there was nothing surprising about that – my sort were coming into the world at that time – in the year 1913 – much more often than happens nowadays. There were eight or more of a family in each house in our own small village, though there aren't many left there today.

The first memory I have is of sitting at the end of the house, with my sisters and brothers laughing heartily at me. They had just informed me that we also had a father just like the other little children in the village. This was indeed a strange piece of news for me because I could not remember having ever seen him in front of my own eyes[2]. I understood that he was away in the war, though I didn't really know either what the war was, nor where he was[3].

I well remember the day I first saw my father. He appeared from over the little hill – a handsome man, neat and tidy and wearing a round beret on his head and dressed in a naval uniform[4]. I did not like that[5]. I screeched and screamed[6]. I was rocking the cradle in which my youngest brother lay, outside at the end of the house whilst my mother was milking the cows down beside the byre. The stranger who came over the grassy knoll lifted the baby from the cradle and grabbing my hand firmly, continued down to where my mother was. I was nearly having a heart attack in case he would take her away to the war!

My father was a jovial and helpful man. He was quite proud that he could speak a little English. There wasn't a night while he was home that the youth of

---

[1] In the Gaelic this line reads "On a beautiful day in May, when the raven was hanging out its tongue" The remark about the raven is an idiomatic expression meaning that it was blistering hot.
[2] The literal translation would be "in front of my two eyes"
[3] More literally, Ellie's phrase is "I neither knew too well what the war was, nor where he was"
[4] The word used is "èideadh" – literally "outfit"
[5] Literally "That did not make music for me".
[6] Literally "I let the bells ring"

the village did not congregate at our home to listen to the tales about the navy, and to join in when he was having a go at singing the interesting little songs which they used to sing during the war. Even at a distance you could hear "It's a long way to Tipperary..."[7] It was a fact that the youth of the village became so familiar with the stories that they were able to fill in the gaps if there was any hesitation in the story-teller's speech; and who would not be happy in such joyful company?!

My loving, gentle mother had neither writing nor schooling any more than the other women in the village. In the type of life that they lived there wasn't much need for schooling. Each of them was just as busy outside the house as inside. They worked at the seaweed, harrowing[8] in the fields and planting the wheat and potato seeds. It was potato rows they had in our little village and it was with a hand-dibble that the women planted slices of potatoes. When the hole was made, I really enjoyed as a young girl, having the chance to pop the slice of potato in the hole. The slice had to have an eye or the plant would not grow in that hole.

At home, my mother, and every other mother in the village, was busy, busy. They would be baking two or three rounds of bread each day, for there was no bread, as we are accustomed to nowadays, to be had where we lived[9] at that time. We preferred the wheaten bread, but rounds of wheat and Indian meal and oatcakes were also baked. A young girl in those days loved to get some of the dough to make a small scone at the baking board and then place it on the griddle.

It was potatoes and fish that we had most days at dinner time. I can just remember the chain of the chimney and the hook for the pot. Then the stoves came into fashion. They were black and every chance you would get, you would apply black lead to see if it would sparkle brighter than any other in the villiage. Despite having the stove, it was no great pleasure dealing with the pale peat,[10] and the black lumps of peat which were almost as good as coal were in short supply. One Sunday in that golden year when "The Politician" foundered[11] on

---

[7] It's a Long Way to Tipperary was a song written by Jack Judge and Harry in 1912 which became popular with the troops in 1914. Lyrics and audio are readily available on various websites including http://www.firstworldwar.com/audio/itsalongwaytotipperary.htm

[8] A harrow was an implement like a large rake, used to break up the soil.

[9] The expression used means "Quarter"

[10] The expression used in Gaelic also implies it was a chore/an unpleasant task

[11] POLITICIAN 1941. The 'Politician' was a vessel laden with a cargo of whisky, which sank of the shores of Eriskay in 1941 and became famous when it inspired the book 'Whisky Galore' by Compton MacKenzie – which was made into the film in 1949.

the shore of that "beautiful isle of youth" (Eriskay), a boat with a jolly bunch of crewmen was seen entering the bay. My beloved mother was striving hard to get the kettle to boil. She was having great difficulty stoking the pale peat. One of the young men got up from his chair and said "You allow me to get it" and, pulling out a big bottle from his pocket, he poured a good dash of the beautiful golden-coloured liquid on the pale peats. You can imagine how she nearly jumped out of her skin and the young lad said "There's still plenty in the pit where that came from!"

My mother used to spin. First she would comb the sheepskin with her fingers clearing each piece of heather or thorn from amongst the fleece. Then she would take a hand at carding the wool and placing the lovely rolls or coils of wool in a basket beside her. Then the spinning wheel was put to use and we would sit as if stiffened and stuck in our chairs watching the spinning process and listening to the humming song. The spindle was most interesting to watch as it twined and twisted the strands of wool. We really liked having the chance to make the wool into balls. The lady of the house,[12] mostly in the evenings, knitted socks and all sorts of items of clothing which we neeeded.

After milking time morning and evening, any milk not required by the family was left to settle in clay basins until the cream formed on it. The clam shell was very suitable for skimming the cream off, before pouring it into the large churn which was coloured brown on the outside but actually the colour of the cream itself on the inside. My word, you may be sure that when churning day arrived there was plenty of fuss! Ours was an old-fashioned churn. It was a bit like a barrel but it was iron bands that kept the staves of wood together. We would nearly break our necks to get a shot at the churn-staff. Each of us knew only a small portion of the rhyme "Thig a chuinneig, thig..." (Come, churn, come!..)[13] that my mother used to sing at churning time, but in spite of that it did ease the work a lot. A drink of buttermilk was very tasty when the churning was finished and then we took to the hills to play in the little heaven where the children of our village spent most of their time. Even when you were asleep, the pleasant games you were going to play the next day went through your mind. It's a pity that children are not allowed to play as long as they like at that age until they are completely satisfied and while they have the inclination to play.

---

12 i.e. the wives and mothers.
13 This song was recorded by Calum and Annie Johnston in their collection of songs and stories from Barra, published by the School of Scottish Studies. Details are included in the online library "Tobar an Dualchais".

Now children were particularly fond of listening to stories when I was young. Whether true or false, it did not worry us. My mother had been brought up on Fuday Isle where her father was a shepherd. There were seven of a family but they were the only family on the island. I used to thank the Lord that it was not I, because I could not have managed without the group of friends always at my heel. I well remember my mother telling me of the illness from which my grandfather suffered and it was the cause of his death – an illness for which there was no cure at all at the time. It was diabetes. There was always a container of water and a cup at his bedside. He passed away from this world during the night.

As soon as dawn broke, my granny and Aunt[14] Mary (my mother's sister) went by little boat with two oars to reach Bruernish to collect some people and prepare for the funeral. My mother, she was the second oldest, was left in charge of the home and the rest of the family while her mother was away. She was put in charge of the end-room of the house and ordered to keep the door closed where the body was laid out. Though she was only twelve years old there was nothing for it, it had to be done. At last, evening came and the small group left on the island were overcome with sadness. They headed for the shore and they were there with the sandpipers[15] beside the ocean until they got some relief when they heard the sound of the oars – the boat coming back.

After my grandfather died, my grandmother and the family were not allowed to remain on the island – a poor widow, with seven of a family, left without a home! Men were sent to the island to set fire to the house but they were merciful and kind. They said "We have to do our duty as we have been asked to do but you extinguish the fire as soon as it starts." That's exactly what they did. Shortly after that, some kindly folk from Bruernish came to their assistance and they were provided with a little house in Bruernish. I was really relieved when the news came from Bruernish and I realised there were plenty of people in the village.

My granny's house was called "Tigh na Caillich"- the old woman's house. When the family grew up a very small stone house was built. The house is still there.

Many very gracious people used to travel some distance on foot to visit in my granny's home. They wore beautiful clothes and very smart hats. Which young

---

[14] There is no direct translation of the English word "Aunt" – the Gaelic description specifies whether it is "my mother's sister" or "my father's sister"

[15] A sandpiper – a shore bird

girls would not have taken the opportunity to see if the hats would suit them!

"Tigh na Caillich" was indeed a meeting house where the local men met every evening to play cards, relate stories and sort out any serious problems to do with crofts or boats. Very often I would be crouched beside the fire, with eyes and ears alert in case I would miss any of the details. They always played "Catch the ten" when playing cards and the hand-clapping and foot-tapping and bursts of laughter could be heard when there was a "rawl" – that's what they called it when one of the teams won all the hand of cards. It was a peculiar delight to the children to see fully grown men who to all appearances were responsible adults, so full of happiness with their lot in the evening when the 'rawl' was the only thing that altered their demeanour.

Sgoil a' Mhorghain[16] – Northbay School

I went to school – Northbay School – when I was five years of age. No wonder that I will never forget that particular day. When we got out of school a friendly young boy said to me as he grasped my hand "I will take you home." As luck would have it, who was up on the little hill beyond our house but a kindly though mischievous woman from our neighbourhood. Her only interest was in fun and laughter. She noticed us coming and lo and behold, I paid dearly for that occasion! Ever after that she kept teasing me about this boy, but the worst thing was that she would arrive at our house before me and she would play the same teasing tune in front of my father and mother! "Did he come home with you today?" she'd ask. I suffered because of the little lad's kindness and my lady friend's joking and teasing – but she meant it all in fun, not in any badness.

Now I was very excited about going to school on the first day. For a long time I had looked forward to growing up so that I could go to school. But oh, dear me! By the end of the week my high hopes were dashed! It seemed to me that everyone else in the school was very clever. Our lady teacher who was a fluent Barra Gaelic speaker spoke to us only in precise English language most of the time. I knew only "yes" and "no" in English and I was mystified. Not only did she speak English but she had a strange accent as if she came from London or America. As I grew older, I came to understand that Gaelic was the language of the lower class, and if you could speak even a smattering of English you had to

---

[16] The name literally translates as "the school on the gravel." The school is located near a gravelly bay between Northbay and Baile Nam Bodach.

practise and learn it as soon as possible so that you would be as good as the rest!

There was nothing in school to cheer or interest you except a frame on which were strung balls of all sorts of colours.[17] There was absolutely nothing to play with and you were on tenterhooks waiting your turn for the abacus and you could hear each person one at a time counting "one, two three, four…" and you could swear that each one was just back from London according to their accent and the way they spoke!

I was now fed-up being uneducated and unable to speak. One day I heard one girl calling to the teacher "Please, telling lies." Three days after that I put my hand up and called out exactly the same words though I didn't know what on earth it meant (better to be minus your head than not be in the fashion!)

At that time work and money were scarce in Barra but most people were in the same boat. There were a few fortunate folk who owned fishing boats. They hunted for herring with mesh nets. It was a green boat named "Cheerful" that came into Northbay from my first memory but the "Stella" also came. We used to stand on the tops of the little hills watching how fast and how beautifully they moved and noticing especially the ripples caused in the water by the rudder. In Bruernish there was the "Reul" (short for "Star of the Sea") and the "Ealasaid" (Elizabeth). You could hear the women folk in the village calling proudly and boasting to one another during the day "The Reul had 40 crans today!" and the news gave the whole village a lift. Though we had no fishing boat it was indeed a great joy to me when someone told me that my grandfather used to own one called the *"Try Again"*. It was heartening to be upsides with the other herring boat owners, even though it was a distant relative, as distant as one's grandfather!

Now, across the little harbour near our house close to the water's edge there lived a piper who loved the pipes so much that he played them for a large part of the day and a good part of the night as well. When I was quite young, I and a grand group of friends used to call there. As in the rest of the village houses, stoves were not yet in fashion. Quite often the village youngsters would gather together to dance right in the middle of the floor. The more eager and energetically the young ones danced, the less room was left for the piper. The poor man was squeezed in towards the fire. At last, he would reach into the hearth and his foot which kept tapping to the music sent clouds of ash dust into the air. There were some devilish rascals who deliberately squeezed and pushed as one to see how thick an ash cloud they could cause. I will always remember his longest and favourite tune and when

<hr/>

[17] ie. the abacus

he started playing it he was on another planet and quite oblivious to the dust and ash-clouds. Next day, we would be playing outside and busy singing the mouth-music[18] version of the tune. This is sort of how it started: –

Ho-ro varra heo-araich
Ho-ro varra heo-araich
Ho-ro varra heo-araich
Heo-araich va hu-araich

Sadly, the poor piper left the place and our dance and music came to an end. After a short time, who returned to Barra but George, with a Lowland wife.[19] He built a fine and beautiful house on Cnoc a' Chìobair[20] right above Loch na h-Òib,[21] close to Sgoil a' Mhorghain. Now, there was nothing unusual about George but he caused much excitement among the children of our village. He had brought home with him a gramophone with a large, elegant horn. We thought the voice came from the next world! George used to take it on the rounds to each and every house in the village and our group always followed him. Those who could not fit inside the house were like left-overs outside the door. The gramophone's Gaelic was very strange – mainland Gaelic that didn't agree with us very well because there was considerable difference to the Gaelic we used. The same song was played in every house:

Hi-hiu ro vo
Hi-hiu ro vo
Coorie mi loo-i-nag an ordo yoo-ive
I will compose a little ryhme for you

Hi hiu ro vo
Hi hiu ro vo
Air pausach pew-ar Iain Vaa-in[22]
At the wedding of the sister of fair haired Iain

---

18 Mouth music was an alternative to instruments, sounds were often made to mimic the pipes, and to keep a beat for dancing to. It was not essential for the songs to use real words at all, though it was common to have verses which made sense and then a refrain of nonsense-words similar to the one Ellie has quoted.
19 The Gaelic word used to describe his wife "Gallta" implies she is foreign, and unable to speak Gaelic.
20 The Shepherd's Knoll
21 The Loch of the Bay
22 The words of the song are "Hi hiu ro vo (x2) I will compose a little ditty for you, hi-hiu ro vo (x2) on the occasion of the marriage of fair-haired Iain's sister". I have used a phonetic description to emphasise the accent that was so different to the sound of Barra Gaelic.

We were as happy as the day was long and jumping inside and outside in response to the music. Some of the women in the village secretly discerned that it wasn't quite right to be hearing the voice of a person who was not present. For our part, we could not care less whether it was a person of this world or not, as long as we were able to exercise all over the floor until the music ended. I spent the happy days of my youth with the young girls of my own village running after and chasing one another, skipping, playing skipping ropes a while, playing on the swing and a while on the see-saw. We played "Cat and Mouse" – the "cat" hunting inside and outside between each pair in the ring formation in turn. The older boys used to play "Speil" – a bat and ball game, like hockey. I could find even this very minute the place where they used to play – "the Dell of the Speil". As in football, two young lads would stand at a distance facing each other, making a hole in the ground and placing a cork against a wooden stick in the hole. Using clubs they stood on tiptoe and in turns aimed the stick to it and the cork jumped and travelled some distance; but the young girls were not allowed to play or be present during this game.

We used to play "Blind Man's Buff". We called it the "Blind Old Man's Buff" but I think "Hide and Seek" was the most exciting game we played. I imagine on a peaceful summer's evening that I can still hear the voice of the first person to reach the den shouting "Illy-Alley O"!

Quite often we went fishing – some fishing! Fishing for small crabs with neither rod nor hook but a piece of string with a big chunk of bait on the end of it – a fair sized portion of salt mackerel stealthily stolen from the barrel in the lean-to at the end of the house. When we managed to find a few crabs we would pretend that the crabs were sheep and drive them into a fold where we would put a mark on them and you could hear "beum"(gash), "Toll"(hole)" bàrr-taisgeil" (left tip) – boy and girl calling in turn. We hated to hear the call from our homes – "It is time to come in!"

Often while we were playing, we would hear calls from all directions – "You'll have to go to the well" or "You must go to the shop". Time and again in the middle of enjoyment, I would hear "Go, lass and move the cow!" The cow was tethered and the tether stake at the rope stuck in the ground; and the cow didn't seem a blessing from the Creator when we had to leave off playing and travel some distance with her![23] At lunch time we were allowed to get out of school to go up to the grassy playground. There really was no lunch as such and the chunk

---

[23] i.e to re-pasture the animal.

of bread which you got when leaving home in the morning more often than not had already been eaten before reaching the school. We lived as if it were on fresh air till we returned home; we were that happy and content. The girls would sit in circles on the ground and start playing with two or three pebbles. They would not succumb to ill-health. During this playing with pebbles, each one of the girls in turn hummed:

Once, twice, thrice, quarter
Three quarters, small quarters
A race, two races of scratching
Race of scraping, tossing up
And round the clock

Now and again, when the pebbles did not hit the back of the hand, the others would shout "You've lost!" and the next girl would start to play the game.

At other times, the girls used to dance round in a circle with one girl in the centre but we only had English rhymes. "In and out the dusty bluebells", "Why is Mary Weeping" and "London Bridge". When you were picked to go in the centre you would feel especially privileged.

Now and again, the boys would play Hide and Seek, just to get out of the headmaster's sight. Two of them would have a fight and a group would incite them till they just about knocked each other's eyes out! Most times, the headmaster would find out about it and then we'd hear the same refrain "One bad apple in the barrel will contaminate the others!"

In spite of our lack of English it was obligatory that we attend school. Gradually we learned the letters – the "abacy" we called them in those days but we hadn't much interest in the yellow pages on which they were written. After some time and in spite of the circumstances, we were taken round the table and handed a book. There wasn't one picture in it nor one word of Gaelic to cheer your heart. We were learning by rote. Gradually however we began to understand the words and eventually grasped it all. You weren't allowed to handle the book except for the short time while you were round the table. There was not one book in the desk where you sat nor at all in the homes and if you saw an old man reading a newspaper you were certain that he was very well educated!

During the long evenings we used to head to Tràigh Mhòr[24] with my father to

---

[24] Tràigh Mhòr is the Cockle Strand in Eoligarry which is now Barra airport.
The name literally means "the big beach".

collect cockles. As there were so many people collecting cockles in those days the strand must have been divided into a sort of allotments of about an acre for each village. The folk who had come from a long distance had to wait for the second ebb tide. The bags of cockles were then loaded into carts or slung and strapped on the horses. This was the most regular form of livelihood that the people of Barra had in those days, besides herring fishing. Many a father of a family's heart sank to the soles of his feet when a telegram arrived from the market manager containing only two words "Cockles condemned." Whether the cockles were bad or not, you had no way of proving it in spite of your heartache.

When the first school was opened in Eoligarry when I was very young, at times there were a few minutes left before 4pm when we would practise English and not everyone had the courage in those days to speak out in that foreign language. One day the headmaster asked "Who can tell me today any English word beginning with the letter "c"?" They gave him quite a few suggestions but then the conversation ended. "I'll give two pennies to whoever can give me another word," said the headteacher. Who wouldn't take the chance to earn the money, but they were just not managing to get another word till one little hero jumped up on the desk and standing with his two hands up shouted excitedly "Cockles condemned." The unhappy tale had reached as much into his heart but he earned the money.

The children of our village and of every other village had to go barefooted. Indeed, it was not voluntarily but they had no other choice in the matter and we all accepted our lot. When we got new tackety boots we were mightily proud and one person would compete with the other to see who could keep them in best condition for the longest time. Often a young girl would have them on a table beside her bed at night. At your first wakening in the morning you would glance to see if the shoes were still there. In spite of the world's hardships, the group who were always together were hearty, with not a word of sadness nor worry but jocularity and innocent pastimes amongst themselves.

At that time most houses in the village had black earthen floors. Indeed, we did use to put a mat on it – a beautiful carpet of white sand from the beach! There was a wooden bench situated beneath the window. We put our hearts into scraping carefully to make it as white as possible. There were also a couple of chairs and a stool to be seen in the room but the dresser was the special adornment in every house. That's where the dishes, each one more beautiful than the next, would be displayed and each one so dazzlingly bright as to take your sight away.

Quite often on a summer's evening my wonderful group of friends and I would go for a walk as far as Beul an Fheadain.[25] On the left side was the place where they once held the market. Apparently there were all sorts of the most beautiful trinkets sold on market day. We often regretted that we had not been able to be there. According to the story that we heard, it was in the market place that Niall Scrob,[26] who was famous in Barra for being carried along in the spirit world, first met Donald MacEachen. One evening it seems that Donald had as usual let himself down the face of the Big Rock in Mingulay when searching for birds and birds' eggs and the rope broke as he was descending. The young man was stuck on a precipice on the rock face with no way of climbing back up and eternity streched out below him. When he had given up hope he thought he was having a nightmare when he saw a patch of dark grey fog above him and he felt as if he were being lifed up; but when he came to his senses he was standing on the dark green level spot just below his father's house.

Niall Sgrob said to him on Market day "You're there, Donald my boy." Donald replied, "You'll have to excuse me for I don't know who you are. I don't recognise you." "I believe that," said Niall, "but you certainly were lucky, when you were in desperate need on the Big Rock in Mingulay, that my companions and I were on our way to Tiree when we noticed you."

At the time we didn't pay much heed to the story. Our minds were not taken up with such tales. On returning from Beul an Fheadain we would spend some time on the bridge at Loch an Dùin[27] launching our sailing boats of iris leaves. We would then proceed past Loch an Dùin 'till we would reach the Mill. At this time the Mill was not in use but it was still standing with the roof intact and the big Mill Wheel and mill-stones were quite obvious but the miller had gone elsewhere because the mill grinding had stopped there in 1910. We would then walk in single file on top of the walled side of Northbay Bridge; it was a bit dangerous and no wonder the old lady passing by shouted, "You wait, blonde lass, 'till I see your mother!"

We had to go to school; we had no option. But I had moved to a new classroom and the "Sgoilear Beag" (Small-Built Teacher) taught us there and almost against your will, he would make you interested in what he was saying. He didn't speak Barra Gaelic but some other strange Gaelic and we took some time before we could make head nor tail of it. A fine, slim-built man, usually dressed in a lovely dark grey suit, he always retained a happy appearance.

Shortly after he arrived he began to visit our house to listen to the stories

---

[25] A feadan is a chanter, pipe or whistle, and was used to describe a crevice through which the wind whistles.
[26] A nickname. "Sgrob" means 'scratch" This was a legendary character.
[27] Loch of the Fort

about the Navy. When the other youngsters in our village heard he was in our house they would disappear and run away. Teachers were very highly esteemed in those days. One day I saw the "Sgoilear Beag" and my father marching about on their stockinged feet and singing "A wee deoch an dorais[28]..." There is no knowing my amazement at seeing that pair who had so much authority in my life, making an exhibition of themselves like this. It was later that I realised that the "wee deoch an dorais" had been going the rounds before they came in!

It was the Sgoilear Beag who first told me about Santa Claus who visited children on the mainland leaving the most wonderful treasures to cheer the hearts of the children. We wouldn't want to be on the mainland (wherever it was) at that time. According to the story, Santa Claus was prone to sea-sickness and anyway it seems the distance was too far for him to travel and we would just have to be satisfied to hear about him. Next Christmas he must have got a suitable boat and he came ashore on Barra because he left me a most beautiful rabbit which was full of sweets! Poor old Santa was just as short of worldly wealth as the rest of us!

The dentist used to visit the school from time to time. He did not send word that he was coming. Perhaps he knew only too well that there would be no-one left [29] in school if he did pre-warn. When he appeared, everyone's hearts quaked in their chests. I had a young brother who had a double set of teeth. I heard the dentist say that he would pull them out. In a thrice, I made for the door and I took to my heels and ran home as fast as I could to tell my mother. She left the house in a rush and she told the dentist that he wasn't allowed to touch the boy. After that we were always forewarned that he intended visiting the school and many boys and girls were almost on their knees pleading with their parents not to fill in the forms granting the dentist permission to do his work. Sometimes they would succeed. Sometimes they wouldn't.

People Who Went to Canada

It was just about this time that there began mention of going to Canada amongst the people. Folk were very keen to go because there was next to no means of livelihood at that very time. There were no signs of employment being available in spite of the eagerness of those who were of working age. There were specially appointed people coming to encourage the folk to move away to the "Land of Hope" abroad where no one would be in need or in poverty. There were to

---

[28] A wee dram. This song is a Scots song, popularised by the late Andy Stewart.
[29] The author uses the idiomatic phrase "There would be only the bend on the line, and not the fish" meaning there would be nothing or only remnants left.

be beautiful houses awaiting them and instead of the scraps of crofting land which they had in Barra, there were to be large farms waiting for each father of a family. Many of the children with me in school were preparing to go to Canada. It is just unimaginable how much I envied them. I had no earthly understanding why my father was not preparing to go like the rest. My father's brother was going with his little and weakly family and I was present when my father was telling him in confidence, "Depending on how you're getting on and if things are as golden as they maintain, and if they are, we will also emigrate."

It was a depressingly sad day when our relatives and friends travelled to Castlebay, bidding a last farewell to everyone and there was such melancholy through each district of the island. It was the bard from Vatersay Donald John (son of Morag, or son of Donald, son of Big John) who best described these times in the "Barra Lament" which he composed in 1923.[30] We can understand how painful was their parting:

Barra Lament

There's news in the paper
Which is making me very sad
Telling about the neighbours
Who emigrated across the seas
To foreign lands of strangers
Where they will not hear the ocean's sighing sounds
But the wailing of the high-branched trees
Being felled to the ground with the axe.

The day our friends went from us
And left us full of sadness
They were put aboard the "Marloch"
In a strong, fast vessel
When she pulled her cables
And her ovens were filled with coal
It was pitiable to see parents
Shedding tears, running down their faces,
Even to the ground.

---

[30] There is a version of this song available at www.tobarandualchais.co.uk/fullrecord/82022/1

It was a Sunday evening
And there were boats about
Giving them the blessing of the high hills
Before they would take off to sea
It was sad for me and painful
Seeing poor little children
And listening to the sighs of mothers
And their hearts being sorely crushed.

It was amazing at that time
That their hearts were full of sadness
Grief had exhausted them
Spoiling the hue of their complexion
Going away from the beautiful island
Where they were raised
And each of the highest peaks there
Were visible early on Monday.

Since they've all gone and left us
This place is deserted
And those who are left
Death will take them from us
Mac a' Chreachair made a prophecy
Which says that the hour will come
When the only things to be seen here
Are the grey geese instead of people.

The beloved famous priest of the name MacMillan
Will keep you in order and
Will not let the flock go astray
His compasses are properly set
With his vows of Holy Orders
Running the true course with you
Which will bring you freely to Glory.
Oh, a thousand blessings from me to him

Though he is far from me at present
Where that gloomy forest is
With its eerie high spikes
If he should return to visit us
It is my fervent daily desire
That he would be the one to give me absolution
When the hour of my death comes.

Some of them are very sad
Since they left the Land of the Mountains
Missing the place that reared them
And the relatives and friends they left there
But let us wish them health and happiness
Among the high trees yonder
Till we meet on Calvary
In the place that has no end.

I am here all alone
It is the reason for my present pain
Without hope of conversing with you
As long as I live
But that happy day will come
When we will meet over there
Our relatives and all those we know
Will be there
And sadness will be brought to an end.

We were really looking forward to the first letter from my father's brother and it arrived at last. He mentioned just about everything under the sun but not a word about us going over there. Letter after letter would arrive but the invitation which we had set our hearts on never arrived. It wasn't long before word came to my father from an office in Canada informing him that his brother had fallen into poor health and that he had better return to Barra. They must have been very compassionate in Canada! They did not want the poor souls who were afflicted with poor health. Many of them were dying of a broken heart. Gradually, most of them returned to where they had left.

It was then we heard about the dark and dreary forests and about the land that caused them to lose hope. Instead of being directed to the beautiful homesteads they were promised when they landed they were squashed as one big bunch into the Indian's school – people who were more kindly than the lords who had enticed the population of the beautiful islands away from their friends and relatives and their homes with sheer lies.[31] There was now no word of the farmsteads but many of them were sent out to the plains of Alberta and then they had to fend for themselves.[32] They were particularly affected by the cold and at night they were terrified, hearing and listening to the unfamiliar screeching and shrieking of strange animals.

Anyway, Canada was set to one side and the happy world progressed as joyfully as ever. At the end of May and in June the young girls of our village liked nothing better than picking the beautiful flowers which we liked much more than precious stones. On "Loch an Rubha" grew "the drowned leaf " – the water lily. We called them "the little cups". That was the one we valued even more than gold. We used to wade out to our waists and the women walking by on the road would shout and warn us in case we went under.

The Norsemen must have been particularly fond of the "Bogach" as our little village was called.[33] There were two forts near us built on a little island a distance that was not too far from the shore and luckily one of them was, at ebb-tide, right on the stone road that these bold raiders had left. We could not understand at all how on earth they had managed to shift these massive stones to that place; but at that time we couldn't really care less. That was not what interested us. In Autumn especially, we would go directly to the fort at ebb-tide. When halfway across, we would stand for a short time whispering at the "warning stone" – the one that used to alert the residents of the fort in days gone by[34] that their enemies were close at hand. In Autumn we loved to admire the large black brambles which grew in the fort. Although scratched by the bramble thorns it did not trouble us. If we managed to resist eating them, we would take them home to make bramble jelly. You can imagine there would be some competition to see who could collect the most brambles.

---

[31] The expression used in Gaelic is literally "black lies"
[32] Here Ellie uses idomatic Gaelic "Iain a mhic, thoir thu fhein às" – 'John my son get yourself out of it' i.e. fend for yourself.
[33] Boggy Place"
[34] The Gaelic says "warn them about their heads."

Pastimes of the Place

When I was in primary school there used to be funerals, as happens in every other place. There would be great sadness throughout the village if someone died. At that time many people went to the "wake" house throughout the night. It was on the day of the funeral that we were really hit by this grief. People travelled on foot when carrying the coffin. After Holy Mass in the church the people again travelled on foot with the coffin, sometimes four or five miles When the coffin was carried out of the church door, the pipes were played. I have never heard anything as sad as the first notes from the pipes at a funeral and it was that mournful tune "My wife Morag will not return home" that I best remember. The women wearing their head scarves and taking their childrens' hands followed behind the coffin. They wouldn't walk too far. They had more than enough preparation at home. On leaving the funeral procession, they went to one side of the road and knelt down to pray and wept profusely as if they were bidding a final farewell to the dead person. Sorrow does not remain when there's duty to be attended to, and death did not last long in our memory.[35] It disappeared like the dew on a May morning.

In the summer time the ladies used to have a "big day" – blanket washing day. We went with our mother to the river, taking a big tub with us and kindling a small fire to heat the water. When it was warm enough the tub was filled, the blankets steeped in it and then we could stamp on the blankets till our hearts content. We certainly enjoyed that! While we were in the tub, my mother would wash other batches of clothes in the stream, beating them with a wooden beater. When the washing was finished, the blankets and other batches of clothes were spread out on the sea-weed for a few days. There were mischeivous young lads in our village. Sometimes certain items of clothes would appear in the morning hanging on the horns of the oxen cattle. That was an occasion of great fun and amusement in our village,[36] but there were families that were really targeted[37] in this way and then arguments ensued. I heard one father who came to see my father for some comfort from all this teasing and he said sarcastically "Man, there are three things which should be observed when teasing – don't disgrace me, don't tire me out and don't hurt me," and he had a good idea who was up to these evil pranks.

---

[35] Was soon forgotten
[36] Literally "that was something that turned to music amongst villagers"
[37] Literally "put to the test"

Occasionally, two of the ladies in the village would have a fall-out, usually about the children. You would see each of them, arms on hips, having a row. Now and again they would clap their hands together, each in turn. We used to hide behind tufts of grass in stitches bent over laughing and hoping they would continue for some time! Next day, the argument was forgotten and the two were as thick as thieves.[38]

In winter time we used to go visiting. At that time people were always hospitable and welcomed us with open arms. We called the single lump of peat which we carried with us at the end of an iron rod as a fire-brand to light up our way, the "re-lighting". How happy we were in the host ceilidh house listening to stories and songs that Calum Ruadh (Red-haired Calum) and Donald, son of Patrick my father's brother had newly composed. These are not without mention; they can be found in "Deoch slàinte nan Gillean"[39] (The Toast of the Boys). On the way back we would call into a little thatched cottage beside the road where a poor little old lady named Jean lived alone. What attracted us to her place was that she used to 'take a smoke', as we used to call it, and we didn't need music or fun but to watch her filling and lighting and smoking her clay pipes.

One time, a group of us went on quite a long journey to the only thatched house which had a fire in the middle of the floor. There was a hole in the roof above the fire, the chimney vent where the smoke could get out. On the way back home we all agreed that we would not like to live in a house like that where you would be blinded by the smoke.

A week before the time, we prepared for Hallowe'en. Every batch of clothes more unusual than the next on which we could lay our hands was put by awaiting the glorious night. Face masks were not bought (what with could they be bought?!) but we set to making them by hand using paper and rags. When the night arrived all the children gathered in one house to partake of the "fuarag" (hasty pudding). The fuarag was made with oatmeal and cream and hidden in the pudding were a ring, thimbles, beads and other pretty objects. There was great excitement waiting to see who would get the hidden trinkets. When the shout was heard "I got the ring!" the lady of the house would say, "Congratulations!

---

[38] "As close as two horses' heads"
[39] "Deoch Slàinte Nan Gillean is a collection of Barra Gaelic Songs collected by Colm O'Lochlainn published by 1948 in Dublin at the Sign of the Three Candles.

You will be the first to get married!" We then went guising from door to door to see if anyone would recognise us. Everything was fine while the children were doing this but then the youths of the village would dress up in masks and fancy dress and round the houses they would go and pull the old men and women up to dance and sometimes the residents were not amused by this. But the fun and games kept those who were not loathe to laugh amused for months!

On Hogmanay the lads in the village used to visit every house reciting "duain" Hogmanay poems. At each door, before being allowed in could be heard "I am tonight going out for Hogmanay, I am the little bare-footed boy... Hogmanay night, cold night, I come to sell my lamb..." and lots of other rhymes. Often the housewife would shout "more" and when the lads had exhausted their repertoire, they had to resort to English verses learnt in school. One of them called "wasn't that a dainty dish to set before the King" while asking the boy beside him "What on earth does this mean?" At that stage, when they switched to English, the door would open and the sweetmeats would be given out.

I heard that a Barra sailor-lad went ashore in New Zealand one New Year's Eve. He went to the house of an ex-neighbour who had been living in that land for many years. About 9 o'clock at night was heard the most wonderful "duan" in the beautiful Gaelic of his own native Barra village. No wonder that the man of the house wrote to his friends and relatives telling them that that was the happiest night he had spent since leaving his own native isle![40]

Now I left home for a time when my father's brother Donald died. His widow assured my father that if he would allow me to live with her and the lovely girl whom they had brought up, that it would help her to overcome her grief. Though I was leaving home I was well pleased because they had a small shop and at that time if you owned such a thing you were deemed to be well-off. Bruernish township was at its best[41] well populated with big and small, young and old people – folk who were interesting, kind and happy with their lot. Ruaraidh Iain Bhàin (Roderick, son of fair-haired John) was there and he had excellent recall. He had an endless repertoire of songs, especially songs about Prince Charlie. The Co-operative store had opened and all enjoyed Calum Ruadh's song:

---

[40] Literally "the isle of his birth and upbringing
[41] Literally "at the height of its happiness"

I would sing a song about the Co-opero
Hoo ill-o- the Co-operate
Thank you Mòr Nèill Eòin (Mòr, daughter of Neil)
Who joined [42] *the Co-operative*
The old women are delighted
Telling each other tales
We heard from a kind fellow
That there will be drink in the Co-operative"

It was in Bruernish that I got my first book; because I leafed through it so often it was eventually offered to me. There were a few pictures in it but they weren't coloured. It had a photo of King James I of Scotland and indeed his looks would not deceive you[43] but it was the stories that grabbed my interest.[44] Well, stories about Queen Mary and Kate Barlass and especially the story of King Robert and the Spider when he was exiled in Rathlin Island. I was now caught up in a world of reading which was not fashionable, but beautiful memories of Bruernish have always remained with me.

After I returned home the schoolmaster's house keeper came to ask if I would go and stay with her servant girl while she herself was away from home. You've no idea how priviliged one felt to be allowed to stay in the schoolmaster's house. It had the most beautiful furniture and silver dishes. At night we went visiting in "Buaile nam Bodach" (Bolnabodach) to play cards in Anna an Aonghais' (Ann, daughter of Angus)'s house. The housewife cooked a large pot of potatoes and cuddies and everyone had to sit at the table and be fed before leaving for home. That was the village where the cobbler Dodaidh (Dodi) lived. At times he had a hard task making the shoes despite having a shoemaker's awl and an iron shoe last.

In those days any meeting or gathering took place in the school building. There was no other meeting place till the hall was built in 1929. When there was a wedding the local people were in their element. After the match-making, when the couple agreed to meet then there was the "agreement". That night the groom-to-be took two or three of the other lads with him and also "a drop of the hard stuff"[45] to the intended's father's house. One of the threesome would explain the reason for the visit and the girl's father would say whether he was willing

---

[42] Literally "sat aboard"
[43] ie he was not very good looking
[44] Literally "were time-wasting for me"
[45] i.e whisky

to give her away. It was seldom that there was not an agreement because they were forewarned about the intended visit. Shortly afterwards the "Rèiteach" (the engagement party) would take place. I was at a neighbour's house the night of Mol's "rèiteach". He and a group of young men came from the west side and called on their friends to go with them. I thought the young men were really handsome in their navy suits and stiff collars. (The starch was good for worsted material and stiffening). Next day, all who were eager to hear news of the "Rèiteach" went from house to house. The ladies used to ask "Who sang the girl's praises?"[46] The "Rèiteach" took place on a Saturday evening and the first proclamation of wedding banns in church took place on Sunday. The couple would not go to the church service where their marriage intentions were proclaimed but would attend another church service. You could feel quite proud when you were a child if you were related to the couple who were getting married. After the third proclamation of banns, the wedding would take place the following Tuesday. The person issuing the invitations went from house to house inviting people to the wedding and when I came of age to go to the dances, my friends (who grew up with me) and I would be at the window, heart in mouth waiting excitedly and anxious in case we would not be invited! A few days before the wedding my mother would dress in her outfit – her best long skirt, the sparkling black apron and the scarf on her head and while I was little she would take me by the hand and carry the chicken – the wedding gift – to the couple. That was what couples were given as a gift when I was young. The women of the village were very busy, plucking, cleaning and cooking the chickens.

The marriage took place in the evening and everyone went to church on foot. When the wedding party appeared at the top of Bruernish Hill and we could see the silk gowns we were beside ourselves with joy. There were flags at every house and every man who had a gun would fire a gunshot and the children running as fast as they could and shouting "Hooray!" After the marriage ceremony in the church they would walk to Northbay School, led by a jolly piper playing the tune:

"What could make you sad the night of your wedding?
A piper in front in the lead and your beloved leading you".

The wedding reception commenced with the Wedding Reel, only the wedding party were on the floor. They then sat down at the tables. The clergyman would make a speech followed by a few other witty characters. Then the dancing and singing took place. The man who served the drinks was called "The Pitcher

---

[46] It was customary for someone to make a speech about the couple at the Rèiteach

Man" and he was held in high esteem, as were the women waitresses who served at table. The song I liked best, one which I don't hear nowadays was:

Lass of the ringletted hair
Young girl whom I prefer
Your straight and shapely person
That attracted me
Though you are beautiful and praiseworthy
And most mannerly at all times
There's the hue of the wild dew about you
When the sun shines on the earth. "[47]

The one who always sang it had an exceptionally sweet voice. At the Oban mod, I heard her grandchildren singing and winning prizes.[48]

In the wee small hours of the morning the wedding reel was danced again and this time someone came to "steal the bride away" and her veil and head-dress were placed on another's head and the reel continued. Then someone else would "steal the groom" and some other man would take his place in the reel. Though the wedding group had left the others continued till they were exhausted. For a long time after, the wedding was the topic of conversation and amusement and fun. As children, we would process along the road with a rag-flag stuck on a stick acting out and having a pretend wedding.

Young lads who reached working age went to sea. The evening they were leaving, the mothers would kill a chicken or cockerel and cook it for the lad as food for the journey. It was said that the mother of a young lad who lost his nerve and confidence about leaving would "threateningly" say "you'll have to leave since we've killed the cockerel."[49] I'm not sure if this is a true story because there were many on Barra who had imaginative minds and were quite capable of concocting such stories but I do know that a cockerel was very valuable.

The boat left Barra about 3 o'clock in the morning and therefore a young lad from our village would have to leave home between midnight and one in the morning. Before leaving he would call in every house to say farewell to each family. There would be sadness in the village that night because folk were not sure if they would see him again. At that time many sailors were lost at sea – falling into the hold of the ship. Each one had a sailor's canvas bag containing all

---

[47] A ghruagach a' chùil shnìomhanaich
[48] The lady in question was grandmother of Karen Matheson, lead singer of Capercaillie
[49] They were not allowed to "chicken out"!

140

the items of clothing he had managed to accumulate. Quite a few of the village men would accompany the lad, taking turns to carry his bag on their shoulder while walking the six miles to Castlebay.

Though there was sadness at the time of the parting, there was great rejoicing in the village when a telegram would arrive announcing that another of the lads was returning home and every other thing was forgotten and set aside. There would then start the tidying and cleaning, not only in the home of the one who was returning but also in every other home in the village in preparation for the lad's arrival. The night he arrived home, within half an hour he was doing the round, visiting every home with the "big bottle"[50] drinking to the health of all. Everyone would shake hands with him and say "Welcome home ... and you look as well as we last saw you". No one was sad that night.

Going back to the school – the "Sgoilear Beag" had bidden his farewell and returned to the mainland. In parting he gave each of us a souvenir crucifix, I've no doubt that some of these are still to be found. We had now moved into the Big Room where the "Sgoilear Ruadh" (the Red-haired Teacher) taught. Indeed, from time to time he was called by other names which were less complimentary! He was exceptionally hard-working and I don't think he ever caused any harm to anyone in word or deed. We often had singing and we were of the opinion that the louder we shouted the better the singing. I imagine I can still see the face of the boy next to me, his face flushed and red and his nostrils nearly exploding and almost bursting his diaphragm shouting at the top of his voice:

Fill up to the top, the drinking cup
And spread the health around
Health to the Gaels of the north
Who passed by that day

In spite of my love for playing, the school work won me over and I was now deeply involved in reading, in number-work and using an ink-pen, doing lovely handwriting in the green books. "A stitch in time saves nine" and such. The school work really appealed to me. School work – that was only meant for the upper classes at that time. One or two of those came to Barra from time to time – with their woollen bonnets – coming to fish on the lochs or for pheasant shooting. The local men would salute when they met such people.

---

[50] i.e. of whisky

As well as all the other jobs, my father was at that time also making lobster creels or spinning heather rope which was used to thatch the cow-shed. I often stood near at hand watching how quickly his fingers moved. One day he gave me permission to take the white mare to collect peats from the other side of the hill. There were creels hanging on both sides in which the peats were placed. I was overjoyed. First of all, when the white mare got out of sight of the house, she did her best to take advantage of me. I was riding in state on her back and periodically she would toss up her rear end. I had learned early on to keep hold of the reins and the mane till I knew that I had the upper hand. Carrying the peats was one of the most pleasant tasks that youngsters had to do in those days.

In those days also children were allowed to leave school at the age of fourteen. Like other people in the profession, the Sgoilear Ruadh was sometimes challenged. One day a young "hero" was fully ready to leave school on the very day of his birthday. Outside he was saying and boasting "I'm not coming back to school in the afternoon" but no-one believed that he would dare.[51] Then the bell rang and everyone moved as usual to the inside of the garden wall except my friend who stood where he was on the bridge. The schoolmaster called and urged him to move on inside but instead the lad gave a speech informing the whole world that he was this day in a heaven of his own, free from all the restrictions that did not appeal to him. Thus he stood with one hand on his hip, the other raised upwards to the sky and happy as one has ever seen, he bounded off over Beinn na h-Òib[52] But that did him no harm. He got on well in the world though his life was cut short. Each time I see that bridge the memory of the "Highland Fling" comes back to me.

Now we had come to the age when we were really interested in the dancing. Good fortune favoured us. A young girl who had spent some time in Eriskay had learned the dances whilst over there. She promised that she would teach our group and even better than that, her mother gave us permission to use the lean-to at the end of their house. We had quite a day of it. We enjoyed dancing Petronella, Quadrilles, Lancers, Jack-a-tar Polka, Highland Fling and the Sword Dance – with no music but mouth-music. You'd be amazed how we managed them all beautifully and we were much better than the adults who went to the dances in "Sgoil a' Mhorghain."[53]

---

[51] Literally – "have enough confidence"
[52] The placename translation is "the hill of the bay"
[53] Northbay School

When the travelling folk came to camp at the head of the river we were delighted. Over and above the joy of hearing the tinkling of their tin pails on the women's back as they travelled through the village with our squad following after them, we experienced untold joy when the tinker man brought out the drones and the musical pipes. There was plenty of space on the grassy ground to set about noisily performing the Quadrilles, Lancers etc. He would ask us just to get him some hair for his efforts!

Uist and Benbecula – those were foreign lands to us at the time – a great distance across the Sound of Barra. Sometimes people went to court in Lochmaddy. You would listen as if spell-bound to their news on their return. The witness box[54] was a scary thing, which caused your heart to pound in your chest. They had to remain on the other side of the ford till daybreak and then wait till there was an ebb-tide – there was no bridge. It was Alistair of the Rates (taxman Alex MacDonald), Donald Ferguson and Bobby who owned "Polchar Inn" – the names that remain in the memory that were connected to these foreign places.

Now in school, we began to learn something new – play-acting – a play composed by Donald Sinclair, a brother of Sgoilear Ruadh. The play was called "Ruaireachan"(Little Roderick). The characters were a seagull, a crow, a stone-chat, a fairy woman, a fairy child and an old fairy man. The schoolmaster was the fairy man, playing the violin and I was the "White Seagull of the Sunny Loch" (Loch na Grèine). The play was thoroughly enjoyed by the adults who came as audience to the school to see it the first time it was staged. The night we went to the big town of Castlebay was the best night of all, travelling like gentry in a "gig" (a horse-drawn cart). My spirits fell so much when an old lady in our own village said it was "nonsense" – whoever heard of a seagull or crow or stone-chat being able to speak? I had always thought she was a kindly lady till that day!

About this time my mother told me that the schoolmaster was recommending that I go on to Castlebay Secondary School. He had given the same recommendation to every other member of the family before me but there had not been the opportunity. My interest in school subjects had now grown so much that I was completely willing to go although we were getting but a pittance of support from the Council, a little over £20 a year.

---

54 Literally "Box of Oaths"

Castlebay School

I went off in the Autumn of 1926 to Castlebay Secondary School. There were no vehicles in Barra then and we had to stay in Castlebay during the week. There were a few of us in the same situation counting the days till we'd get home on Friday. Barra was then at its peak with the herring industry. The bay was full of drifters from the east coast. The locals called the people from these parts the "Trobhasaich" or "loonies".[55] The place was really busy with people rushing to and fro, gutters busy cleaning the herring and each curing station round the bay buzzing with people. Five pounds for a cran[56] of herring was a good price indeed.

After I'd been two years in that school my girl friend was leaving and I refused to remain on my own. I was searching the newspaper columns for work. Before the school resumed, the Sgoilear Ruadh appeared at our door saying "She can stay with another two pupils at our own house in Ledaig with my sister". He got his wish and that was the year I enjoyed best at that school. A new headteacher and new members of staff had arrived and they certainly set about to do their work well.

The new head was a real gentleman but he wore a strange attire and he must have thought that the Barra people were a race apart. At our age the least thing made us laugh and when the leather waistcoat appeared we thought he was dressing up as at Hallowe'en; but the day we saw him going to a wedding wearing a swallow-tailed coat, like we had never cast eyes on before, we were in stitches! The dear man – he must have occasionally said to himself "A place a bit like the isles far away in the South Seas".

The other two who arrived with him were Gaelic speakers. They were both islanders so they were quite at home. It was the one whose life turned out to be very short who took us through Goldsmith's "Deserted Village" and we thoroughly enjoyed it. He ordered the books for us and we paid dearly for them –3d[57] each! The day the Inspector arrived there wasn't a soul who could not tell him everything.[58] Just as he was about to leave we remembered that we did not know when the famous Goldsmith lived but we quickly asked the question; and our teacher was particularly pleased with the way we answered questions about things he had not explained to us.

---

[55] East-coast word for young men.
[56] A cran was equal to 37.5 gallons or around 1200 herrings
[57] d was the symbol for old pence the name came from the latin word denarius
[58] Literally "from head to toe"

This was now the very same year that the Northbay Hall was opened – 1929 and there was great excitement amongst the youth. At the time there lived an old spinster on the west coast of the island who really enjoyed dancing and she wore old-fashioned gowns. I know very well the two who composed the letter inviting her to be present on that famous night that the hall was opened. Till the day she died poor Catriona was under the impression that the letter had been sent from the Green Board of London![59]

The hall was to be opened during the week and though we were young, my friend Lol and I went off to Northbay. We were soaking wet when we arrived home but after drying our clothes and having a bite to eat we set off joyfully to the hall. When we reached Uilleam Òg (Young William)'s house, we heard the skirl of the pipes and we danced a few joyful steps right there on the main road. When we reached the door and had a look inside, who were in the middle of the floor but the Coddy and my heroine Catriona, dancing with another couple. They danced with good musical measure and timing. We had a few laughs thinking about Catriona's invitation but our hearts nearly stopped when we noticed the very two who were teaching us in Castlebay School at the dance. We nearly ran away but they made a beeline for us and didn't allow us off the dance floor! Early next morning we were up and ready to walk the six miles to Castlebay School. The two men who had been at the dance smiled when they saw the two poor souls trying desperately to keep their eyes open and stay awake during the day.

---

[59] i.e. the Government

LEAVING BARRA

After the summer holidays two or three of us had to leave for Fort William school. Imagine – leaving home and going away from our friends and our families a bit like the lad for whom the cockerel had been killed, our courage nearly left us. Leaving home and the grand group of people in our own village was the most difficult thing of all. I wished that night that I had not been chosen for this.

Fort William

However, I went away in spite of everything. We travelled via Mallaig on the "Cygnet" and the "Plover" – the boats that plied there in those days. We had to wait some time in Lochboisdale but I was really surprised when we reached Mallaig. The picture I had in my mind of the "iron horse" – the train – did not at all match what was in front of me and I had the fear of death when it moved because of the speed at which it was travelling! When we arrived at the kind "black ladies", the nuns who were to be looking after us, things were not much better. Though we could speak a little English we were terrified for all the world to open our mouths in case we were ridiculed. They must have thought for a long time that we were dumb. We were afraid that we would make a calamitous mistake like the girl from Barra who went to work in Pollokshields. When asked by her mistress if she had cleaned the table, she answered, "Yes I scrubbed him last night." Good gracious, but how much we were afraid to go to school!

Our schoolmaster was as skinny as a snake and as quick as lightening. He had but to raise his eye and we would have disappeared into holes if we could. He wore a very black gown. He did not wear spats but even if he had, we would not have uttered a word. In school we were so stupid and dumb that the rest of the pupils sort of despised us.

After two years we were allowed to sit the Highers. It was a special day when the guy with the black gown came in with a smile on his face and said, "It is a proud day for this school today. Only one out of twenty pupils has failed the Highers. The island children used to be a bit of a hindrance for us but this year is nothing like that and it is a young sixteen year old girl from Barra who has achieved the top award. This girl is especially competent."

We were completely happy when we would have the Gaelic class teacher. He understood how we felt and we were comfortable with him. As well as writing for our Highers we also had to answer questions orally at the time of the Inspector D.J. as we called him. I much preferred to write than to speak out in front of all the others who were with us. I got off quite lightly. He asked me, "Tell me a story about Rocabarra." I had only said a few words – "When the fishermen went out to sea..." and he stopped me, and before you could count to one he and the teacher were in a world of their own. "Did you hear that?" Màiri Nighean Alasdair Ruaidh said:

By the side of the ocean
My mood is very lonesome
Once upon a time it was not so..."
... and that was all he asked me!

And that was all I was asked.[60] Where we stayed we were amongst girls of our own age from different districts of Inverness-shire and we were becoming more like the non-Gaels in our ways. There was a piano and a gramophone with records of the most beautiful music. When the "bookwork" was over we used to dance – a pastime which I particularly enjoyed. That's where I first heard of Strauss. I thought that ear had not heard music more beautiful than the Blue Danube Waltz and the Hawaian guitars.

We had a music teacher in school. She really had musical fingers and a real gift for making one interested in her songs. She would take a choir of us to Inverness Music Festival and her choir always won first prize. She was quiet and gentle in nature and had no desire to be too conspicuous anywhere.

Although we had sat and passed our Highers we were not allowed to go to

[60] The inspector was impressed because the word "tabh" Ellie used was a less common word for sea or ocean and was the same as 17th century Gaelic bard Màiri Nighean Alasdair Ruaidh (also known as "Màiri Mhòr nan Òran") had used in her poem Crònan an Taibh. The text can be found at – www.smo.uhi.ac.uk/gaidhlig/alltandubh/bardachd/Mairi_NicLeoid.html#tu.

College, despite our lack of money until the three years were up in Fort William. Money was so scarce and many a time I compared myself to the fellow in the story who had a sword hanging by a hair above his bed ready and waiting to cut off his head. There was no certainty from one year to the next whether you could return. In my last year in Fort William there was a local mod and we all entered. Though I won a trophy and 32 shillings the reward was not worth the teasing I had. The others made fun of me, mimicking me but I was very good at doing the same back.

When the holidays arrived we were glad. Every one of my family had now left home to earn their living except my little brother. The big brothers had gone to sea and one of them who had refused to stay in Oban High School had jumped ship in Australia where he got on very well.

Father John MacMillan had come to Northbay Parish. Though we had never seen a "Waulking" in Barra, he began to re-introduce the waulking songs amongst the women-folk. Eventually he started having a "Waulking" in the Hall. As Calum Ruadh the bard said, "the old women were happy chatting amongst themselves". In fact, it was not a proper waulking but a sort of imitation. Even so, the women thoroughly enjoyed these events. One would think they were going to a wedding with all the preparation involved. After the "Waulking" a dance was held in the Hall and the older women would stay on to watch the youngsters and what they were up to. When the waulking started we were a bit unsure – perhaps we would agree with the person who likened the group of women to the washer-women of a certain big city who had "gone a bit off their heads" but the carry-on and the songs appealed particularly to Father John and the older women. The wife of Somhairle Beag (Little Sam) sang "Who will play the silver flute" and my own mother used to sing "O Annie is far away from me".

This was a very happy time. There were plenty of youth and people still around and they were always in happy mood and of cheerful disposition and they were quite capable of making up plays which were very entertaining and made one laugh. I imagine that the climate was more clement then and when we got the holidays we would be busy working at home. In April we had the "Big peat-cutting day". The heads of each household gathered together a crew of men from the village and they would travel some distance to the back of the hill to the peat-bogs. The previous day the wives and young girls had been busy preparing food for the Peat day – making lots of scones and buying cheese and jam. They already had butter and cottage cheese and eggs.

The people from the west side of Barra had to travel a long distance with their carts to the "Gleann Dorcha" – the Dark Glen. Their peat-bogs were about half a mile from ours but they thought nothing of the distance in those days when going to visit the young girls from the west who brought them their food for the peat-day. On that day they really had a sort of picnic. First they made a fire that would boil a large kettle of water. The eggs were boiled and then they spread a white cloth on top of the heather and shared out bread – some pieces with butter and cheese, some with jam. For those who could afford it, a bottle of "White Horse" would appear and before long the lads were full of joy. Afterwards they were in better form for getting stuck into the work. The peats were cut with a peat-axe and it was good to see how precisely they were placed on top of the peat bog. They built a sort of wall but there was a space left between each "brick" in the peat wall. This was called "the temporary building of the peat stack" to dry out the bricks of peat. It was when my father took his boat across to Fuday that we were really overjoyed. Though it was uninhabited we really loved it and our imaginations were so active then that it was easy to understand "Robinson Crusoe." When the peats were sufficiently dried out, we made small stacks and left them till they were transported home and built into a large stack.

In Autumn time people would be busy first cutting the hay and then drying it and making it into hay-stacks. I never enjoyed this work. Quite often I would hide under the Big Rock reading a book like the "toffs" and it was not good news for me when I heard "Where are you?" The day when the hay was heaped up into a large stack was interesting enough when friends, family and neighbours all helped to stack the hay. The children liked nothing better than jumping on top of the haystack and squeezing the hay down. After that the corn was attended to. The corn was cut using a sickle. It was then tied in sheaves and built into bunches and finally stored in ricks in the corn yard. We really enjoyed the threshing – shaking the seeds off the corn sheaves, and then winnowing it – all by hand.

Glasgow

In the year 1932, I bade farewell to Fort William and I travelled to the big city of Glasgow to go to College. I had never been to Glasgow before though I had heard enough about it. Though I was really looking forward to seeing the city sights, the thought of it terrified me[61] – Glasgow! I had heard many stories

---

[61] The author uses an idiomatic phrase literally "the fear was worse than the fight"

about this famous city from young girls who were older than myself. At that time, news was sent by telegram. Often the grand group of friends from my own village would pass the time play-acting and imitating the lady who brought the telegrams, travelling for miles to the north of the island. Morag would stand flailing her arms about so that all the world would know that she was doing her work – a very important duty according to the way she behaved!

The poor girls who managed to get a job with the "old Ladies" of Pollokshields would be really thankful.[62] The mistress of the house was called the "cailleach" – the old woman, no matter her age, even if she were but twenty-five years of age. Between lack of English and lack of experience of the ways of the unknown world, they were not a source of envy.

I once heard about a girl who had found employment in that area and when passing a fish shop one day she saw to her heart's delight some fresh herring – "Prime June" as she would say. She was so keen to please the household that she bought half a dozen herring. We had many a laugh together when she would relate the story.

"I went home you know and there was no one at home. I gutted and cleaned the herring most beautifully. I dipped them in oatmeal and began to fry them for tea. I was sure that they had never ever tasted anything so delicious.

In the midst of my hurry I heard the family at the door. The house mistress was rushing in and shouting "Mary, Mary, what a smell! Open the windows!" I said "What a smell but fresh herring for your tea." She said, "Mary, Mary, eat it yourself! Eat it yourself! Open the windows, Mary! Open the windows!"

My story-telling friend then told me she " was so angry that I ate the six herring by myself ". "Oh dear Mary," said I, "not all at once?" "No" said she, "two at a time till they were finished!"

Another young girl was working in Pollokshields and she was so thankful for getting employment that she would almost go on her two knees to please the lady of the house. One day the Mistress informed her that she was expecting very important guests. They had to make very special preparations arranging beautiful dishes on a tray and the boss telling her what to do when she would enter the room with the tray. "Put on the cosy my dear" said the lady returning momentarily. The darling girl checked that everything was as it should be on the tray. She then picked up the cosy and going to the mirror placed the cosy on her head!

---

[62] Pollokshields is a traditionally upper class area of Glasgow with many large town houses where a number of island women got employment as housemaids.

I don't know how the Mistress and her important guests reacted when Mary appeared with the tray but I know when she told me the story we were weak with laughter and the tears were running down our faces and no wonder! We had no knowledge of a cosy!

Now, I wasn't quite as ignorant of the ways of the wider world as were those older than I, because I had been a few years in Fort William, but in spite of this I was quite worried about going to Glasgow. My brother met me at the station and he took me on a short journey and took me to the underground on my very first ever trip on the subway. While on the train I thought that everything about us would fall topsy-turvy on top of us. We exited at Kinning Park and went to stay with a kind lady friend on a little street called Durham Street. I had to spend a few days here before the College opened and I realised that the subway was the easiest way in the world for getting out and about in Glasgow. In spite of my distrust of this form of transport at the outset, if I was meeting any friend or any acquaintance we would travel by subway and finally folk thought I lived on the subway trains!

Everyone who is ignorant is blind. I went to college where there were many students whom I had never met nor seen before and they were much more "Lowland" in their ways than the youth of Fort William. We didn't like the college all that much. We had to "live in" and we were under too much restriction and everyone was worried that they would be faulted. As well as every other subject we had to do sewing, not only by hand but also by machine.

Now when I was a little girl what did my mother's sister have in the far end of the house but one of these! I never went to Bruernish but I heard the same old warning[63] "Whatever you do, don't put even your little finger on the machine." It was a priceless treasure at the time. No wonder I never wished to go within a mile of one of those!

My friends and companions from our own village would certainly have cause to laugh if they saw me venturing to work the sewing machine. No play-acting under the sun could surpass the fun and games and carry-on and I'm afraid the sewing had to be done by hand despite my best efforts.

Once in a while[64] we were allowed out for a weekend for three days. By the way we behaved you'd think we were being allowed out of prison. That's when I was really happy in Glasgow, at home with my friend roaming here and there

---

[63] Same old warning is literally written as "the same old song"
[64] The Gaelic saying used is "one hour in twelve"

throughout the town and always using the underground. When I went to the cinema I was in seventh heaven.[65] You could watch pictures of the News you had read, presented by the most attractive women and men you had ever set eyes on. I particularly admired Norma Shearer[66] and these days passed as fast as lightning.

In the summer time the youngsters looked forward excitedly to the Games Day.[67] On that special day you went out wearing the finest clothes you possessed – you never know who you might meet! But the dance of the night of the Games was the highlight for the youth. We also went to the Uist Games, and we had many a laugh travelling to and fro.

One particular year however, we were forbidden to go to the Games dance. The good Christians who were in charge knew the reason why but it is hard for youngsters to understand the reason is for their own good. We stood that night on the machair at Allasdale and danced by the lights of the cars. (Bute is not the only place where evil exists!)[68]

---

[65] Literally the author has written "as the other fellow said, "in my own little heaven"
[66] Norma Shearer an American-Canadian Oscar-winning actress, 1902-1983;
[67] A day of community competitions including sports such as flat races, highland dancing and piping.
[68] It is not clear why Bute was singled out as a place of evil

EARNING MY LIVING

In June 1934 I left College because I was "fully educated" as one of my own village folk would say. In spite of many hardships and lack of many things during training, the greatest hardship was that there was no work for me after all my efforts. We had exactly the same situation as we have here today – many who trained for a job and no job available to match their qualifications.[69]

Glen Finnan

About six weeks before Christmas I got word from Mr Morrison from Inverness to go to Glen Finnan school. I was very happy that day. My only grief was that I had to leave Barra on the Wednesday evening and the village hall in Craigston was due to open the following Friday. Anyway, I left straightaway and I travelled via Oban. From there I travelled by train to Ballachulish. I got the ferry from there to the other side where a bus was waiting to take the travellers to Fort William. That night I stayed with the kindly ladies – the nuns with whom I used to stay and who welcomed me most hospitably and made me feel at home. They were so pleased that I had decided to go back to them even for one night after I had fully qualified. Next morning I travelled to the beautiful glen. It's a pity that the railway there has been closed because there is such beautiful scenery on both sides of the track[70] throughout the journey. I

---

69 The book was written in 1982 and unemployment amongst newly qualified teachers was common.
70 The Glen Finnan viaduct is a particularly striking piece of engineering undertaken by Sir Robert McAlpine, in a spectacular setting. In current times it has been made famous as the route taken by Harry Potter to "Hogworts School" in the blockbusting film of the novels by JK Rowling. There has been a continuous service there since 1901, however, until the 1960's there was a manned station in Glen Finnan and there was also a stretch of line from Glen Finnan to Acharachle which had been closed due to declining importance of rail travel. The station was turned into a museum in 1991 to preserve the buildings and remains a visitor attraction, even hosting accommodation in the form of a Sleeping Car – a converted railway coach which can sleep up to 10 people.

went to that delightful school where a lovely bunch of children were awaiting the new teacher. We were introduced and I told them the good news that they would have a holiday from school the following day because the Duke of Kent and Princess Marina were getting married. I thoroughly enjoyed my tour of duty in that Glen and I stayed at Glen House with the MacKellaig sisters. At that time the older people spoke Gaelic. One morning when on my way to school, I met an old man and I asked him, "Are you good at weather-forecasting?" He answered, "Where did you learn your Gaelic young lass?"

Vatersay

After Christmas their own teacher was returning to the children of the Glen and I was again out of work. When I arrived home there was a letter awaiting me requesting that I go to Vatersay School after the holidays. I went to that lovely island after the New Year in 1935. I was teaching the youngest children because there were more than forty children in the school then. There were plenty of people on the island at that time and they were affectionate folk. Though they had no piped water their houses were kept in grand, clean condition.[71] On Sunday you'd have difficulty finding anyone better dressed than those people in spite of living on a very small island. The islanders made it for me[72] and although she had died, my mother's sister Mary who had lived in Fuday when she was growing up, had lived there and had left good memories of her. At that time there were a few big horses in Vatersay for ploughing and for carting. It was sail-boats they used for ferrying then. I always used the same special ferryboat – the Doctor Ruadh's boat which was white with red sails, and there was no mention of paying your fare. Just as well I had about £1 a month in wages at the time.

After a few weeks over in Vatersay I was invited to Michael, son of Niall Ruadh s wedding. He had a shop in Uidh. He was getting married to a girl from Castlebay and the wedding was to take place there. It was a wedding to remember. I thoroughly enjoyed the wedding celebration but I nearly rued the day. On the return journey from Castlebay there were only three women and one man in the boat and he was completely under the weather with drink. He would stand up periodically to shorten the sail. We were screaming at him and trying to squeeze him under us in the boat while we rowed like the hammers. We took four hours between Castlebay pier and the quay in Vatersay[73] after the

---

[71] i.e spick and span
[72] Literally "made my life"
[73] A short stretch of water that would ordinarily have taken 30 mins approximately.

wedding and we jumped ashore even before we reached the shore – an awful trip when we nearly drowned.

On my first trip to Vatersay I was a little over 21 years of age when I first boarded the ferry. The inhabitants of the island were always generous in inviting one to visit them in their homes. I wasn't long there when I went with another lovely young lady to this grand house. A daughter and her mother lived there. I didn't know that the old lady's faculties were failing, as often happens. While the young girl was filling the kettle in the scullery,[74] her mother came over and carefully pinched me and asked, "Dearest girl, are you missing Mingulay?"[75] My companion burst into laughter and the other one rushed up saying, "Oh dear, my shame! Don't you know that the teacher has never been to Mingulay?" That's when I first realised how much the people who had had to leave, loved the island; they had to leave because of material hardships – leave their beautiful island.

I heard many a tale about Mingulay from those who had left their hearts there. I was told that in Queen Victoria's time there lived a man in Mingulay who was unusually tall. Seemingly he was the tallest young man in Europe at the time. Because of this he was taken to meet the Queen. He was called "Big Patrick" and he married Ann, daughter of Calum, who was average height. Patrick was over 7 feet tall. I am positive that the young man was never happier than when he once again went ashore in Mingulay after being away on that special trip to the strange outside world, to be brought to be seen by Queen Victoria!

The means of livelihood for the people of Mingulay was fishing, as well as doing the usual little chores about the house. They had in the boats only sails and oars. According to history I was told that one particular day when the weather was most calm a group of men crewed the boat and using oars and a little sail went to set their nets as usual. They had to remain for a while in the same area after lowering their nets to the bottom of the fishing grounds before pulling the nets in. On a certain auspicious day they noticed that there was a mermaid sitting on the little sea rock combing her hair. It seemingly was a warning of impending drowning if a mermaid was seen. The men were surprised at her appearance on such a calm day. After a while they heard her calling to the skipper, "John, son of Roderick, John, son of Roderick, can you see me?" He replied, "Oh yes, I can see you and although your tresses are beautiful and

---

74 The common name for the kitchen or hall area – between the main living quarters and the outside door.
75 The last inhabitants of Mingulay had left in 1912, just before the author was born.

curly, in truth I have no regard for you." It must have been the case that she was not displeased with what he said because she replied straight away, "John, son of Roderick, pull up your nets, pull up your nets and head for home." Though it was still very calm he took her advice. They pulled up the nets and they headed for the island. It was just as well for them; in the blink of an eye,[76] the weather changed and a storm came that had not been seen nor heard of for umpteen years. The brave men arrived safely at the harbour but only just in time.

Now, at this time when I first went to Vatersay my heart used to play tricks with me and if I could, I would have gone across the ferry to Barra every Friday. I had a good friend who lived in Caolas and who had agreed to meet me on Sunday evenings. This evening I was walking for six miles from Northbay, then I was crossing Bentangaval. When I appeared over the hill, James would set his little boat afloat and before I reached the shore he was there to meet me.

I went home with him to a good feed and an enjoyable visit. I then proceeded to walk the three miles to Vatersay village and didn't even feel that it was that distance. The ladies of the island were well versed in singing waulking songs and the wife of Hector, son of Finlay, Elizabeth – daughter of John, son of Duncan – were especially gifted, as was the wife of John, son of Angus. I spent many a cheery night in their company and I learned many of the songs.

At the time, it was quite disappointing for me to be missing the dances on the other side, and when my friend the Inspector "D.J." (who was very fond of the Gaelic language) came, I told him that I intended moving to fresh fields.

Before I left, I remember listening on the radio to the King, that is the Duke of Windsor, bidding farewell to the people of Britain, and that made us sad and downcast.

Eoligarry and Castlebay

I was appointed to teach in Eoligarry school after the long summer holidays in 1937. I was delighted to get ashore on the mainland of Barra and because I was unable to get home every night, there was no means of transport at the time, I stayed in Eoligarry where I was very happy. But drat, I was there for only a few weeks when I was asked to go to Castlebay school, where there were many children to the one teacher. Two of us were to teach in the one room. Now I was a bit in awe and afraid of going to teach alongside the eminent teacher, the late Annie Johnston. But to tell the truth, I need not have been afraid. It

---

[76] Literally "at the change of a minute"

was lovely and wonderful the friendship we established. She was an interesting person and full of fun. She believed that the happier children were in school, the better they learned and progressed. She used to sing mouth-music and have the children toe-tapping and with hands in the air and with me amongst the children, happily enjoying the dancing; and who would not have enjoyed the company! Annie was a really good story-teller. I can still hear her voice telling the story of Goldilocks and the Three Bears. She had no problem getting the children to come out to the front of the class to relate the story. I remember well one little lad retelling the story with great enthusiasm till he reached the part, "She took a spoonful from the first large bowl and it was too hot; and she took a spoonful from the second middle-sized bowl and it was too cold; and she took a spoonful from the tiny bowl and it was... it was, just fit for her" ... as we would say about new shoes!

I passed many a night visiting Annie Johnston. The women from the Glen often came to sing waulking songs and many tourists called – some of them collecting Gaelic songs of the Isles.

The second World War broke out in the Autumn of 1939. We were told this sad news in church and though I had no understanding of the tribulations of war, there were people present who had had a very bad experience in the First World War and who cried copiously and sorrowfully. My darling mother died in 1940 and shortly after I lost my youngest brother; and I understood then what pain and torment meant. But the world has to go on.

I returned to Eoligarry school shortly after this. Many of the young men had been called up to serve in the war. In spite of much grief and hardship amongst the people because of all the folk who were away, we were busy in school organising ceilidhs and dances. We were certainly well supported on all sides with plenty of talents and songs. "Bean Bhrian" (Brian's wife), Bean Denny – the family of Ruairidh Iain Bhàin (Roderick, son of fair haired John) from Bruernish who were all good at singing the songs and that was an hereditary talent. There was "Nialltaigh" – Neil from Sgurrival who recited "Tam O' Shanter" with all the actions and with full force and feeling in Gaelic. With gleeful glint in his eyes, especially when he reached "Susie" he would sing "On the road to Mandalay." There was foot-tapping and hand-clapping which was almost deafening – so much joy amongst the audience! We had "Lala" who would charm the birds in the trees with her fine-tuned voice and beautiful songs, and Iagain Nèill

Dhòmnhaill was there to tell stories – as often as I would wish – and he had a real knack of telling them – and then there was Kate Anna. They certainly deserved every happiness.

Just about this time another teacher and myself were invited to spend a few days holiday in Eriskay. "The Politician"[77] had foundered on the rocks shortly before this and her large cargo could dispel all grief and sadness from people's minds! When we arrived, each person we met was full of mirth and merriment and they were under the impression that we had also come in search of "The Happiness". Indeed, it could be said that they were celebrating New Year's day every day and they were certainly affectionate and warm-hearted. They had music and dance and no shortage of whisky at Christmas time – or at any other time! We were invited to visit and go aboard the famous ship by the Head of the Salvage Group. We did that and he gave us a small commemorative tasty token of our visit. The most interesting tale I was told was that the men were like the squirrels – making hidey-holes in the ground in preparation for times of want and of scarcity but unfortunately they were not always able to find the exact location of the loot later! We often reminisced about our holiday and the joyful times visiting so many houses.

Marriage and Glasgow During the War

Now, I thought it was high time to get married and I was now up in years. I had been really happy in Eoligarry and though I was going away to get married, a few tears fell to the ground when my loving friends said goodbye to me at the ceilidh in the school in October 1943. We had a Lowland style wedding[78] in Glasgow but all our friends and relatives in the city were there. We received over 100 telegrams from Barra. We went to live in Greenock where my husband worked. Shortly after this the "Dexter" – a ship of much worth foundered on the shores of Eoligarry. One would think that fortune was favouring those shores in spite of the war. Apparently there was little of the "juice of the barley" aboard but many other marvellous and useful items were being washed ashore. Parcels started arriving – don't even know who sent them – full of beautiful things appropriate for a young wife. Sometimes bad luck for one

---

[77] The Politician was a ship which foundered near Eriskay in 1941 on the way to America. It's cargo was crates of whisky, which the locals acquired. The tales of the booty inspired author Compton MacKenzie to write "Whisky Galore!", which was then turned into a film in 1949.

[78] ie in the islands the women of the village would have done all the preparations and the celebration would have been held in the local hall, whereas in Glasgow it would be a hotel reception.

brings favours for another and I did not miss out on my share of the spoils and bales of gorgeous materials.

At this time I was on my own in the house till my spouse came home from work late at night and I was never happy on my own. Then I saw adverts looking for teaching staff in Glasgow schools. I went straight away to the Education offices in that big city and the next day I started teaching in Bridgeton in Strathclyde Primary School, Carstairs Street. The children there were not of my faith, nor were the staff. One of them was from the Black Isle and married to a man from Lewis. Another was from Sutherland.

During class time we could hear the German planes coming to drop their bombs on the city. The sirens screamed at a very loud pitch. "Run as fast as you can to the hiding huts, just like the rabbits!" We headed for the stairs with the children apprehensive and fearful till we would start to sing and we continued in our hiding holes until the wailing of the sirens ceased and we knew that the Germans had returned to where they had come from.

Two nights a week, two or three of us would have to stay in school all night in case the Germans dropped a bomb on the building. Though the streets were in complete darkness none of us was afraid on our way there. In the school it never occurred to us that anything would hit us and the time passed unnoticed while we conversed and told jokes and drank cups of tea. When the school was closing for the holidays in June 1944, the Headteacher came to the staff room and announced the unwelcome news "One of you will have to go for three weeks to a glen in Perthshire but you had better choose amongst yourselves who will go."[79] I said nothing to the others but I went to the headteacher and told him that my husband was away "deep-sea" and that I would like to take on the responsibility. The staff were delighted because they dreaded being chosen.

I left with my group and we went to Comrie. From there we went by bus to Glen Leydnoch where we had to stay in a lodge which some generous folk had offered. When we arrived the lady in charge listened intently to my accent and said "You are not from Glasgow?" When I replied that I was from the Western Isles she said "You are from Barra, as is the shepherd's wife from next door." As soon as I had the opportunity I went to Mrs MacKay's door, though I didn't believe she was from Barra because MacKay was not a Barra surname. When I knocked at the door it was Katie, daughter of Roderick Iain Alasdair

---

[79] Many children from the cities were taken to countryside locations for their own safety at the height of the bombing.

from Kentangaval in Barra who answered and she told me that her husband was from Uist and that my mother's family were his only relatives in Barra! I was not without a place to visit, but in spite of the beauty of the glen and the splendour of the trees I was missing something in my heart which I could not fathom at the time.

The schoolchildren were fine, sensible and loveable; even so, I had a feeling of sadness and longing and I understood the reason when I went to Perth.

The sound of the sea kept calling
Come my darling to your native land [80]

Thus, and with the sound of the sea ever in my ears I returned to the island where I was born and brought up. The 'Coddy' said to me when we met "Well, my friend, you have heard the old proverb, 'A cow will resort to her fold again.'"

Brevig, Castlebay and Glasgow Again

I wasn't long back home when I got word to go to Brevig school. On the first day when the children were coming in I asked a little girl, "Whose child are you my love?" She responded quietly, "I belong to the Crow" and I thought she was making fun of me and I asked sarcastically "Who did you say?" She bowed her head in shame and looked at the floor and said quietly, "That's what they call my father" and I wasn't long in the community when I found out that the child told nothing but the truth.

I wasn't long in the school when a group of children referred to as "boarded-outs" arrived from the city of Glasgow. All thirteen of them landed in my classroom. The first morning before they came in, a little Barra girl came in crying sorely. When I asked what the matter was, she said "That big fair-haired girl slapped me across the face." I called the fair-haired girl over and asked. "Why did you hit this little girl?" She answered with an indignant look, "She was gaping at me." "Oh dear," I said to myself, "I had better be strict with them from the word go or I shall not survive!" When they were all gathered in the room, I summoned the blonde girl and I let her know in no uncertain terms that the time before class began was not to be used in this way or that she would go back to where she came from.

---

[80] This is an extract from an emigrant's song called "fath mo mhulaid a bhith ann". There is a version available at – www.tobarandualchais.co.uk/fullrecord/34612/1

An inspector closely connected with Glasgow came to school and asked, "How are you getting on with the city children?" He was not pleased when I told him that I didn't like having so many of them among the island children. If he were listerning at the window and hearing the taunting language which I was hearing when they were outside, and the Brevig children re-echoing the same language and not understanding what they were saying, he would have understood "the tune". Without a doubt there were very good children amongst them and thankfully they were not all the same.

At that time these children were very keen to sing songs. An inspector came from Inverness to assess the state of the Gaelic language in Barra. He arrived in and straight away asked if the children could sing any songs as if he were of the opinion that they knew none. They sang song after song for him and they were indeed excellent singers.

A new little boy had started school that week. I knew that they always had sing-songs every night in his home. I called him out to see if he would be willing to sing a song. He was more than eager to do so.[81] He put one foot on the bar under my chair, the same as his dad did at home and sang the most beautiful Gaelic song, "Fàilte Rubha Bhatarnais" from beginning to end. Donald MacPhail went away in a good mood and with a smile on his face saying, "If I had any concerns about Barra Gaelic this morning, I certainly have no concerns now."

I had a little boy in this school whom I sent on an errand to the Headmaster's office one day. He came back crying and in tears. When I asked what was the matter, he replied in English so that he would be as good as the "boarded-out" children. "Please Miss, he gave me a "splerg" (a slap on the cheek).

"I wonder," I said to them in fun, "what we should do about this?" The little rascals from Glasgow suggested "See that piece of wood Miss, let's drive some nails in ..." but before they got any further with the story, we heard the voice of the lad who had been hurt shouting loudly, "Crucify him!" It had been about this time that the children had been preparing for First Holy Communion and I realised that I had perhaps over emphasised the story of the One who offerred Himself on the Cross!

I spent a happy year in Brevig – living with Catriona and we were the only two in the house. Many a hearty laugh we left between the walls! Her husband

---

81 The phrase used is literally "He was willing not only to run but jump!"

was working away from home and so was my husband Eoin who was "deep-sea". Eoin came home only when he had leave. He would then arrive with lots of precious goods which he had bought in foreign countries. He had great stories to tell about the places and the wonders he had seen while he was away and I suspect that he was well able to extend and embellish the stories – he had a special gift for that. As I've already said, Eoin would have done very well in the world had he had the opportunity when he was young. He was an avid reader of all sorts of books and he could talk about any subject in English or in Gaelic. Many a man and woman there was in our islands who had more ability and acumen than I had, which would have enabled them to get on in the world had they had the chance when they were young.

I left that school in April 1950. My heart did not want to move but it was necessary to be moving on. I still have the "Waterman" pen that the children gave me, keeping it with care in remembrance of those who presented it to me with their best wishes.

In the year 1951, I went back to Castlebay school and I stayed there for ten years. Eoin was now at home with me and that was a great support. He managed to get a job working at the pier in Castlebay where he met people from all parts of the world and when he got home he had many a tale to tell. Quite often, a fishing boat would arrive at the pier and it was not enough for him to buy one or two fish – he would buy a whole big basketful! My spouse was "as kind as the seagulls". He would call in many houses where he would share out the fish till there were only one or two left by the time he got home. He didn't have much pay but he was not lazy and he wore himself out working at the house after working at the pier.

There was a great group of teachers on the staff of Castlebay School and one couldn 't ask for better company and entertainment than to be right there with them. We used to organise ceilidhs to raise funds for Christmas parties. The children were delighted and each class tried to outclass the others with songs, poems and plays. One year I had a class which performed a play called "The Picnic". They were very keen actors. I can still picture them with their little boats joyfully singing a song composed by Cal Curstaidh Chaluim (Cal, son of Chirsty, daughter of Calum), "My beloved little boat...". The children were so full of fun telling jokes and doing impressions. They had the audience "in tune" so well that everyone big and small was doubled up in laughter even before they would finish their acts.

Our boss then decided to return to the city. After that, somehow things went awry and "the music went all over the fiddleand the pipes went to John O Groats in Sutherland". One by one the teaching staff left for other places and I also "set sail" and left my beloved kinsfolk and went back to teach in Glasgow.

I went to teach in Saint Anthony's school at Govan Cross. I wasn't long there when the headmaster told me I was being transferred to Saint Constantine's in Uist Street. If I had once loved the subway, I had more than my fill of it during the five years I was in that school. There were 48 or 49 children in each class – lovely boys and girls who never gave me any grief.

But once again, I began to miss and long for the sound of the sea and I realised that like the sandpiper, I had to be beside the sea.

BACK TO VATERSAY

Someone whispered in my ear that a lady teacher was required for Vatersay School. I applied for the post and I was soon invited to return to Vatersay School.

I returned to the lovely island in September 1966. Sadly, the memories I had from my first time there no longer rang true. Most of the population had left. The little village of Eorasdale where I used to visit had no one left and the houses had gone to ruin. There were only ten pupils in the school and the total population of the island was 67. There were no shops where there used to be three. The people were low in spirits. The papers referred to it as the "dying island". Indeed, I didn't need much encouragement to get my feet into gear.

Shortly after I came back, the local people organised a meeting to see if there was any prospect of improving their lot and there was a man from the mainland present. When I spoke up he asked me why I had come back there. He said quietly, "Don't you think it is too late to do anything here?" That year I was challenged to my back teeth. Before long I could hardly believe that I was the same person. Completely opposite to what I expected, I appeared to be a sort of stumbling block. I had read in the paper that it was the intention to de-populate Vatersay a few years before 1970. Perhaps they thought if we can't manage to get the birds we will crush the chicks! First, however they would have to get rid of the broody hen – and they were on thin ground!

I had never been in charge of a school on my own and I had much to learn and there wasn't another member of the profession living near me. In spite of difficulties I kept things going and it certainly was not easy being in charge of the school all by myself. My husband had fallen into ill-health and the nearest houses were at least half a mile away.

When I had reason to go across to Castlebay I had to travel by ferry-boat, an open boat without any shelter under the sun and lashed by the sea-spray as she bobbed up and down and very often she was nearly standing on end. If there was an ebb-tide, I would have to pull myself along on my bottom on top of the seaweed as did everyone else in order to get on board.

The man who operated the ferry at the time decided to give up this work and purchase a fishing boat. An enjoyable and happy celebration event took place in the school to bid farewell and wish him great success in his new venture. They had barely got properly organised with the new boat when poor Angus John and his crew were lost with the "Màiri Dhonn". In a small remote place this kind of tragedy affects and casts great sadness over the whole community and we understood only too well why the islanders always pray "May God protect the seafarers".

The people of Vatersay were people who had always been used to great hardship and I had my own share of it. Owing to their circumstances they learned to suffer adversity without complaint.

A Little About Mingulay

Most of the Vatersay people or their ancestors had come from the Isle of Mingulay which they had to leave because of severe wordly hardships and when they had given up all hope of making a living. I am often amazed at how little we hear about the leaving of Mingulay. I visited Mingulay only once ever and I must admit that I swore I would never go there again because of the horrendous experience of going ashore in the very strong swell of the ocean. Our group went to the church – a big beautiful building on top of a little hill. I was surprised and uspet that the door was wide open with the wind and the weather battering it mercilessly. When I was about to leave, I picked up a piece of iron which had been lying on the ground as a souvenir of my visit but I then dropped it and on second thoughts that though it was no longer of use, it would be wrong to disturb the people who were lying in the long sleep of death in that scenic island where they had decided to spend their earthly days.

According to history it seems that Mingulay was inhabited many moons ago – back in the sixteenth century. They lived on fish and potatoes, seashore shellfish and seabirds. They were all of the same creed and really strong in their faith, even although a priest was only able to visit periodically every six weeks or so. Peat was used as fuel. The ladies were kept busy making pillows and mattresses using birds' feathers. They had sail-boats for sea travel. They would have to go to Castlebay from time to time especially on the hunt for white flour and other necessities. Often the bags of flour would be soaked in sea-spray en route. The scones would therefore not be as tasty but they had to do.

According to what I heard, it seems that the people of Barra were very worried because there were no boats appearing from Mingulay for weeks. Eventually a boat with a fine crew set sail for the island. A young lad was put ashore to go round the island to investigate. As he approached the shore he shouted, "There is no one living here" but that was a fateful visit for him. The boat moved away from the shore very quickly and he heard a call "You are not allowed to come any closer in case you've caught the disease." It appears that he found every house neat and tidy except in the last house where he found the bodies of those who had buried the bodies of their relatives before they themselves succumbed to the disease and died. The poor lad who had brought the news was exiled in Mingulay and left completely on his own. The place where he used to keep watch was called "MacPhee's Hill" – where he prayed that a boat would appear from somewhere to rescue him. At last, one did appear from Castlebay to see if he was still alive and on that occasion he was brought back. Michael, son of Donald, whom I knew well was closely related to that brave young man.

It must have been the case that people returned to settle in the island shortly after this. I heard about the first school in Mingulay. At that time there were men with their wives and families living on the Isle of Berneray which lies to the south of Mingulay and they stayed there to attend to the lighthouse at Barra Head. Seemingly, these people were concerned that their children would have no education nor learn to write and be without knowledge of their faith when they grew up and because of that they would not be able to properly fend for themselves when they had to go forth into the unfamiliar world. Therefore, they wrote to "the powers that be"[82] to inform them that their children were sadly lacking in education and in their knowledge of the Word of God.

It was seen fit to send someone to provide this amenity for them, It could not have been meant that the kindly gentleman go to the lighthouse staff because the crew who collected him from Castlebay were totally unable to get ashore in Berneray owing to heavy seas and gale force weather on these shores. The boat

---

[82] An expression which means to the council/government officials.

therefore made for Mingulay where they were able to disembark. Mr Finlayson, the grey-haired school teacher, came from Strath Cameron. He stayed for a night in one of the houses and when he assessed the situation he liked the place so well that he decided there and then that as there were plenty of children he would just stay there.

He must have been quite scared when he woke in the morning and heard a woman shouting, "If I had a hold of him I would flatten his face and make it as flat as a sixpence!" He thought that the islanders were going to be at loggerheads since he was not of the same religious persuasion as them. He was afraid to move out of the bed for a long time. When at last he crept up and went for a bite to eat he thought it very strange. The host family were exceptionally hospitable as were the rest of the island population.

As soon as possible he set to work and soon the children of Mingulay were being taught. They were instructed in their faith in ther own homes because the islanders loved their faith. The Sgoilear Glas stayed in Mingulay and married one of the island girls and lived there till he died. Before he died, he and his family had many a laugh when he told them how he was really terrified on his first morning there. It seems that the lady who was letting off steam was complaining about an ox which had been ruining her cornfield!

With sadness and sorrow the young men brought the Sgoilear Glas's remains to be buried in Barra in the old cemetery in Ciuir along with those of his own faith. Apparently, the weather was so bad on the way to Castlebay that they had to tie the coffin to the mast in an upright position in case the sea squalls would pull it overboard, and thus even on the way to the grave his mortal remains were standing in front of those whom he first taught to read and write!

Neil's Trip to Mingulay[83]

When Neil came from the mainland
He arrived amongst people
Who were busy cutting the corn
The wife and the family
About to be destitute
Without food or provisions
Without drink, without meat.

---

[83] A song composed by Fr Allan MacLean. He died in Cape Breton in 1872.

Och, och I am alone
Crossing the sea-strait
Where I had been familiar
Though I left early without food,
without prayer
What caused me to lose my sense
Was the "juice of the barley".

On the way to Sandray
with a strong head wind
the mast jumped out of its housing
and had it not been for Lithinis Rock
I would have been lost
and though I managed to get aboard
my mind was very sad.

When I climbed above the waves
my ears were nearly deafened
The cormorants were calling
that I had died and that
I would have to be roasted.

If I could tell the beloved priest
that it was the booze that
made me go to sea
my mind would be at ease
and my soul would be free
and I would never again
frequent the pubs.

Ewan Stewart[84] *was very worried*
because he thought I was a ghost
I was very sad, on my knees
and praying, and indeed, I should
be praying.

---

[84] Ewan Stewart was the postman in Mingulay. His son James was the postman in Vatersay in 1935.

168

Iain Ruadh (red haired John)
was so shocked that his hair
stood on end like brushwood
and MacIntyre would not stop
shouting "Are you a man of
the world, or are you a seal?"

Donald Ewan is a sensible man
he was steering the boat
although he was injured
he will be complaining because
he is crippled with arthritis
but anyway, he composed the song very well.

John Campbell is an intrepid person
he was not afraid
nor should he be
he said " Steer across to meet him
it is but a butt[85] created by
"Mac an Tòisich".[86]

Hector's jacket which I wanted
was being mangled by the
ocean of the ghosts. He was sadly,
having to make do with borrowing it
and he had worn it only on a Sunday.

When winter comes I shall
go to the mainland
and I shall remove the damaged part
from the end of the rope
I shall earn — make money
be it even in Germany
and I shall not allow the sheep
to be taken away by Donald.

---

[85] Butt ie object of derision
[86] Whisky

It seems that some people in Mingulay were very intelligent. The island was so far south of Barra and so often surrounded by a treacherous sea that the school inspectors were not very keen to make that sea-journey. One time a few of the children were asked to go to Castlebay so that the education inspector could examine them and find out about their school work. Two of these were the late Niall Chaluim (Neil, son of Calum) and Mìcheal Dhòmhnaill (Michael, son of Donald). They were apparently just as able as their own age group and maybe even better. Neil was a very competent poet though I've never seen any of his work in print. I know Michael very well – a great story-teller who did not require a barometer to forecast the weather. He just had to look at the skies.

In the island there were some who could do the most wonderful lathe-turning though they were never trained in the skill and there are still samples of their work to be seen in Castlebay. They did not have a lawyer. Any problem that had to be resolved was done by the priestwho only had to open his mouth and speak to them and that was enough though it was sometimes difficult to reach them especially in wintertime. A priest was stuck in Mingulay for six weeks once, because of bad weather and there was a couple waiting for him to perform their marriage ceremony two days after he had sailed for Mingulay! Eoin told me a funny story about a chap who had been forbidden to visit his heart's desire in Mingulay. He promised the priest that he would never again step inside her door. They were too closely related or some such impediment but the lad found another way of visiting the lass he loved above all others. Perhaps he was related to Santa Claus, because it seems he removed some of the thatching on the roof and since he had not promised to step outside the door, he did not have much qualms when going home, when they both agreed it was time for him to head for home!

I was told by a woman who had been a pupil at Mingulay school about a headteacher who had a sweetheart in Berneray, Barra Head. Sometimes the separation was hard to bear, especially on a beautiful day and he would ask the children to go home and he would head to the island of his heart's desire. He would ask the children to attend school on Saturdays to make up for the lost days but my informant's grandad complained vehemently because he needed her help with the household chores those very days.

According to what I've heard, the people of the island would stop any work they were engaged in and head for the shore whenever a boat was seen approaching. They took advantage of the tides and gathering together, would surround the boat and pull her in, in case the next wave would smash her to bits on the shore.

There are very high cliffs on the shores of Mingulay. "Biola Creag"[87] is the tallest of them and it is close to 1000 feet[88] from top to bottom. Biola Creag was the war cry of the MacNeils when confronting their enemies. Seabirds nested in these cliffs and the youth were wont to steal the eggs from the nests which resulted in many an accident because according to legend, Niall Sgrob and his band had to attend to Sandray and the Isle of Fuday as well as Tiree. I fell in love with "eun a' chrùbain" the puffin, when I visited Mingulay. They mate in early May and it is apparently a very amusing scene at the end of July when they place the chicks on their backs and fling themselves over the cliffs into the deep sea many feet below. They will not return to the nesting place till the following year.

At the turn of this century, the people became restless and were anxious to move from the island because of hardship and lack of means of livelihood. The MacPhee family left and moved across to Barra. The ones who were left gave up hope and they began to make enquiries about moving to new frontiers. Stealing away in the middle of the night, without help, without sympathy from anyone under the sun, they headed for Vatersay and willy-nilly, they built huts above the shoreline. They were afraid to move out of them either by night or by day in case they would be demolished. I know some people who had come from Pabbay and I remember when I was a young girl hearing the older folk telling about the year when "the ones from Pabby were drowned". According to the story their boat encountered a current as strong as Coire Bhreacain[89] and not a stick of the boat was ever found either on land or on sea. Pabbay was left that year with only a few old people and children. I heard that a fairy woman had been seen in Pabbay, the most beautiful woman that the eye had ever seen. Perhaps it was not a fairy woman but the most beautiful lady of the whole world.[90]

I also know some people who had come from the Isle of Sandray. At that time the island was owned by one called Lord Sandray. It seems he had huge stacks of gold "in sight of seven beaches", but in spite of every attempt, no one was ever able to locate this spot in view of six beaches, and the gold is still there.

---

87 Name could mean "Whistling Rock"
88 305 metres
89 A waterfall in the Highlands of Scotland
90 The author could be referring to Mary, mother of Jesus ("Our Lady") of Wordsworth "our tainted nature's solitary boast".

MacPhee's Farewell to Mingulay

*My own thoughts wander off
on the wings of my imagination
carrying affection from the depths of my breast
to a stormy lonely rock where my beloved
mother brought me into the membership of the human race
and where I would like to have the
restful peace of death if fate decreed
that I could find it there.*

*I saw the fishing fleet travelling
with their sails spread, making a hole
in the blue shell-shaped sky
this is not a lie though it may seem like that
at the time my eyesight was not poor
and it was not a deceptive magic sight
but what was there and always will be there
and your children will always see it.*

*I listened to the raging sound of the waves
against the bleak, bare rocky shores of the straits
and my own spirits as free as their music
and my heart heavy thinking about
the umpteen turns that the tide has made
since this world was created
back and forth till this day
and the tune of its voice
without any change.*

Back to Vatersay

Often on a quiet May evening
when there was with me
only a flight of seagulls
I would sit for a while
without much sense of time
on a tuft on top of the hill
at the time of the sun setting in the ocean
beautiful was the colour of her face to me
and though she had done millions of journeys
the look of old age has not come upon her.

I really loved looking out
on a cold January morning
taking stock of the power of the waves
which were gloomy and sullen and foaming white
turning, one after the other
with their white crests at the time of heavy showers
washing the feet of the grey rocks
and shaking off the shellfish.

The top of the ocean of the wildest waves
would be breaking up voraciously
violently swirling up from the depths
like mountainous pillars gushing forth like branches
stormy, fierce, dark grey and green
swollen-bellied, wild, white-mouthed
with the eternal turbulence of the many elements
from the earliest times of this world.

And there would be the fierce elements of the firmament
without fetters, reins or tether rope
exercising their strength and riding
the elements on the cold wings of the winds
the lightning bending, nimble, sharp
lighting the sky in darts
and the thunder following it
bringing the majesty of God to my thoughts.

Of the joyful family which sat each
night round the hearth – there were nine
there is today on the bare hill
only myself alone left
the ground is green around their
cold fires with nothing here but sheep
and the people of my love in their
eternal sleeping rooms.

It's rugged, peaked and gloomy rocks
with the grey mantle of old age covering them
rise like a fortifying wall against
the weather of January/ February
although the ruinous grim tempests
have exposed the mounds and bared the hills
there are sheltered green fields
in the crevices of the hills
with the appearance of summer
always upon them.

In the July of summer
The crops will grow in the fields
In tall, green, luxuriant bunches
With bushes abundantly fruitful
Barley and oats would be early in the ricks
Having many sheaves and heads of grain
With green leaves on the potatoes
And the white flower spreading on it.

The school which was opened by the Sgoilear Glas in Mingulay in 1875 was closed in April 1910 and the children – there were only 8 pupils left – went across to Vatersay. The teacher Mrs MacShane went with them to the new island of hope. It was Morag, daughter of John, son of Duncan, the wife of Eoin a' Bheannachain who was the last child born in Mingulay.

Prayer from Mingulay

Everything that is profane
Cleanse straight away
Everything that is difficult
Soften with your grace
Each one that is causing pain
Oh healer of healers, heal him.

Bend everything that is stubborn
To your will
Everything that is cold
Make warm under your wing
Everyone who has strayed from The Way
Grasp his rudder and he will not be lost.

In this life give us your grace
And be present with us at the time of our death
At that time give us your mercy and your love
And we will have a share in
Your eternal happiness.

(They didn't know this prayer in other parts of Barra)

Vatersay Itself

There were also families from Barra who had small scraps of land for planting potatoes and seed crops to feed themselves and their families who moved over when claim was laid to Vatersay. The island was an estate and the landlord[91] was the only one who used to live there in the Taigh Mòr – the Big House – and the estate workers and his staff. My mother's sister Mary was married to one of the estate workers. A kindly man showed me the exact spot of her hearth-stone.

I have read that a very long time ago the Vikings lived in the island and that Dùn a' Chaolais (The Caolas Fort) was the first fort they built in the Outer

---

[91] The Landlord was Lady Cathcart, and her tenant was MacGillivary.
As noted in official records from 1908
http://hansard.millbanksystems.com/lords/1908/mar/31/affairs-in-the-island-of-vatersay

Hebrides. The hills of Vatersay are in the shape of an upturned boat as in Norway. That's where the chief was buried along with his precious jewels and his ornaments.

Up on the little hill above the west beach a beautiful monument has been created at the grave of the people who lost their lives in the Annie Jane which carried crowds of emigrants en route to America.[92] They were mostly Irish and Scottish people aboard. They had left Liverpool on 3rd September 1853. It seems that fortune did not favour them from the start. They had to return to port twice but the third time the Captain said he would not go back and although there were another few mishaps, he continued on the journey. When the weather turned really bad he locked everyone below decks. It is said that he asked his wife to stay on deck and that he would give her a hand if there was an emergency but when difficulties arose it was a strong Irish woman who had overheard the conversation who grabbed his hand. There was one of them who understood the man on the beach who said. "You troublesome woman, many more beautiful than you have been consigned to the gravel at the bottom of the sea," and she retorted, "Thank God that you are not my God." There was one mother aboard the ship who tied one of her children to her back in a wrap and she grasped the other child to her breast in a deathly grip. Sadly the ocean pulled the child in her arms from her but she and the other child managed to reach the shore. It seems that when the ship crashed on the shores of the West Beach and the sea broke her to bits more than 400 people were lost but about 100 of them were saved. The estate workers heard the screams after midnight and they rushed down to the beach. At break of day body after body was to be seen on that beautiful beach.

Only two were put in coffins – a clergyman and one of the ship's officers. One grave was dug above the West Beach and they lie there asleep in death, lulled each day and night by the sound of the sea. A friend of some of them erected a monument on top of the hillside above the grave but on a calm summer's evening when I would stroll over to the spot, it was hard to believe that such sorrow could have occurred in such a gloriously beautiful place.

One time a lad from Vatersay was fishing off the shores of Northern Ireland and when he went ashore and managed to meet with a group of locals he told

---

[92] This report accords with details of the "Dreadful Shipwreck" were reported in The Times, Sat 08 Oct 1853. Further sources can be seen via Canmore site at
http://canmore.rcahms.gov.uk/en/site/10288 I/details/annie+jane+bagh+siar+vatersay+atlantic/

them where he came from. One of the group asked him, "Do you remember when the Annie Jane was lost?" When he replied that that would be one incident he would remember till his dying day, the man told him, "I am the only child who survived from that unfortunate vessel".

There is a part of the island which is called the "Beannachan" ("Blessed Place"). Down near the shore there is a large rock which has a fairly level top. According to history that is where a priest used to offer the Holy Sacrifice of the Mass when there was neither sight nor sound of a church building.

As well as the people of the isles to the south and because of the shortage of land, some people from Barra took possession of the land as I have already said. Instead of helping them they were warned that they would be arrested by the law of the land if they didn't all move back out. Now at that time there was a dreadful fear of prison and of the law and when I was young, if you as much as associated with anyone who had been brought to court you were completely put to shame. "Wasn't he a hero, the one of the "Raiders"[93] who said after this warning, "If I could persuade them to go to prison with me, we would win," and he did win.[94]

Not many photos were taken of the poor men who were sent to prison in Edinburgh. Lack of English and lack of knowledge of the ways of the city ensured that they were not an object of envy. There was a solicitor named Mr Shaw[95] who pleaded for them and when the newspapers got a hold of the story and told of the plight of the prisoners, people's wrath throughout the country was raised. They spent six weeks in Edinburgh but now the Secretary of State had intervened. He bought the lands of Vatersay from the landlady and it was shared out as crofts in the year 1918. It seems that when the heroic men returned from Edinburgh they and their families danced a joyful reel when they stepped ashore on the "new lands".

This was the land which now in 1966 was dying in spite of the trials and tribulations endured at the time of its acquisition and I now as head teacher was for the first time ever in my teaching career involved in speaking to those in the highest echelons of power. They know best why this is the case. There was

---

93 This was what the men became known as. The leader of the group was one Duncan Campbell from Kentangaval.
94 This sentiment is confirmed in an Australian report from 1912 following the death of Duncan Campbell. 1912 'VATERSAY RAID LEADERS.', West Gippsland Gazette (Warragul, Vic. : 1898-1930), 8 October, p.3 Edition: MORNING., viewed 4 January, 2014, http://nla.gov.au/nla.news-article68660579
95 Mr David Shaw is referred to as having written an "insolent" letter in the transcription of a Lords debate http://hansard.millbanksystems.com/lords/1910/jul/27/the-western-islands-of-scotland

no one to whom the local people or I could turn except to one another in time of necessity.

With the help of God and the grace of patient endurance, gradually the wheel came full circle. A few young men came back from deep-sea and with the support of the Highland Development Council they had the opportunity of getting boats for lobster fishing. After pictures appeared in the paper of cattle which were going to market having to swim across the narrow sound, and the men in charge having great difficulty and some of the cattle being drowned, they were provided with a cattle-ferrying boat, the sort that they had never had before. May God specially reward those who did their utmost to bring electric power to the island. A new world[96] opened up for the people of the place which had been so remote, in 1968. There was tremendous joy and encouragement to cheer up the people.

At this time I stopped looking back at the ruins of houses which had been left empty when I first returned to the island. I used to look before this at the ruins of the Big House. That was where the first school had been started in the place. On my first teaching episode over there, the Big House was still in fairly good condition with its roof intact.

The school first opened in the Big House on 20th May 1910 and there were about 40 pupils. Most of the children were without schooling for about 3 years and because of this it was not easy for those who were teaching at the time. It seems that Mrs MacShane who had come from Mingulay with the children was offended that a male teacher had been appointed, but it is understandable that as she had had "control of the ropes since New Year 1904 she would find it hard to have the wheel snatched from her hand". This stalwart lady left at the time of the summer holidays in 1912. Schooling continued in the Big House until the new iron-built school was erected at Ceann Magaig which was opened on the 13th June 1911. There were 55 pupils in the school then. That school must have been very stormy, especially in a westerly wind because it was situated on the top of the hill above the present building. The site of that building is still clearly visible.

A beautiful stone-built building was erected below the hill and close to the main road and it was opened in the month of October in 1927. It is one of the cosiest you've ever seen and adjoining is a school house which is to any teacher's satisfaction.

---

[96] Literally "the world of those not yet born"

178

There's a story told that someone saw the mermaid "dancing joyfully on a small green patch close by to the very place where the school was built with her tail glistening brightly in the light of the sun, every turn and twist of the dance!"

For a place which had such a wealth of history and knowledge, wouldn't it be a shame to allow it to be depopulated and laid to waste? At that time, many people were leaving Barra and crofts were being handed over so that those who were left had three or four crofts on their hands. Houses were being closed and shuttered and the hopes of those who were left were sinking fast and so were my hopes. The one who had always had a group of women with her was now left on the hill all by herself. Though the situation was difficult, I had many responsibilities and I felt obliged not to give up in spite of these circumstances.

As I've already said, we now had the electricity and I think we were given other powers and courage along with them. Every housewife began to buy electric fires, electric blankets and every grand gadget connected with the power. When I went visiting and the housewife said "Wait a minute till I switch on my blanket", I would imagine that I was in the centre of the city. Then came the television "box" and a big new world opened up for everyone, little and big, old and young. I certainly heard plenty of Gaelic then. The children were crazy about "Jackanory"[97] and "Blue Peter".[98] The souls! It was great news that they were on the button like their peers. The crux of the matter was that the TV excitement was causing them to lose interest in learning the tables and spellings at home.

A little girl from Glasgow joined the school. The first time she started in class she hung her head and looked very unhappy. When I asked her what the matter was, she told me, "I can't manage to recite the tables. We didn't have to learn tables in Glasgow schools." "Oh dear me," I said to myself, "what on earth has happened in Glasgow since I left?" The little girl told me that there was a chart – a big chart on the wall in her school with all the tables on it. "You learn them by heart my dear because you will not be able to carry a chart like that around the world with you," I advised her. Well! She did indeed learn them and soon she could recite them just as well as the rest of the children.

The islanders' livelihood consisted of lobster fishing and keeping black cattle and sheep and that is quite profitable for them nowadays, but a few years after

---

[97] Jackanory was a programme specifically for children on BBC from 1965 to 1996 – the format was an actor reading a story from a book, direct to camera, with occasional illustrations displayed.
[98] Blue Peter is a programme specifically for children which aired on BBC from 1958 and is still running. The format was for 2 or 3 adult presenters to showcase various different activities children could make or do, with demonstrations in the studio and active participation at home encouraged

this the lads found out about "Jobs Creation"[99] and they were earning their daily bread without difficulties at home in the island.

It was about October 1968 that the school had electricity installed. We now had excellent lighting and even better than that we had radiators – four of them attached to the walls instead of the tiny little stove which heated only one corner. You could hear the children on a cold day placing their hands against the radiators and saying "A bhalaich!, a bhalaich!" (Oh boy, oh boy!). I would then go back in memory to my first time teaching in the school.

The first morning I was there, I was out in the cloakroom at dinner time. There was a young boy there who had a few brothers and he was busy sharing a scone of flour and Indian meal amongst them. He was giving each one a large piece of scone when he noticed the new teacher standing in front of him and the rest of the scone was quickly shoved inside his jacket. I think the same lad was never again shy of me when I said, "Young lad, don't hide that from me, do not be ashamed, that is the exact same as I had when I went to school." He and his peers had to sit in soaking wet clothes after walking a few miles to school. Poor man! If he were still alive he would indeed be surprised to see how things are nowadays – with lights and a heater in every corner – after things had nearly folded up but didn't get to that point. "You who are standing, beware lest you fall" but in spite of everything we were actually surfacing more and more. Things were improving.

I also had my sad times. My sister who was visiting from Australia died very suddenly in London when on her way back with her family in April 1971. That was a painful blow. She who had the sweetest voice and heartiest laugh! We would not meet again in this life. But the world has to go on despite hardship and sorrow.

We were making excellent progress in the island and finally and at last, the outside world viewed us with some interest and they must have said to themselves, as is said in English, "If you can't beat them join them!"[100] And that is exactly what they did!

In the month of October 1973 a group arrived from the mainland and they had a meeting in the school. Indeed I thought that some of them were tongue in cheek but anyway a community association was set up in the island so that we could have a say and that the outside world would take notice of us.

---

99 Ellie is referring here to a goverment initiative know as the Job Creation Scheme which provided funding for jobs locally that would otherwise not have been available
100 Or literally "If you cannot crush them under you, jump in beside them!"

There was mention of a new ferry-boat which was expected to ply between Castlebay and Uidh – a new style of boat which would arrive about springtime 1974 and it was to be fully equipped to carry a mobile shop selling every household essential. There was also mention of timber-built houses which would come from Norway and would have all amenities with inside water taps. Each day was like two days.[101] There would be no further need to go to the well.

The vessel arrived in Autumn 1974. I watched its first voyage from Castlebay Pier to Uidh. It didn't take more than five minutes on the journey and I said to myself "The islanders' problems are past now!" But it didn't last long. Pretty soon the "Vatersay Galley" went out of order. It wasn't seaworthy and we had to resort to the old ways for a time.

Before October 1974, the Norwegian houses arrived. They were erected haphazardly in the main village and the man in Caolas who had requested one in his own village was not heeded. That was to cost too much money. The "hero" – he and his wife, built a beautiful home and may he and his family have long life in "Gàir na Mara" (The Laughter of the Sea). The Norwegian houses did not have chimneys and every time there is a power cut they have no way or means of keeping warm.

Now I was trying to keep the school going as best I could. It was not easy, where at one time I had 19 pupils to keep each one going at their own level but I did my best and no one can do better that that, however bad it is!

One year a young pupil arrived off the ferry. He must have decided that he wasn't going to learn a thing in school. He could not read a word and to all intents and purposes he had no intention of even starting. He was convinced that he was going to play it his way. One afternoon he and I fell out completely and he lay flat on his back on the floor. He began kicking his feet and clapping his hands, promising that he would never again come back to my school. "My dear friend," I said, "just you go. I don't take your sort here!" He must have changed his ideas during the night because he came back next morning and without a word settled down to work. Two or three years after this his father told me that the lad used to read with the aid of a torch underneath the blankets! When he visited Castlebay on the ferry he would return with a handful of "Ladybird" books which he had bought in the shops. Eventually he had a library of his own! When the Education Inspector came, no matter what subject or story about which he questioned the children, my "fair-haired little lad" used to call out immediately and tell him,

---

101 ie there would be more time

"You can find that story on such and such a page in such and such a book in that corner over there." I would then go back in my memory to my first ever visit to the school in 1935. I was at that time "at the height of my teaching career" but I could not manage to teach one certain young boy to read and in those days we had no knowledge of disabilities which caused learning difficulties. In spite of everything he eventually managed and I don't know who was happier, himself or myself. Today he is quite independent and working in London for his living. "Despise not a ragged boy or a shaggy filly!"[102]

When the TV box arrived I had a boy who liked it so much and I was of the opinion that he was wasting about a third of his time. When I gave him a row for not learning his tables and spellings at home he would give me an angry look and say, "I don't like tables nor school and I don't think I like you either." He is now quite fond of me!

Though TV had come it did not do away with ceilidhs in the island as it had done in many other places. There were gallant young men who would make a cow laugh with their mimicry! I was thankful that I did not see them dressing up as the teacher they had had, though I've no doubt that they did so often when I was not there!

There were two fellows who were very good friends.[103] These two were really good at imitating just anyone they would think of. They had no intention of offending anyone, only to raise a laugh.

One time the wife of one of them went on a trip to Glasgow and her spouse was left at home on his own. His friend was most times full of fear. The least thing frightened him and he certainly had every reason to be like that. During the last world war he was caught by the Germans when he was at sea and he spent three weeks at the bottom of the ocean in one of their submarines. After that he was imprisoned till his teeth rotted and was there until released by our own men at the end of the war.

This night when his wife was away his friend came to visit him and as usual he didn't head for home till the wee small hours of the morning, The man of the house went out to bid him good morning. When he went back inside his friend turned round and went back inside, tip-toed to the other end of the house and jumping into bed, hid his head under the blankets. The other man was busy

[102] A Gaelic proverb warning that one should not underestimate the abilities of a person based on their apperaance
[103] "Close as two heads of horses" is the literal expression used.

tidying up in preparation for the next day. He then headed to the far end of the house to go to sleep but he got the fright of his life when he switched on the light.

When he looked at the bed he saw a huge frightening lump right in the middle of it and the most horrible roar you've ever heard began. He was falling on his knees here and there imploring Providence to deliver him and remove this unearthly lump from his sight; but the roaring became ever worse. When he was just about frightened out of his mind the fellow in the bed lifted his head and when the man of the house had recovered from his fright he did not bless the prankster! "I thought you were a seal," he said. The other rascal replied, "No you didn't, you hoped that I was a mermaid!"

In summer and autumn time many visitors came to see the beautiful scenery. They would say to me "you must be the happiest person in the world, living in this spot". Right enough, it is true – there is no other such place. But when they went back on the ferry, I was alone once more with the seagulls screeching at me "Send me my food if you've ever made it – hunger is blinding me" and the brown otter smiling at me from the sea with a trout caught crosswise in its mouth. I would then glance over at Maol Dòmhnaich "with its little calf always beside it, which will not ask to go to either fold or grassy pasture"[104] and I would keep watch over MacCreacher's little field who had been exiled there because he had made a prophecy about the Clan MacNeil:

In the time of Roderick, the seventh Roderick
Everyone will suffer torment.
The son of the slim fair-haired lady –
Woe to those living at her time.
Kismul Castle will be a den for otters
and nests for the birds of the air.

I could understand how he felt although he had the advantage over me because I had never made a small garden but I nevertheless had to keep things going.

Sometimes I would go for a stroll down to Uidh where my friend "Bean an Dotair Ruaidh" (wife of the red-haired doctor) and her family used to live. They had moved eslewhere and the houses on each side of them were locked and shuttered. I would then go to the village of Carragray where I used to visit

---

104 This description of neighbouring island comes from a song written in Gaelic by Donald Sinclair on his return to Barra after his trips to sea

when I first stayed on the island to Calum Iain Shomhairle's house (Calum, son of Ian, son of Samuel). Only two houses there were now inhabited where there used to be five or six. I'd gaze towards Snuasamul and Uineasain, the little islands from the edge of the village where there is the burial ground of Mòr nan Ceann (Mòr of the Heads). She was the wife of the MacNeil of Barra. She hailed from Coll and it was her wish to be buried in Coll. When she died the MacNeil's went off in their Barra Galley with the coffin aboard and they headed for Coll. It seems there was such a fierce gale that willy-nilly they had to come back and had to land on Uineasain where she was then buried. According to history the coffin was lowered down standing on end so that the lady always faced towards Coll. She was given this strange name because if she took a dislike to anyone she would give strict orders to have them instantly beheaded "off with their head!"

An Unusual Creature

After coming back to the island in 1966 I was amazed to hear that there had never been mice on the island. To tell the truth it was not long before that completely changed. One day one inadvertently came across on the ferry in a bag of seed. The bag had come to Iain and Helen in Caolas. They never saw her jumping out of the bag and heading towards a hole. They had not realised that the mouse had "had a wedding" before boarding the ferry. That mouse caused a frightful stir. The newspaper reporters came specially to hear about this unusual creature which had come ashore – and they had the world believing that this mouse could roar! Now the mouse "had had a wedding" as I've already told you and that soon became very obvious. Just shortly after a week she appeared with her brood pattering and prancing about the house. That was some carry-on as they feasted on butter and cheese.

The wife here was really fond of cats. She kept only six cats! But unfortunately because they were unused to mice instead of chasing them each cat started grooming itself – winking and blinking and attempting to attract the mice. The family were confused. The wife grabbed the phone and called Oban asking for someone to send a mousetrap as soon as possible. The gadget cost a small fortune between postage, phonecalls etc. What on earth could get rid of the cursed creatures – the mice?!

The last chapter of the story however, does not concern the mice but the poor cats. They lost interest in everything, not even the small fish would cheer them up. When I went on a stroll to Caolas on a gibbous moon night, I would notice a row of six cats scanning the skies in the hope of seeing an airship coming towards the island and bringing some mice back to them to replace the ones they were mourning, so that the playfulness, the winking and wooing would begin again. The cats in Vatersay at the time were very funny. The old ladies in the village used to say "God send us a reason to laugh" and there was plenty of fun for many a day telling about the mouse which had come across the sea.

Need For Improvement

From time to time, the islanders gathered in the school to discuss whether it was possible to make any further improvement to our general wellbeing. A committee was formed and we began to talk in earnest and took to writing letters. We had the very best Gaelic in Vatersay so why not put it to good use! The place began to sort of come alive again but even so, we were a long way behind other places but the outside world mostly turned a deaf ear to our complaints.

One year the coal puffer did not come to the beach as usual. We had to bring coal across in the ferry from Castlebay. One night there was an electric power cut. That night I had no coal, no light, no water. I could almost say like the other fellow "I was without food, without drink, without a scrap" and I said to myself "Enough is enough" and tomorrow I'm moving away. Umpteen days and nights I thought of my friend the headmaster who had been my boss in my last school in the east end of Glasgow. He certainly never gave me cause for complaint but confided in me in parting, "Remember, when you become tired of being out there, come back, walk down the stairs and I shall see to the rest". Indeed they were still short of teaching staff in the city at the time.

Though one foot was going one foot was staying and in spite of all the hardship I stayed where I was. After Easter in 1974 there was a terrible drought. Every drop of water in the storage tanks on the hillside above the school which supplied the school water had been used up. The storage tanks had run dry. I phoned the Education Department in Inverness and detailed what the problems were and asking if I could close the school. "Is there any other way of getting water?" I was asked. "I know of no other way but to ask the van driver to bring us a jug of water from the village well," I replied. Settling himself at the desk miles and miles away from Vatersay, the one to whom I was speaking in Inverness said "Do that" but I said to myself "Easy for you to say!" I sent word to the village residents about our predicament. They were not used to seeking help from others in time of need. They would try to solve the problem themselves.

Next morning the van man appeared carrying a large white pitcher – the most attractive pitcher you've ever seen full to the brim with clean water from the village well. "Where on earth did you find it Donald?" I asked. "You've heard it said long ago, if you keep something for seven years it will eventually come in useful, but I haven't had it for seven years. I found it on the shore last year but I certainly didn't know that it was this it was to be useful for!"

Morning and evening the pitcher carrier came to the school, in the morning bringing the water over and in the evening returning the container. I could say for sure

"The pitcher man, the pitcher man
Is the one I like the best."[105]

We in the school were indebted to the pitcher man till we closed for the summer holidays in June.

That same year, on the first of June my husband died in hospital on the mainland where he had spent the last few years due to ill health. He had spent the happy days of his youth in Vatersay. At the time, he was fully prepared to stay on in school but like many another person he did not get that chance.

He was buried on the island alongside his relatives in Vatersay Cemetery. I was grateful to those who mentioned him in the paper, especially for the rhyme which accompanied the intimation:

Oh I think often of going back home
To the hills I loved and knew so well
To the shores and straits where my
People dwell; where I was young and foolish.

In school one year we had a boy who had a serious illness. When he became unwell he lost consciousness. As soon as the children noticed, they would rush into the school house and grab some pillows and a couple of blankets. The boy would be laid out on the floor and he would sleep quietly and when he woke he would have no sympoms of the illness.

The people of the place were still struggling to improve conditions on the island. We wrote regularly to this place and that, continually making requests for assistance. Sometimes that only earned us displeasure, but still we kept on

---

[105] Quote from a well known puirt a beul "Fear a phige"

trying. Certainly we were not alone in the battle. The priest gave the people lots of support during these years. There wasn't a problem or difficulty which we encountered that he did not try to solve. He is indeed one person whom they will not forget as long as they are able to speak.

An Old Acquaintance

In May 1974 I heard tell that the first director of Education in Inverness-shire, the late Murdo Morrison, a Lewis man, was going to appear on TV and going to give a talk and he was over 100 years old at the time. I went over to the village to view the programme. I really enjoyed his talk and his presentation. I had got to know him a long time before then and when I got back home I sat down and wrote a letter to him – every word in Gaelic as follows:

Vatersay
Barra
May 1974

My Dear Friend,

I hope you will pardon me if I seem a bit bold in writing to one in such a revered position.

I wish to thank you very much for allowing me the opportunity to see and hear you once more. I knew you were well on in years but had not realised until I heard you, that you have passed that wonderful milestone. It was lovely to hear you reminiscing and it was certainly worthwhile.

Last Monday night I walked over to the village from the school house on purpose just to see you. On the way there I thought and smiled. The fields on each side of me were covered in yellow primroses. I remembered with gladness the time forty years ago when you gave me the opportunity to come and teach in Vatersay School. You visited the school shortly afterwards and you asked me to give the children a lesson about the primrose.

Though I did not admit it to you at the time it was no surprise that I was able to do that quite well. I had given the self same lesson a few times in Glasgow schools for a crit as we used to say in College.

I have travelled a lot since then between the Barra schools and I then transferred to Glasgow eventually[106] to teach in the schools there. I benefited

---

[106] Literally "at the end of the tunes"

greatly from that. I then understood how precious is our own little island of the sea and when I got the chance I returned as fast as I could and I am here in the beautiful island of Vatersay. I wish you could see the beauty of the place with its summer apparel.

It is a shame that our beautiful islands are being deserted. There are only about 70 people resident in Vatersay now. The school roll is 12 and I have now been in charge of them for almost 8 years. It is the children of the first pupils I had here that I am now teaching and I have to admit that they make more sense of the new mathematics than I do.

I don't want to keep you from the wonderful books you read for pastime. I came from Northbay School where the late Neil Sinclair was teaching. There is neither play nor shinty there now. That time has passed and the glen is sad.[107]

My name was Elizabeth MacKinnon then and though I have changed my name I am of the opinion that I am still of the Clan MacKinnon through and through, woof and weft [108].

Many thanks for all the encouragement you gave me. Wishing you many happy days.

I am yours respectfully and with best wishes.

Your friend,
Elizabeth Campbell

I was well rewarded for that letter – a six page letter in his own handwriting in English letting me know that he was delighted with my Gaelic and he was nearly 102 at the time.

Improvement is Taking Place

About the end of September 1974, a pipe was laid at the bottom of the sea to pipe water from Barra to the people of Vatersay. When the Raiders were claiming the land that was one of the obstacles pointed out – that there wasn't enough fresh water available for the needs of the number of people who wanted to come and live there. They now had plenty and the school would never again

---

[107] This quote is from a gaelic song "Nuair a bha mi òg" by Màiri Mhòr nan Òran – there are several modern interpretations available on YouTube.
[108] Woof and weft are the vertical and horizontal threads of a woven cloth

be without water. Now with electricity and all that, we were now well ahead of many other little remote islands and we greatly hoped that we would never go back the way. The kindly folk now lying in their graves would be amazed at the present condition of the place.

There was then a rumour that the schools in the Western Isles would be under the jurisdiction of the "Island Council" before long. The day after New Year's day 1975, an enthusiastic group of six people visited the school, most of them Gaelic speakers. The children smiled most brightly when they at last heard their own native language. They had waited a long time for that. They now understood that Gaelic was no longer the language of the underclass and they took advantage of that. They almost couldn't stop talking.

The representatives who had come from the Islands Council took a look at the almost burnt-out Calor Gas Cooker we had and also at the big rusty refrigerator, and perhaps even a good look at myself. I was quite rusty also! They were kind: they didn't say a word!

On the 16th of May we became the responsibility of the Islands' Council. That was not a bad thing for us. We were relieved. Instead of the worn-out gadgets we had for preparing meals we were provided without even having to request it with smart new cooking utensils – though we were at the back of beyond. Weren't we lucky?[109] A chest freezer arrived and even if the most devastating gales should blow, the school children would not starve for lack of food.

We had already applied for a hall to be built on the island that could be open during the day and at night so that we didn't have to depend on the school for gatherings. We didn't really expect to get it though we kept asking for one but we became more courageous when given the support of the Islands' Council. We also asked the Highland Development Board and the Education Department in Edinburgh. In spite of our doubts we were given every encouragement to get it and succeed in this venture. We continued raising funds and writing and speaking out about the lack of amenities in the island without a hall.

One day after school summer recess, a beautiful white vessel with tall mast and red sails was seen sailing into the bay. These kind of yachts would quite often anchor there for the night at this time of year. The little yawl had barely touched the shore when there was a knock on the door. Two or three came in carrying strange equipment. They said, "We have permission to film in this school because it is bi-lingual." They took photographs and sailed away merrily out of the bay.

---

109 "The phrase the author uses means literally, "the cat had had a puppy!"

Shortly after that some of the children appeared on TV on "Nationwide". We had certainly come into the world! Word came from here and there that they had seen the little group who were "struggling at the edge of the ocean". The children certainly enjoyed seeing themselves on TV.

I always received a big bundle of letters in the post most often dealing with educational matters. About the beginning of October I noticed a long narrow unsual letter amongst the bundle. When I looked more closely I saw the Prime Minister's name in the corner. I said to myself, "This song is finished. What on earth have I done now?"

It was when I opened it and had read all that was written there, I got a real fright. The news was secret, that I could not reveal it to anyone under the sun, that they intended submitting my name to the Queen to see if she would consider it appropriate to award me the special honour of MBE in the New Year.

"I wonder who is up to this prank," I wondered. I looked again at the address on the envelope but I was sure someone had made a mistake. This could not be meant for me. This sort of thing only happened in the stories I had read long ago.

After school I went on the phone to speak to a friend in Glasgow. I didn't let on who it was for but I asked her if she could find some information about the MBE and why it was awarded. I didn't have to wait too long for the ring-back and the friend from Glasgow had returned from the library where she had found out about this. "But," she said, "not many receive this award. They gather a lot of information – there's a lot of research done before a choice is made and it doesn't have to cause either of us any concern!" "I just had to remain mute. The worst thing was that I couldn't let anyone under the sun know about it.

Shortly after that a team from "Bonn Còmhraidh" (a conversation programme) came and were going to film the island and the school. I was able to speak a few words to them along with the others and amongst all the hustle and bustle I was able to put the contents of the letter at the back of my mind and I got back to normal.

A few days before New Year I went into hiding. I realised that there would be much fuss. Like everything else, it passed. I had never sought the honour bestowed on me at New Year 1977. That came without seeking acclaim, without asking and I am one person in the world who did not expect it. I was sorry that there were no members of that grand family brought up with me in the same house who would have been truly pleased with this news, except one brother (who was taken from me very suddenly since then).

Shortly after school resumed the programme "Bonn Comhraidh" appeared on T.V The people of the mainland saw the beauty of the island with all its colours and white sands. The programme was shown shortly before midnight but in spite of this there was phone-call after phone-call – the exiles saddened at seeing the beauty of the island they had left because of lack of means of livelihood and people who had never been there enquiring about tourist accommodation. The broadcasters had done us a great favour and they appeared again right in the middle[110] of the day and we all went into the school to see and hear ourselves. There was great excitement with everyone shouting "Look – there's me ... my friend, my pal ..."

The Great Day

I then received an invitation and that was truly some invitation. I was being asked to the Queen's Palace on the 10th April 1977 so as to be awarded the MBE. It was a memorable day. I was at last going to Buckingham Palace! First of all I felt rather shy but as time approached I was only too happy to go and off I went. Fortune was with me. I managed to get away on the last plane from Barra before the strike.[111]

My friend Mary and I did much walking between the Glasgow stores as she was making sure that both she and I would be elegantly dressed for going to the Queen's palace. On Wednesday very early in the morning Calum and Mary and I went off on the train to the city of London. We stayed for three days in Croydon with Annie a' Chaiptein (Annie, the Captain's daughter). She and her husband the doctor, were most welcoming during this time. On Thursday morning we met at the Queen's Palace and after a brief search we were admitted through the big gate and Mary and Calum were taken to a different place. I was taken into a big long room where there were others preparing to be presented to the Royal Lady. The Queen Mother made the presentation and it was an excellent and ceremonious occasion.

Now things were fine while we were all gathered together but everyone had to walk quite a distance along all the way along the carpet towards the honourable lady. At long last my name was called. I felt quite shaky but then, like the folk in the old stories, I remembered the people I had come from and up I went.

---

110 The literal expression used is "the red heart of the day"
111 There were general strikes at the time and these affected ferry and plane services.

The Royal lady was most courteous. She asked me to convey her best wishes to the children I was teaching in the little green island at the edge of the sea and also to the rest of the population. She pinned the MBE medal on my shoulder and she shook my hand in the most cordial and friendly manner and her dealings with me were over.

You'd have thought that the worst part was now over but behold, it was not. I had to move backwards from the Royal lady and that is not so easy when you're not as young in body as you are at heart, especially when it came to curtseying about eight steps back. With my hand by my side and frisky as a lamb, I managed it. I made for the door, where my two escorts were waiting and saying "You survived!" When we got out of that famous palace, people were pushing and crushing one another in the attempt to take photographs for the newspapers. Now I had an invitation as did my companions from the member of Parliament for the Western Isles, Donald Stewart, to go for dinner at the House of Commons.

He and his wife greeted us most cordially when we arrived at our destination. We had a delicious dinner with them and they had the opportunity of taking us into the Houses of Parliament at Question Time.

That was some carry-on. Mr Callaghan and blonde-haired Margaret were at war. No sooner had Mr. Callaghan gone than Michael Foot came and he and Margaret were straight at each other's throats. He would nail her argument each time.[112] We stayed there for about an hour and then bid goodbye to the ones who had treated us so kindly.

We returned to Glasgow on Friday and awaiting us was a celebration feast. Mary and Calum's neighbours were so proud that we had been visiting the Queen's Palace. When I saw them all lining up to shake hands with me, I realised that they thought very highly of my award.

I returned to Barra the following Monday. In spite of all I had seen and done my heart was uplifted when the grey craggy rocks of Barra came into sight. Before the aeroplane landed on the Tràigh Mhòr I looked back and in my mind's eye was a flashback of that grand band of people, bare-footed and digging for cockles – hard work that often paid little reward and though there was no-one there in my mind I was calling them and telling them, "It was on your behalf that I made the journey. See the sign, the medal I have brought you".

When I disembarked from the aeroplane I heard someone say, "It seems

[112] Literally, every hole she made, he would put a nail in it. Margaret here is Margaret Thatcher.

to me that you have been away." I said to myself, "By Jove, I've certainly been away alright, a long, long, distance, in another world" – well, futuristic world compared with the world in the island where I live, where you have to crawl on all fours in case you break your bones amongst the seaweed and the rocks before you get ashore. Indeed there is one thing certain that one half of the world doesn't know how the other half lives.

The following Friday the people of Vatersay organised a celebration feast where they gave me a very useful presentation gift of money "to commemorate my achievement" they said.

Before the end of the year there was a new and further mention of the "Co-operatives". It was indeed a long time ago that I first became familiar with these in my early days in Bruernish but Red-haired Calum who had composed the little ditties had long since gone. A team from Barra and a youthful lad from Vatersay went over to Ireland to find out how co-operatives operated there. In summer-time a representative came to explain to the local people that this would be very appropriate in the island where each person had to depend on his neighbour every day of the year. They were supported by the Highlands and Islands Development Board. Castles are built one stone at a time[113] and I'm quite sure that through time their efforts will prove successful.

Now time had moved on and it was time for me to "let go of the oars". I was going to pack in the tools[114] in June 1978. It was time after more than 40 years in the job. I had loved the work but it was time to hand the responsibility on to young and rigorous shoulders. "The world will come to an end, but love and music will last forever."[115]

Everyone was delighted the night the new hall opened in Vatersay – on the 3rd July. The new building was really attractive and much more superior to any of its kind I had ever seen.[116] Everyone was happy because we never thought we would see this happening. At the next gathering on the 17th July the local people were bidding me fond farewell and gave me another handsome gift to commemorate our years together. Who arrived in the hall after coming off the boat from Oban, just specially to be with us but my "pal", the little girl who could not do her sums, because she hadn't learned "the tables". Early in the morning she went back off to Glasgow where she was employed in a job.

---

113 Equivalent phrase to the English "Rome wasn't built in a day"
114 Literally "take off the harness"
115 Noted as Gaelic proverb 295 in "Gaelic Proverbs and Sayings; collected by T. D. MacDonald" and published by Observer Press, Stirling in 1926
116 Literally "my eye had ever seen".

That night the hall had no sooner opened than my beloved friends from Eoligarry arrived with Màiri a Jen in the lead to demonstrate that they had not forgotten me in spite of the many years since we had parted.

Between clearing up and stuffing boxes, it was the last day of July before I got the ferry. It took me some time to recover after the flitting because the exhaustion had drained away some of my sense of time, but gradually I got over that. I was in a sort of dream (disorientated) for a while because it is not easy to come to terms with the fact that I do not have to go to school again – after struggling to earn my living for so long. I had "cultivated my own field"[117] but the thoughts that ran through my mind on the day I left Vatersay, crawling on my hands and knees among the rocks and seaweed to reach the ferry boat were "Though you be like the stone rejected by the stone-masons, the most excellent Stone Mason (God) will find a secret corner where you can be of use".[118]

---

[117] Equivalent of english phrase "I had made my own bed"
[118] Bible reference – Acts 4: 11-12

AFTER PUTTING BY THE OARS

I am now "dry and ashore" without any worry about the ferryboat – no concern about which direction it comes from! I am now staying in Glen though it is not the Glen where I was young. It is the first place in Barra where the cuckoo sings before May. When I look out of the window I can see Kismul Castle standing stately on the rock. Though MacGregor's prophecy came to pass[119] and the famous building had become a den for otters, things changed from then. It was restored so that it now stands as a precious jewel reminding us of the heroes who plied back and forth with the "Barra Galley" in times gone by.

The Oban Mod

The Year I left school in 1978 the Mod was in Oban. I had always dearly loved my "mother tongue" – Barra Gaelic. I noticed a big change in the state of the Gaelic language since I came over from Vatersay, especially amongst the younger generation. They speak mostly in English especially in Castlebay but also as far as Northbay and Eoligarry where we never used it except when we really had to. It seems to me that in spite of everything it is still being demeaned and that it really needs to be encouraged before it surfaces again completely.

It is a shame that Gaelic is dying
Since the Gaels we used to have have left
Young people who are coming in their place
Lift high her flag.[120]

---

119 According to folklore recorded by Alexander Carmichael, MacGregor was a butler who was asked by MacNeil to foretell the future. He reluctantly advised that Kismuil would end up in ruins. The extract is noted in The Carmichael Watson Project catalogue, available at: www.carmichaelwatson.lib.ed.ac.uk

120 Extract from the song "O Teannaibh Dlùth is Togaibh Fonn" Various versions of which are available from – www.toberandualchois.co.uk

True, the T.V had done away with the ceilidh visits from house to house and Gaelic is the worse for that but would it not be lovely if the youth of today would remember:
"Follow close to your ancestor's good name
And do not fail to be like them."
Anyway, off I went to the Mod in Oban. The town was teeming with people and kilted folk in every corner. The first day we went to listen to choirs and we really enjoyed everything we heard. In the evening another friend and I left the house to enquire about entrance tickets for that night's ceilidh in a specific hall. We arrived at a hall where there were two men standing at the door, one on each side dressed in kilts and all the accoutrements for Highland dress and they looked really handsome. I asked one of them, "Where can I get tickets for tonight's concert?" He coughed a couple of times, shifted from one foot to the other, looked at me with displeasure and said in English, "Sorry, Madam." He pointed his index finger at his mate and said, "You speak to that lady?" That one also coughed a couple of times and then as if he were from Hong Kong said, "Ciamar tha?" (How are you?) You would know from the "sound of his breath"[121] accent that his grandfather had never tasted tatties and herring. I asked if it was one of the Mod events that was taking place or if I had made a mistake. One of them replied in English that they were not very fluent in Gaelic but that they would find someone who could speak Gaelic when I had said that I had little English! This man came over and when I looked at him properly I realised that he was a Barra man whom I hadn't seen for years. He told me that the tickets were sold out "But," he said, "you come in and we will try to find a place for you." We did that but we were late into the hall because we had no tickets. On tiptoe I went into a row of seats, whispering to the one beside me, "I'm sorry for disturbing you!" "I've heard that voice before," said he and he told me he was from Lewis. I heard afterwards that he was the minister who composed the song.

Give me your hand
Give me your hand
And he spoke the truth because the world needs more than ever
That people be kind and friendly towards
One another in case they end up at
One another's throats!

[121] Literally the 'sound of his breath'

At the Mod the following evening we headed towards an hotel where there was a ceilidh on the Fringe. Now I have to admit that I was not very happy at the start of the Mod because I thought it was just a sort of sham. Now however, because there was so much joy amongst the people who gathered in Oban you would have to agree: it doesn't really matter which language they speak as long as people are cheerful, friendly and happy and they were that! I didn't see anyone who appeared to be downcast.

We headed for the Ceilidh House. Well, the ceilidh that night was different to the usual. At this one there weren't many present who knew one another. Without being demanded or asked of them, one by one people were getting involved and singing a song and everyone else was merrily joining in the chorus. I forgot that I was now one of the club who draw the Queen's pension every week and I even sang a few wee songs.

Who happened to be at our table but a man from Eriskay. We had never met before but what of it – we came from the same area and that was enough to bond us.

There were three people across from us and they had little yellow books full of Gaelic songs – exactly the same as we had used in school. The young man had a high old time singing the songs, reading them from the books. My "friend" from Eriskay suddenly jumped up and said, "There's not a word of Gaelic in their craniums. Come on old lady, come on, keep going!" I looked about me to see who the old lady was.

Goodness, gracious me the young lad and all the other were looking at ME! Me, an old lady?! But it must have been true because before I left the school the phone had rung a few times and people were asking, "Is it true that you will soon be drawing the Pension?" I now realised that it was definitely true that I had left the Land of Youth and to make me completely sure of this, when I reached Glasgow and boarded a bus, the conductor asked me before I had gone farther than the door "Show me your card." "What card?" I asked. He quickly responded "The Senior Citizens card." When I intimated that I had no such thing he replied instantly, "You should have one and it is about time you applied for one." Oh dear, oh dear! I must have looked really old. My lad could not understand or believe even if I had explained that I was not used to that form of transport but a beautiful boat that bounced about as often as the wind gave the command "Come on!"

Another Trip to Glasgow

As with everything else, Glasgow has changed a lot from what it was like when I first went there. There were new bridges and roads here and there which had not been there on my first visit. It was on the south side of the city that the Gaelic speakers lived and when you went out you would meet a Barra or Uist person on every corner. But that has gone and we now have this.[122] The houses and streets where they used to live had been demolished and the little communities that used to support one another are now spread throughout the city. There was now no mention of "going to the bridge".[123] The "Toll" was still there on the Paisley Road, but you couldn't see a Gaelic speaker within miles of it.

One day I was in the city centre in the shops, wasting time as usual. When I was completely satisfied and it was time to go home I headed for the subway as I used to do. I had always found it reliable. When I reached the door there was a long queue almost as long as tomorrow – waiting to enter. It seemed there was a football match on the south side. There was a young man dressed in Corporation Uniform keeping order amongst the crowd. When he shouted "Move along there" I knew from his accent that he was from Lewis. When he moved close to me I said quietly in Gaelic, "Young lad, isn't this some carry-on!" Though he had never set eyes on me before his face lit up with a smile. "Where are you from Lass?" he enquired. "I am from Barra." "Where are you from?" "I am from Stornoway," said he. "Young man, what's doing in Stornoway now?" I won't repeat what he said but it was witty and I laughed. I think people in the queue thought we were mad speaking a language of our own. Anyway my friend welcomed the language of the Gaels.

I was staying in a house all on my own. I was terrified. The door was locked day and night and if any of my acquaintances chanced to come this way I would peep through the keyhole before opening the door. There was always something happening. I never locked the door when in the islands. I ventured out to the city a few times to meet up with my ex-school colleagues. One of them suggested that I take a stroll over to Bridgeton where I had taught during the war – to see the school where I had worked. I went the following day and walked round it. It had always been an attractive building. "I wonder where the young girls and excellent boys whom I had taught in 1944 and 1945 are now," I said to myself,

---

[122] i.e meaning "things have changed since then"
[123] i.e The Argyle Street Bridge, otherwise known as "The Heilanman's Umbrella" because it was a common meeting place for Gaels.

"I could indeed congratulate them." They never gave me any trouble, I just had to raise my eyebrows without saying a word and that sufficed. Some teachers used to ask, "How do you manage to keep 59 children in order without parting your lips?" but I hadn't realised that I was able to do that. That was a long time ago.[124] They were now going to demolish this lovely school building and I would never see it again.

Nowadays, even at midday my heart would pound in my chest and the door was always locked but when I was teaching in this school I would walk the street in darkest night when there wasn't even a glimmer of light, just to guard the school in case the Germans would drop a bomb on it. Perhaps age has caused my step to stumble[125] and my self-confidence has been affected by the state of the world. I thought about going to see a street where some of the children used to live but most of them would now be settled and have set up homes of their own and I decided that it would be preferable that they remember me as they had seen me in the fullness of my strength.

During my stay in Glasgow the home-owners had left a bird in my care. It was doing fine in the cage and all I was required to do was to give it food and water and I was giving it plenty of both.

One evening some people came to visit me. They had indeed announced their arrival and what's more they were Gaelic speakers. They had to wait outside for some time before I managed to get to the door to get the chains and locks off the door.

While they were in they had a look at the bird and then one of them said, "They don't like it when their owners are away because they miss them so much and some of them die." Almost before he had finished the sentence, a thud was heard and when I went to investigate the beautiful bird was lying stone cold dead on the floor!

I felt completely ashamed and affronted. Off to the subway I went and up to the town as fast as I could to buy another bird as similar to it as possible. I managed to get one – though not for nothing – it made quite a hole in my purse – and as fast as I could I returned by the same subway, terrified that the substitute bird would not reach the house alive. When I arrived back I placed it in exactly the same place as the one that had died had been. My friends said, "It is not enough to give it food and drink. You also have to keep talking to it".

124 Literally "Many heads have been hatted since then"
125 The phrase used literally means stumble "by a third"

Well, I had heard it said a long time ago "When the birds spoke in Gaelic". I don't know if the new bird was of that "phylum" but whether it was or not it heard plenty of Gaelic and when I ran out of conversation I took to singing songs to it. This was its favourite:

Treasured are your brown eyes
Your eyes and yourself; Treasured are you
Brown eyes. And your beautiful physique.[126]

It could repeat almost every word of it before we parted! When the family returned home to Glasgow they didn't notice any difference whatsoever[127] in the bird that was happily hopping about in the corner.

Before I left the city, I did tell the landlady that this was not the pet they had left but its exact replica. She could hardly believe it till I vowed that it could understnad only Gaelic and I strongly advised her, "Keep stimulating it with Gaelic and that will keep it happy so that it will live who knows how long." If it hasn't died since then it must be still "as full of life as an Irishman" being given a little food, a little drink and the sound of the Gaelic.

Home

Though I had been in Glasgow for only a few weeks it was such a relief to be on the train returning home, when the lights of Oban appeared in the evening dusk and I was on my way back to the beautiful little island of Barra, where I was reared in my youth. There's quite a number of people from Barra living in Oban now and I spent a few days with them – looking back and reminiscing about the days that have gone.

The most difficult part about returning is that there is now no sight of my beloved folk – those who would make life worth living and welcome me back with great pleasure and great joy.

Of the joyful family who sat around the hearth each night
There were eight of us
There is today on the bare knoll
Only me left mourning a poor soul.

---

[126] This extract is from the traditional puirt 'M' Eudail air do Shuilean donna' – there are versions available on: www.tobairandualchais.co.uk
[127] Literally "under the sun"

The winter of 1978 was so cold that I had never felt the like in my whole lifetime. Without doubt I did not have much to occupy my mind and perhaps that wasn't doing me much good. I was suffering from rheumatism for the first time ever in my life. I had never experienced it before and I certainly had no regrets about that. There's many a thing that will prevent you from leading an active life if you let it and I did not allow the rheumatism to floor me[128] anymore than I had allowed anything else to do so. Rheumatism like other things is apt to take that advantage if allowed to do so but I swiftly addressed it saying, "I am still in charge here. Be off with you!" and I've not felt the rheumatism since then.

In 1979 the Spring was not much warmer than the winter but nevertheless we coped with the hardships. Even the summer weather was very changeable. I went across to Uist to attend the funeral of a friend of mine about the end of May. Though I was used to travelling by ferry the journey back from Ludag to Eoligarry was most challenging. The motion of the ferry boat was tossing me hither and thither and I had to grasp on like grim death to one of the beams lest my brains be bashed.

Now since I came over to Castlebay after having been away from it for over seventeen years I was trying to become accustomed to the new ways of the world. While I was away customs had changed a lot and I had to learn things very gradually – "Castles are built only one stone at a time". Many things had become available on the market that I knew nothing about and I had to be careful in case others would realise I was so stupid! I would spend quite a long time in the shops just looking and listening. I could do this without too many people noticing because even the shops have changed considerably. You no longer need to ask for things as before. You can choose things yourself and therefore you are liable to go beyond your limit and put much more in the basket than you need. As everyone has electricity you can buy as much as you like of meat and fish and many other tasty morsels. I see no signs of the barrel of herring which used to stand in a corner in each shop. When I was young I often went to the shop to ask for a shilling's worth of it. You could get about a dozen for that amount of money then, but "every new thing is best" and that's good.

Nowadays, money is just exchanged like shells and no one is economising. Today's generation is not concerned with putting a little saving by in case of mishap or hardship coming their way. Aren't they lucky!

---

[128] Literally "to take advantage of my weakness"

After I came back from Glasgow in 1966 many people were leaving Barra and going to the mainland because of lack of work.[129] The houses were being closed or sold and the crofts were being handed over to friends and neighbours. Some were letting them go completely and those who were more worldly wise were giving them to neighbours with an agreement that they would get them back in a few years time. Since then the wheel has turned full circle. For a few years now people have been coming back fast and furiously. They are building houses not of the old style, but new designs. There's not a small plot of land that goes up for sale but folk are desparately striving to buy it and it is Barra people and their families who are in the business mostly.

Recently Northbay School was resold and it was a lad from Barra who bought it. He certainly didn't get it for nothing. It seems he paid a lot of money for it and when I heard the news I remembered when the old church in Northbay (which is now an hotel) was sold for the first time when I was young and the worthy residents in our village were querying amongst themselves and wondering, "Where on earth did they get the money. Imagine £300!" The value of money has changed so much. You can't get much for £300 today. But the one who bought Northbay School is very fortunate. He will not only remember but also have a good view of Loch na h-Òib as long as he lives. Many a delightful tale the walls surrounding him could tell if they could speak but who knows that the one who bid us farewell with joyful steps on the bridge might be looking down with kindly glance at the place where he said goodbye to us.

Abroad

Until the year 1979 I had never had enough money to afford to take me beyond the shores of Britain. It was time if I could at all manage it to make tracks abroad. I was invited by an old friend to accompany her on a visit to France. She informed me that a group of people from Benbecula and South Uist intended going to the lovely little town of Lourdes. I jumped at the chance. I had long wished to make that pilgrimage, all things being equal.

Without mentioning it to anyone I went to Glasgow and though I hadn't told anyone where I was going I met a friend in Oban who said to me, "You're going to Lourdes!" I spent a few days in Glasgow and then on Monday night the 9th July 1979 I went to Glasgow airport. The group met up there and though there was no one from Barra except myself, in a tick I was at home with the people

---

[129] The Gaelic word means more specifically "livelihood", literally "what you can take out of the soil"

of Benbecula and Uist. I can say that I had never felt as happy in a company as I did with this group. They reminded me of the days when I was young and it seemed as if I were experiencing anew the pleasant music which attracted me in the Black Fort of Inverlochy.[130]

We boarded the plane about half past eleven at night. The weather was calm and very mild and there were excellent hostesses attending to us and tempting us with all sorts of food and sweets which we found very appetising. About two in the morning we could see the tops of the Pyrenees and then appeared an illuminated cross which guided us to our destination. The plane landed and I was for the first time ever in my life outwith the shore of Britain and amongst the French people. I never picked up much of their language and I felt such peace – "O peace that man's heart has never felt".

I am sure that there were thousands walking those streets from one end of the town to the other but there was not a raised voice or bad word to be heard. While we were there we were as happy as the day was long. We didn't spend all the time in prayer and quite often in the evening we had a good time singing Gaelic songs. Wonder if the Pyrenees had ever before heard Gaelic songs! I saw a few French folk looking askance at us as if they were saying to themselves, "Wonder where in Christendom you've come from with that language." But most people didn't notice, they were used enough to hearing all sorts of languages in those regions.

Now there were a few people in the group who knew French very well but sadly, the rest of us couldn't make head nor tail of it. Unfortunately, I left the group one day and went on my own to meet up with a friend in a particular part of town. Tough times! I had not gone far when I realised that I was lost in France, unable to do as much as get up or lie down in that country for lack of the language.

I laughed. I remembered a friend from my own little village when I was young. The housewife couldn't speak a word of English but she liked expressing her own opinions. The MacFarlane travelling salesman came one day. Now there was some disagreement between the residents of the house and that "tribe" about trading business. The man of the house could speak a little English and he kept up the conversation with him and he was a quiet and honourable man. When the stranger left, the wife began to moan and groan. "Oh, by Jove, he is lucky that I didn't have two tongues." The man replied quietly, "My goodness,

---

I think you're doing well with that one!"[131]

I was lost in France but it wasn't the second tongue I lacked but the third.[132] I had better head for the hotel but "like the spark from the fire"[133] it had disappeared.

I met a policeman[134] and I tried to explain where I was staying, He was quite clever. It took at least 20 minutes in the polished tongue but the only word I picked up was "pont". I headed for the bridge and luckily I bumped into three members of our own group and I promised myself that I would not let them out of my sight again.

We spent over a week in France and I'm sure we were heartbroken when it came to parting and everyone had to go back to their own place.

Change

On my return journey, I stayed a while in Glasgow. My goodness, my "friend" the subway was out of order and because of that I didn't travel much in the town. It is since coming back from France to Barra that I have taken stock of how much things have changed in the island since I was young. It was in 1926 the first car (came ashore) arrived and people were truly amazed watching it (nearly lost the two eyes). If an old man or old woman was walking on the road, on seeing the car miles off they would dive off the road and run up on the hillside as fast as they could. Today, except for a few, there's a car at every door and the women are just as able behind the wheel as the men. When walking on the main road your life is almost in danger because there are so many cars and they travel so fast. The people are well off and happy.

The days are gone when you would see the sailor with his bag walking six miles to Castlebay. If one is in a hurry or doesn't like travelling by boat they can go to the airport at Tràigh Mhòr. The plane will take them to Glasgow in 2 hours. Uist and Benbecula – foreign lands which we got to know from time to time when we were young – now seem as if just next door. I sometimes visit Benbecula. It takes me only about 10 minutes in the plane from Tràigh Mhòr till I arrive and once I've arrived I've no trouble getting to Lochmaddy or Lochboisdale. Quite often you can see a helicopter about. It used to take people

---

[131] i.e the one tongue, a play on the double meaning of the word "tongue" as the man is exhausted with his wife's moaning!

[132] i.e. Gaelic and English – but no French

[133] A common Gaelic phrase similar to the meaning of "quick as a flash"

[134] The author refers to "the one with the buttons" meaning policeman.

to the lighthouse at Barra Head. I hear that they soon will not need men to man the lighthouse. It will soon be automatically controlled. I've seen an advert in the papers advertising the lighthouse keepers' houses for sale. I'm told that the stone in these houses is very valuable and was brought from Sandray. I would think that no-one under the sun would wish to live in such a remote place but some people did go to view them. The church in Mingulay was sold a few years ago. They must have been heroes who used to be stranded at the jetty for weeks during bad weather after coming from Mingulay. They would indeed have been surprised if they had seen before Christmas 1979 – a helicopter travelling to and from Castlebay to Mingulay with a rope attached carrying goods and making the journey in 20 minutes. I also saw in the papers recently the Big Mansion House in Vatersay – at least all that's left of it, on the market. It's a few years now since the Eoligarry Mansion House disappeared – where young people used to find employment according to my earliest memories, though the wages were very poor. The old Manse House at Ciuir is now owned by English people and it is plainly obvious that all who come to the island hold on like limpets and they will remain here. This is not bad news.

I don't see young girls picking flowers as they did in my day. Neither do I hear young people complaining of lack of money. There is no word now of working hard all week to earn the shilling entrance fee for the dance! Everything is so easy for them, perhaps they are just as happy in their state as we were in our youth but it is difficult to believe that.

I seem to think that there are more funerals in Barra than there were in my young days. You do not see them walking and carrying the coffin as they used to nor do you hear the mournful dirge of the bagpipes. You do not hear a thing about the specially chosen man who would call out in a loud voice "Stand to the side" so that others would take turns in carrying the coffins. You do not see women and children crossing to the other side of the road and kneeling down to say farewell to the one who had died.

Things have changed. Now there is only one night vigil or wake in the house for the person who had died. The following evening the remains are taken to the church and the next morning Requiem Mass is offered in the Church. After that, just as on the mainland, the coffin is placed in a specially appointed vehicle or funeral car and taken to the cemetery. Unlike funerals on the mainland, it is not a few cars that follow on but sometimes more than 100 cars. In the cemetery nowadays, you seldom hear the grief-stricken mourning that people heard in the days of my youth at the moment when the coffin is lowered into the grave. People now do not show their sadness and anguish until they have returned to their own homes and this is much better. Indeed the people round about me will spend a couple of weeks lauding the departed – there is no word of the criticism of him which occurred while he was alive;[135] but that has always been the way of the world.[136] I used to hear it said in Barra, "If you wish to be criticised, get married but it is after your death that you will receive praise."

I do not hear of marriage agreements or betrothals (rèiteach). Certainly people do get married but most of the time the wedding party go off to the city where it is easier to buy the silken gowns and all the necessities for the special occasion. Those who used to design and make wedding dresses have long gone and you do not hear the fuss and the fun from the women on their way to pluck and prepare and cook the chickens. This is no longer the practice and that's a pity, but the youngsters who had no experience of these customs will not miss them. No one now waits for someone to go from house to house issuing invitations. That has died out and as on the mainland, invitation cards are sent by post.

When I was young it was very necessary that a girl who intended getting married was in good health. Indeed she would need to be fit because she had much to do working inside and outside the home. In my youth none of the women drank or smoked but I doubt if such rules hold fast nowadays. No woman for the life of her would be seen sitting at a table in a public house. But that has gone and this has come!![137] Miraculously one hears no mention now of the threat and fear that everyone was under – tuberculosis. If any of your ancestors had suffered from the disease you would hear folk say "it was in the blood" and no girl would relish being related to such a family. Though a lad had given her his sincere promise[138] every attempt would be made to steer her in another direction and many a handsome young man became pale and wan when this awful disease took hold. He was in the grip of death and there was no way out of it. Now there is no mention of this disease in the island or the pain and heartbreak connected with it and we are inclined to forget from time to time the God who granted the cure.

I have already mentioned the new houses. On the very same road which I had to follow on my way to Caolas twenty five years ago there is now a row of most

---

135 Literally "in the human body"
136 Literally "that has always been a human failing"
137 i.e things are different now
138 i.e of marriage

elegant houses each one surpassing the next in shape and beautiful appearance on the outside but with the most spectacular and priceless view – islands and ocean as far as they can see. In the inside it is certainly food for thought when I compare them with the Barra houses of my youth.

There is now no sign of the black earthen floor or the covering of sand. Instead of these you are knee-deep in delightfully soft and multi-coloured carpets. You can hear the humming of "hoovers" on each corner and before you've even said a word the house is beautifully clear and tidy. Without work or worry. There's not an electrical gadget that cannot be seen. One of these is busy doing the washing and it can switch itself off. You need not wring the clothes. There is a machine for that chore that almost completely dries the clothes.

Instead of the lumps of peat that went under the embers at night in order to keep the fire going for the morning, this was called banking the peat-fire, you now have only to push a button and you can have all the heat you want. It heats up by itself to the exact temperature you need as long as you press the button.

You can have the toast ready in the course of a minute from the most wonderful gadget you have ever seen. In my youth there was no need for such a thing. Only rounds of home-baked scones were in fashion. Now baking is done only as a novelty and it caused me to think and smile when I heard recently much fuss[139] amongst the ladies of the village trying to get some of the Indian meal which had come to Vatersay for the first time.

That's the very thing as well as mackerel which was considered inferior fare in my day and there is nothing surer than the fact that both my grandfathers were well acquainted with both of these tastes.

With all these new fashions I decided at last to buy a washing machine so that I need not steep my hands in water in my old age. You need only open your mouth in the slightest[140] and lo and behold, you have every selection and choice, provided you have the money.

I wasn't long in getting it and it looked really beautiful standing before me. I tried using it a couple of times but that's another tale I don't tell! Unlike the lady who regretted that she did not "have the two tongues", this lady doesn't even understand one language and doesn't need to and it is just as well!! What "she" sees today she will not talk about tomorrow and I thank the Lord for that – but I have named her – the name of the boat which my grandad had a long time ago

---

[139] Literally "unmeasured stir"
[140] i.e. need only mention

(the Try Again) but in Gaelic. Certainly things have not come to the stage at least not as yet, as that of the lady who bought the pressure cooker. As soon as she had managed to get it going she rushed outside of the house and was peeping at it through the window sure and certain that it would explode any minute. Perhaps like the Bruce's spider, I shall manage to work it on the seventh attempt.[141]

The Old Fishing etc.

In Barra at this present time you hardly ever see any fish except the frozen fish which you buy in the shop. There is some fishing going on but the fishermen are able to sell all their catch to the people in the fish-processing factory in Ardveenish in Northbay. There's a fair number of men and women employed in that fish factory according to the records. Perhaps one would not be without fish if you could travel from here to Northbay but the distance seems farther now than when I was first familiar with it. If you had the chance to go down there without having to walk, it would be to your advantage.

There's no word of anyone going rock fishing nowadays. It was customary for the head of each family in our little village in the days of my youth. You can still see the little rock-pools where the men used to crush the bait in preparation for the fishing season. The rock-fishing venue was good for get-togethers where the men of the village could gather and tell jokes and share any news.

As well as fishing with rods, the men would also gather from time to time for net-fishing. When I was about 9 years of age "Òran an Tàibh" (The net-fishing song) became popular and it was sung enthusiastically at the ceilidhs:

If I crush to shot in the small rock pool
And the fish begin to play and come to the surface
I shall be anxious and sad
If I do not manage to catch a feed
Using the fishing hook
But if I were using a skimmer
Though I would use up a hank of wool
I would catch enough in the little pool
And the fishing hook could go to the pawn shop.

---

[141] Ellie is referring to the legend that Robert the Bruce was inspired to rise from defeat by the English in 1306 and try again by a little spider in a cave. The spider ceaselessly repaired its web and finally succeeded in catching its prey.

Once the fishing net was ready the fishing hooks were not required. Those who used the fishing net took turns about immersing it in the rock-pool and they were very jolly to step as they returned home with their catch. I often heard my father getting up at dawn and heading for the Rock of the Rat near the Sruth[142] and he would be back home before we left for school. Quite often in the evenings, the men of the village after being busy all day would then go "flyfishing". They were always in good spirits as they set off. Were they going to a wedding they would hardly be in better form. As children we used to wait for the exact minute that the boat appeared sailing into the bay after the fishing trip. We then all headed to the quay and waited excitedly for the draught to be shared out. They apportioned it among the men who had been out fishing and an extra portion was allocated "to the boat". Here and there amongst the rocks, they would deal out the fish in portions till the whole lot was finished. Then one of the men would hide his face in a corner some distance away from the fish with his face turned the other way and another member of the crew was shouting while we took careful stock of the proceedings – and the index finger point "who will have that lot?" and the one in the corner would answer "Neil will have that one". Next time when the call came "Who will have that lot" the other fellow would call "My godfather will have that". And that was the procedure till the fish was all shared out and then we and they headed happily home.

From time to time, the fishermen went farther out to sea using the longer hooked fishing lines to catch flounders but first they had to go to the sand beach to dig for sandworms which were used for bait. Then every man sat quietly behind the wicker basket and baited each fishing hook on the line. The flounders were very tasty when they were fresh but were not as appetising when salted.

About September shoals of mackerel could be seen "playing" in the bay. Straightaway the fishermen went out with the herring line and filled the boat full of fish. They would then salt it and it was very tasty along with potatoes but it was sort of looked down on. It was regarded as the poor man's fare.

The wheel has turned a complete circle since then. Mackerel is now regarded as a rarity. I read in a newspaper recently that folk are very often asking for sheep's heads. We were very used to those in our young days but again it was very much frowned upon and if there was a knock at the door while it was being prepared the housewife would fling it under the bench. Soon, who knows, the "sheep-

---

142 The Struth is the stream at the entrance to Kentangaval Loch

head" will be ranked with lobster as a delicacy. Doesn't the world turn round many times!

It is a long time since horses went out of fashion in Barra despite the fact that they were reckoned to be very hardy. A few years ago there has been renewed interest in them. I am delighted with the news. I heard recently a couple who lived in Glasgow came back to live in Barra. They acquired some land. There are many people who would now return if they could manage to get the same. They built a beautiful modern house beside the road. Up from the road there is peaty moorland which will provide as much fuel as they want and they bought a horse for carrying the peat. I've heard that Iain Beag (Little/Young John) made wicker baskets and an old fashioned plaid of straw though I thought there was no one left in this area able to make such for them nowadays. Long may he have the opportunity to teach the younger generation to turn their hand to such things and long may they have fuel on the back of the new horse. It has been lorries and tractors that have been of assistance to people for many years for carrying hay, wheat, coal and other heavy implements which were required. None of these is of any use among the hills where the ground is so uneven. But the horse can find a footing among them and that is good news. The coal is now so expensive[143] and many people are happy and thankful for work at the peats once again – the sort of fuel that I was well accustomed to in the happy days of my youth.

When we got electric power in Barra in 1967 people were very grateful that they were able to access at least one Channel on the TV and that was BBC1. We were paying the same yearly licence fee as the mainland people though they were able to switch to any channel. Just over a year ago there has been the opportunity to erect receiving masts on various pinnacles here and there so that we can access each channel on the "box" and that's not the only news. We now have coloured television like the rest of the English-speaking world and we are absolutely delighted.

When I was a young girl there was a kindly old man living near us and he always had the habit when he heard of any ingenious invention of pondering for a minute, scratching his head and saying, "Well, my soul, isnt the world advancing." As the word ("ag adbhansadh") was so unusual, the children in our village picked it up and we would have fun using it from time to time though we had no notion under the sun of what it meant. If the poor man were alive

---

[143] The author uses the idiomatic expression for very expensive "as dear as the sweetbread".

today he would indeed notice the difference in the state of the world.

This week, the second week of May 1980, I am sitting here in Glen and there is perfect calm.[144] The doors and windows of every house are wide open and the nestling birds are singing melodiously everywhere and the grey-green cuckoo keeps calling "cuck-oo" lest we forget the distance she has travelled to greet us and welcome us to summer. There is peace here – "O the peace that man's heart has never felt."[145]

The radio announcer has just informed people of the world who are listening that it will only cost you £500 to visit the far-eastern countries. Poor man! Must be the case that he has never been to Barra. Had he been and if he would direct them here, I am sure that they would want no music and mirth or anything but to stay in this very self-same place. They have never seen a more beautiful sight than the Glen in the summer months of May, nor the primroses of Vatersay like precious jewels gleaming on the sandy plains of Vatersay.

In the bay I see a lively-looking boat full of tourists on whom Providence has looked favourably and who have arrived at the "Land of Youth"; heading joyfully for Mingulay to look back and see a world that has now passed. They will spend some time at the house-ruins left by those who had lived there all their lives with little means of livelihood and in spite of worldly hardships, and the ongoing shrieking of the sea-birds on the face of the grey-rugged rocks as is their wont and making headway in their own world no matter who comes or goes. The radio reporter has brought my attention back from Mingulay announcing that some members of the profession which I loved so much have boarded a train in Glasgow – headed to London to complain to the Members of Parliament about poor wages. There's no doubt that that is necessary nowadays but in May, I am looking across to Vatersay where in my early years I was paid £9 a month and I must admit that I would not ever be in the shoes of those on their way in the train to London for all the gold of the Lord of Sandray!

This week, alas, the priests of both parishes in Barra have bidden us farewell The one in Castlebay has spent 14 years here[146] and the one in Northbay, our own Father Calum[147] six years. They have both gone to fresh fields and we pray that they will both have a long and happy life where they have gone.

[144] Literally, "the calm of the birds".
[145] Biblical quotation (Phil 4:7) referring to the joy of pupose of life – knowlwdge of God possessed in a peace that "passes all understanding"
[146] Fr Angus McQueen
[147] Fr Calum MacNeil, he was native of Barra – that's why she calls him our own

For our part, we can be especially thankful for the reverend who has come to us in the south of the island,[148] he is no stranger to us. We got to know him quite well when he was in Northbay Parish. While he was in Benbecula, we often heard his voice on the Islands Radio pleading for many causes for Uist and Barra. What we say to him is "Better to have a friend in the crown court than a crown piece in your purse".[149] We know that when there is need that he will be ready, willing and able to speak on our behalf in spite of having all the other responsibilities with which he has to cope.

We are like sheep with our heads over our shoulders waiting for guidance from the new shepherd. In the first instance let us wish him:

A peaceful sailing, wide and calm
A favourable tide and success at his back
Till he reaches dry harbour
Each day till the end of his race.[150]

A few weeks ago the new care-home opened in Barra. That was in truth a golden day. Ever since I can remember everyone who became seriously unwell was exiled to Lochmaddy or Uist or any other place able to accommodate them if there was no one of their own able to care for them. All of these were gathered from these different places and returned to their own native place. Aren't they lucky! Their first waking blink at dawn, they will happily look out and see the grey-rugged rocks of Barra and their hearts will be filled with gladness and joy because they are back once again in the land of their grandfathers. From every corner, their families and friends will come to visit them every evening to pass some time with them and they will be happy and contented hearing the Gaelic accent from their own locality. Those who are able to walk can go out for a wee stroll around the shops or to visit relatives. They are not restricted in any way or obliged to stay in as long as they are back for meal times.

It is over fifty years since my late lady friend and I went on that very special trip for the opening dance in Northbay hall. It has withstood wind and weather very well and many a happy evening we spent there. There was talk last year of building a new hall in its place or renovating and upgrading

---

148 Fr Calum MacLellan
149 A Gaelic proverb,
150 Race means life ie each day till the end of his life.

212

the old one. It is hardly possible that no matter how it is altered that there will ever be any happier steps danced there than were danced when the locals of our own village were at the age and stage of making a noisy clatter on the floorboards – but perhaps I am mistaken.

We were told that a new church was to be built in Vatersay. The present one was built shortly after the time when the school opened, there in the farmer's mansion house. This is good news. There is now no sign in the island that it intends to die the death. Like everything else the new church will cost many thousands of pounds sterling but I've no doubt that it will be built and I sincerely hope that the time will come when each croft will again have its own occupant.

We have also heard that they are going to build a new school in Castlebay which will cost more than ten million pounds. From all appearances it will be a school built in the most unusual shape. It will have a swimming pool for boys and girls to learn to swim and indeed that is something which is very, very necessary, especially in this island where youngsters often go fishing around the shores.

What's in the Future?

I have looked back very far – more than sixty years. Though I am no seer like Mac a' Chreachair, I will be as bold as to look a little into the future.

Under the Atlantic bed just where the fishermen used to see "Rocabarra"[151] in times gone by, the oil has been lying and waiting for years to be extracted. In a few years, whosoever lives long enough to see it, there will be so much noise and bustling of boats with their drilling machines in search of new sources of wealth. They will come from east and west, black and white for their money is all the same colour – to buy a section of a field at the bottom of the ocean. If Stornoway Airport is extended as some people expect – between that and the incomers of Benbecula – it will be then that our islands can really be called the "Island of the Foreigners" (Innse Gall).

I will say that one's hereditary disposition will stand firmer than the rocks and that the native islanders will "put their heads together" and support one another and that they will allow no one under the sun to push Gaelic backwards out of the way. Perhaps the power of the waves will be harnessed to produce electricity. The children of the islands will return to their own native regions and there will be people living in Berneray, Barra Head, in beautiful Mingulay and in

---

[151] Rocabharraigh is a phantom island, a mirage from Gaelic myth.

Sandray and Pabbay and everyone will have their own aeroplane (or helicopter) to fly them to and fro as they wish, attending to their work and business with none of them deferring to any other mother's son who speaks an alien language. Everyone in the city who has as much as a droplet of island blood in their veins will be willing to give one of their kidneys to get a small corner of a patch of land in one of the islands in the south.

Vatersay will have a lovely causeway from Caolas with vehicles running back and fore as they please just where I used to make my own way over forty-five years ago amongst the mud and the rocks to cross the sound by ferry.

The ferry – the sound of the word lulls me back to this very minute. It was normal and usual for me to be often waiting for the ferry. May Providence look favourably at me and God grant that I be left a little longer about:

> *These shores and straits where my people live*
> *And where I was young and lighthearted.*[152]

There is much I would still like to see and learn before I go for the long trip.

Looking across to Vatersay as I take my leave – the beautiful isle of the primroses and the bright silver sands, my sincere wish for them over there is:

> *May each one, each man and woman*
> *Be really happy*
> *Every day while you live there*
> *And then in your place will come*
> *Your descendants who will add further*
> *Renown to the beauty of the*
> *Loveliest Isle.*

The End

---

[152] Extract from a Barra Song "Ho ro tha mi Smaointinn." A variation of this song from Inverness is available on – www.tobarandualchais.co.uk